OS CRIMES DE

LA FONTAINE

Arnaud Delalande

Os Crimes de La Fontaine

tradução de
Maria de Fátima Oliva do Coutto

EDITORA RECORD
RIO DE JANEIRO • SÃO PAULO
2011

CIP-BRASIL. CATALOGAÇÃO-NA-FONTE
SINDICATO NACIONAL DOS EDITORES DE LIVROS, RJ

Delalande, Arnaud
D377c Os crimes de La Fontaine / Arnaud Delalande; tradução de Maria de Fátima Oliva do Couto. – Rio de Janeiro: Record, 2011.

Tradução de: Les fables de sang
ISBN 978-85-01-08958-8

1. Romance francês. I. Coutto, Maria de Fátima Oliva do, 1951-. II. Título.

10-2556 CDD: 843
CDU: 821.133.1-3

Título original em francês:
Les fables de sang

Texto revisado segundo o novo Acordo Ortográfico da Língua Portuguesa.

Impresso no Brasil

ISBN 978-85-01-08958-8

SUMÁRIO

PRIMEIRO ATO

Começa a partida

Uma vez era a estulta vaidade,
De mãos dadas com a inveja aborrida;
Duas molas reais em que volve,
Pelos tempos que vão, nossa vida.
Essas pechas, que a gente degradam
Figurei no mesquinho animal,
Que, na altura e no grande tamanho,
Quis de um boi arvorar-se em rival.
Pus, às vezes, em dúplice imagem,
As virtudes dos vícios em face;
— O bom-senso ante a estultícia,
O cordeiro ante o lobo rapace;
Acheguei a formiga da mosca;
Sendo assim convertido o meu verso
Em comédia, que encerra cem atos,
E que tem por cenário o universo

JEAN DE LA FONTAINE,
"*O lenhador e Mercúrio*", Livro V — Fábula 1.
tradução do Barão de Paranapiacaba

Onde o lobo devora o cordeiro, maio de 1774

Floresta de Fontainebleau
Galeria dos Espelhos, Versalhes

Seus pés são lindos, Rosette.

No meio da noite, Rosette estava descalça. Tremia, as mãos atadas, os olhos vendados. Havia sido raptada poucas horas antes.

A silhueta encapuzada se escondera sob um portal, a dois passos da loja do perfumista Fargeon, onde Rosette trabalhava. Aproveitando-se da surpresa da vítima, o raptor não encontrara qualquer dificuldade em arrastá-la e amarrá-la sob as cortinas da carruagem. Não lhe tirara o vestido. Rosette não usava brincos nem colar em torno do alvo pescoço e nenhum anel. Não possuía nenhuma joia. Esse, portanto, não podia ser o motivo do rapto. Até o momento, o raptor contentara-se em levá-la a um lugar ermo. Rosette sabia que haviam se aventurado além do limite da floresta. Onde exatamente? Em algum lugar de Fontainebleau, talvez. Mal chegaram ao destino, ele tapou-lhe os olhos, antes de lhe retirar os sapatos e acariciar lentamente seus pés.

Seus pés são lindos, Rosette, repetiu.

Em outras circunstâncias, tal tratamento poderia animar a jovem. Cheia de vida e com um corpo bonito, Rosette era sensível aos elogios masculinos. Naquela noite, contudo, ao sentir o vento subir pelo vestido sujo de terra, só sentia calafrios. A mão do homem era gelada. E a *voz*... havia algo de sombrio e cavernoso naquela voz; algo de monstruoso. No início, enquanto a carruagem corria a toda velocidade, no meio da noite, e o cocheiro açoitava os cavalos, ela tentara gritar. Inútil. Esforçara-se por reassumir o controle. O que exatamente esse homem queria com ela? Sua honra, já bastante arruinada? Rosette tinha suas dúvidas. Talvez conseguisse acalmá-lo se permanecesse serena, se encontrasse as palavras apropriadas. Talvez aí residisse sua única chance de sobrevivência. Agora que o vento soprava nos cabelos despenteados, a jovem tremia ainda mais.

Rosette podia pressentir o nevoeiro que se espalhava em línguas cinzentas na clareira. Quando o homem começou a falar, ela apurou os ouvidos, tentando distinguir a exata procedência da voz. Não se moveu, parada diante das árvores misteriosas que cercavam o lugar aonde ele a levara. A voz vinha de um ponto relativamente distante, como se o agressor se encontrasse do outro lado da clareira. Rosette prestou atenção ao barulho das botas na grama seca.

Permaneceu imóvel, petrificada.

Seus pés são lindos, Rosette.

— Bem... Nosso jogo, minha doçura, consiste em você chegar até onde me encontro. Compreendeu?

Rosette articulou qualquer coisa em um tom estrangulado, contendo as lágrimas.

— Desculpe, Rosette, não ouvi direito.

— S-sim — disse, desta vez com clareza.

— Não faz muito tempo, você fez para seu sobrinho que, pelo que eu soube, está muito doente, uma pequena apresentação; uma encenação... íntima. Fiquei a par disso graças a uma de suas amigas. Você e mais duas pessoas de sua família se fantasiaram e representaram para ele algumas encantadoras cenas inspiradas nas fábulas de La Fontaine! Estou certo?

— Sim — respondeu Rosette.

Ela franziu as sobrancelhas. Que diabos fazia o pobre Louis nessa história?

— Assim, você acabou me dando a ideia para o jogo, Rosette. Preste bastante atenção: para sair ilesa desta clareira, basta lembrar-se de seus poemas preferidos e responder corretamente às minhas perguntas. Entendido?

— Sim — repetiu Rosette, embora o propósito de toda a situação lhe escapasse por completo.

— Se recitar corretamente, eu lhe indicarei o caminho a seguir. Caso contrário, ficará entregue à bondade divina. Comecemos. Recite para mim "O lobo e o cordeiro". Creio ser a fábula mais adequada.

— Mas...

— Recite. Recite o poema. Vamos. Eu lhe lembrarei as primeiras frases.

A razão do mais forte é a única importante.
Passamos a mostrá-lo num instante.

— Mas, senhor, eu... Eu não entendo...

— *Recite* — contentou-se em ordenar o homem, cujo tom de voz a sobressaltou.

Rosette, apavorada, tentou lembrar-se. Cada vez sentia mais frio.

A razão do mais forte é a única importante.
Passamos a mostrá-lo num instante.

Matava a sede um cordeiro
Nas águas cristalinas de um ribeiro.

— Muito bem, Rosette, muito bem. Falta pouco para me alcançar. Avance três passos, por favor. Em linha reta.

Ela obedeceu. A venda a impedia de ver por onde se aventurava. Intuiu o perigo e conteve um calafrio.

Sem dúvida era melhor ignorar a exata natureza da ameaça.

Espalhadas pela clareira, jaziam ao acaso, uma dúzia de armadilhas para lobos.

Mandíbulas de aço, escancaradas e pontudas.

Estendidas na grama pareciam à sua espera.

Ah, não, não, não...

— Continue, Rosette.

Os ombros da jovem estremeceram. O arfar do peito ergueu o corpete.

Chega um lobo em jejum. Viera ali, com certeza,
Trazido pelo faro, em busca de água e presa.

— Você era amante de um tal de Baptiste Lansquenet — prosseguiu o homem. — Ele também era empregado, por apenas uma temporada, da loja de Fargeon, mestre luveiro-perfumista, localizada na rue du Roule em Paris. Não é?

— É, mas... Como sabe tudo isso? Quem é você? Que quer de mim? — soluçou Rosette.

— Prossiga. Nós paramos em: *...em busca de água e presa.*

Os pensamentos giravam na cabeça da jovem. Uma onda de pânico a imobilizou. Os lábios tremeram.

— Por que me turva a água assim, cordeiro ousado?
Pergunta o lobo exasperado.
Saberei castigar-lhe essa temeridade.

— Bom, muito bom, Rosette! Dê dois passos à esquerda. Isso! Agora dois à frente. Você está se saindo muito bem. Esse senhor de Lansquenet, que, de tempos em tempos, servia de entregador e levava os pós e perfumes de Fargeon a madame du Barry, amante do rei, lhe confiou que também tinha outro emprego... Servia ao conde de Broglie, não é? Um emprego ao mesmo tempo mais sazonal e, digamos, mais estável... Ele também trabalhava como informante para o Secret du Roi, não é?

— O... O *Secret* de quem? Não compreendo! Não sei de nada! Pare com isso, eu lhe imploro. Faça de mim o que quiser, mas não me deixe aqui assim.

— Vejamos, Rosette... Seu convite é tentador, mas tenho muito a fazer. A continuação...

Rosette respirou fundo e, organizando os pensamentos, esforçou-se por conservar as forças. Recitou de uma só vez:

O cordeiro responde: — Majestade,
Não se deixe de cólera exaltar
Convém antes de mais nada considerar
Que estou bebendo na corrente
Vinte passos abaixo e, consequentemente,
Não posso deste ponto a linfa lhe turvar.

— *Não posso deste ponto a linfa lhe turvar.* Excelente, Rosette! Quatro passos adiante, três à direita.

Lentamente, Rosette avançou. O pé esbarrou em uma das armadilhas. Por um breve instante, sentiu algo frio e metálico perto do dedo mindinho. Um estalo de mola. Golpe seco. As mandíbulas de metal acabavam de se fechar ao seu lado.

Ela não ousava verbalizar o que o barulho lhe invocara nem o que devia significar, mas o coração pulou em seu peito.

— O que tem aí? AÍ NO CHÃO.

Como resposta, apenas o som de um riso. Um riso brusco, abafado, prolongado.

— Rosette... Seu amante lhe confiou a identidade de três agentes que, como ele, trabalhavam para o conde de Broglie. Seu Baptiste jamais deveria ter tido acesso a essas informações. Afinal, não era útil ao conde senão como informante eventual. Ouvem-se tantas confidências nas lojas, em todos os pequenos comércios de Paris! Perfumistas, modistas, luveiros, taberneiros, moças de vida fácil... Como são tagarelas! Quero saber o nome desses personagens.

— Mas... sou apenas uma empregada, uma empregada de loja. Trabalho na perfumaria!

— Os nomes.

— Ele me falou de um cavalheiro, na verdade, nem sei se é homem ou mulher...

— Ah! Muito bem — disse o homem num tom interessado.

— E do... do senhor de Beaumarchais.

— Entendo.

— E de um fidalgo de Veneza.

O homem estalou a língua.

— *Viravolta*. Claro.

Bateu na coxa e disse satisfeito:

— Muito bem. Está vendo, Rosette? Não é assim tão complicado. Basta me dizer os últimos versos e terminamos. Quanto a Baptiste, saiba que fui forçado a lhe fazer perguntas semelhantes, mas ele não tem o seu talento. Fiquei desconsolado.

— C-co-mo? O que quer dizer?

— Vamos, Rosette! Concentre-se apenas naquilo que a separa da liberdade. É a vez da fala do lobo, se não me engano. Vou ajudá-la. Não importa.

— Turva-a, sim! — disse o lobo brutalmente.
E falou mal de mim, bem sei, o ano passado.

Rosette prosseguiu:

— Como, se eu não nascera ainda então?
Eu nem sequer estou de todo desmamado!

— Um passo à esquerda, dois adiante, você está progredindo.

— Se não falou de mim, falou o seu irmão.

Ela recomeçou. Um dueto, um concerto a duas vozes.

— Não tenho irmão.

— Alguém dos seus, é certo,
Falou de mim. Ouvi. Estava perto.

— A *continuação,* Rosette.

A jovem debulhava-se em lágrimas. Reuniu todas as forças na tentativa de se controlar. O sangue latejava-lhe nas têmporas. As pernas fraquejaram. As mãos umedeceram. As cordas em torno dos punhos a machucavam. Quase desmaiou. Não, não desmaie, suplicou a si mesma. O pesadelo prosseguia! Tentava desesperadamente lembrar-se.

O final... O final da fábula...

Ah, meu Deus!

— *Você, seus cães e seus pastores,* Rosette. Você não é nada má como artista.

— Eu não sei mais, eu não sei mais...

— Rosette...

— Já disse que não me lembro!

— Então dê três passos na direção que bem entender. Três passos, Rosette.

Ela ouviu o fio da espada retirada da bainha. O raptor se aproximava.

— Ou mato você com as minhas próprias mãos.

Rosette hesitou. Trêmula, fez menção de ir para a esquerda, os dedos em ponta, receando tatear o chão. Mudou de ideia. Oscilou, desta vez para a direita. A cabeça doía, a garganta ressecara. Por um instante, adquiriu, independentemente de sua vontade, a graça de uma bailarina. Finalmente, optou pela esquerda. Prendeu a respiração. Silêncio. O pé encontrou o tapete de grama.

Ao primeiro passo, o homem continuou:

Você, seus cães e seus pastores
De mim falam horrores.

Segundo passo.

De repente, Rosette percebeu um odor — um odor comum, mas persistente, trazido pelo vento; uma fulgurante associação de ideias tomou forma em seu espírito; num lampejo, ela compreendeu.

— Ei... *Eu sei quem você é!*

O vento da noite voltou a soprar nas orelhas de Rosette. As maçãs do rosto ardiam.

— Ah! — disse o homem. — Que pena...

Ouviu-se novamente o barulho do clique e do metal zunindo quando as mandíbulas esfacelaram o tornozelo da jovem. Rosette soltou um grito pavoroso que pareceu cortar os bosques, enquanto o homem concluía:

E, isso dizendo, sem maior razão,
O lobo ataca e arrasta o pobre do cordeiro
Ao fundo da floresta e, num desvão,
Matou-o sem nenhuma compaixão
E devorou-o prazenteiro.

(*O lobo e o cordeiro* — tradução de
Luiz Gonzaga Fleury)

Ele avançou, a voz curiosamente mais suave.

— Sou uma sombra, sou o Fabulista, a hora chegou.

Uma hora depois, a silhueta encapuzada deixava o bosque. Com um sorriso nos lábios, murmurou para si mesmo este verso, emprestado de Ronsard, que em sua boca parecia um epitáfio:

E Rosette viveu como vivem as rosas, uma única manhã

*

* *

Abandonou-a na floresta por dois dias antes de buscá-la.

Não lhe foi difícil entrar na Galeria dos Espelhos de madrugada, poucas horas antes do alvorecer. Conhecia o palácio de Versalhes nos mínimos detalhes: os mapas, a topografia, os jardins, as fontes, os labirintos de intrigas e cochichos dos cortesãos, as ocupações menores e os segredos de alcova. Os soldados da Guarda Suíça nem sequer lhe prestaram atenção. A maioria, na verdade, dormia durante o serviço. Na Galeria, já estavam habituados a ver homens — ou até mesmo cabras, levadas aos aposentos dos príncipes de sangue real para que lhes tirassem o leite. O Fabulista achava bastante divertido esgueirar-se com sua carroça pela magistral guarda enfileirada. Esperou alcançar o meio do corredor e ali, com um movimento de punho, virou o pesado saco de tela.

Fez-se um barulho seco.

O corpo desarticulado de Rosette surgiu.

O Fabulista se benzeu com ironia e, de maneira relutante, ajeitou sobre o peito da morta seu precioso livro, *As fábulas*, com a seguinte dedicatória: *A Pietro Viravolta de Lansalt.* Em seguida, abandonou Rosette, os braços em cruz, no piso de parquê, não sem antes dispor ao seu redor alguns ossinhos de cordeiro, simulando uma grotesca sepultura. Haveriam de encontrá-la bem no coração do palácio. Que ficassem cientes. O verme estava na fruta. Eles que esperassem para ver.

A desgraça se abateria sobre Versalhes.

Em breve, o reino contemplaria, ao fitar o espelho, a própria putrefação.

Que a partida comece, sussurrou.

O brilho dos duelistas, maio de 1774

Floresta de Saint-Germain-en-Laye

— Cosimo... Em guarda!

A espada de Viravolta retiniu enquanto ele recuava para retomar seu lugar e batia o pé no chão. Diante dele, Cosimo, o filho de 17 anos. Viravolta, apesar de ter 49 anos, parecia dez anos mais jovem graças à beleza dos traços, ao talento como espadachim, à elegância e ao porte no montar; enfim, graças à sua fisionomia. Cosimo herdara parte de suas qualidades, embora Pietro o achasse ainda um pouco magro. O filho tinha a tez pálida, os olhos vivos; a ruga no canto dos lábios podia passar por expressão desdenhosa. Vestido com jaqueta vermelha e calça azul, o jovem tirara o tricórnio para a sessão de esgrima. Quanto a Pietro, trajava uma casaca ajustada na cintura e aberta sobre um colete florido, os punhos fechados por botões dourados. Calçara as botas por cima das meias de seda. O cabelo, puxado para trás, imitava o penteado militar prussiano.

— Retomemos! — disse ele, firmando a mão no punho da espada.

Cosimo fez o mesmo e encostou a ponta da espada no pai.

Com uma sombrinha na mão, Anna, a pouca distância, descansava sentada sobre uma manta. O sol brilhava naquele dia de maio de 1774. Encontravam-se numa clareira às margens de Saint-Germain-en-Laye. Atrás de Anna e da cortina de árvores da floresta, na estrada em direção a Versalhes e a Paris, o cocheiro e o criado trocavam opiniões sobre o futuro do mundo, próximos à carruagem de quatro cavalos.

Anna Santamaria estava radiante. Da sua juventude, dos tempos de Veneza, mantivera a cabeleira de reflexos dourados; cabelo que deixava o mais natural possível, quando não era forçada a empoá-lo. Esquecia os cosméticos tão logo se afastava do palácio de Versalhes. Entre risos e exclamações, abanava o leque com graciosidade. Sentia certo desconforto no vestido bordado, de riscas azuis e lilases e saia de anquinha, armada com cinco aros. O busto, apertado num corpete, revelava o ainda esplêndido colo. Uma discreta mosca sobre os lábios, nada perdera da altivez e, apesar dos anos, ainda despertava inveja nas cortesãs de Versalhes. Sua maturidade traía uma sensualidade ainda mais cativante que outrora.

Pietro e o filho deram alguns passos à frente. As espadas se chocaram.

— Vamos! Eu recomeço. Você parte em *quarta*, braço estendido, guarda-mão da espada na horizontal. Contra-ataque na aproximação. Pressione o adversário, espada na ofensiva. Depois a finalização: finta, dupla finta, nada extraordinário, estocada. E trate de dobrar os joelhos!

— Sim, sim — respondeu Cosimo, perplexo. — *Quarta*, finta, estocada e dobrar os joelhos. Perdoe, mas o ofício das armas é um pouco limitado.

— Como você não reinventou a filosofia europeia, contente-se em aprender o que lhe ensino! Terá mais chance de obter sucesso.

— Sim...

— Ouça seu pai, Cosimo — recomendou Anna. — Ele sabe o que está dizendo. Um dia esses ensinamentos lhe serão úteis.

— Mãe, tenha piedade. Se for repetir toda aquela história da vida em Veneza e de como salvaram o doge, vou embora.

— Concentre-se, em vez de insultar seus pais — repreendeu-o Viravolta. — Ainda não somos senis. Ande, defenda-se. Tenho ainda alguns golpes de espada capazes de dominar os arrogantes da sua estirpe. E se você for esperto, ensinarei essa finalização que aprendi com meu Mestre de Armas, na Terra Firme. É impossível se defender desse golpe.

— Está bem. Em guarda, papai.

— Prefiro essa linguagem.

Anna riu, abanando o leque enquanto Cosimo suspirava.

As espadas retiniram.

Um raio de sol iluminou os duelistas.

Pietro Viravolta de Lansalt trocara Veneza pela França havia cerca de vinte anos, depois do "caso Dante", ocorrido por ocasião das festas de Ascensão, em 1756. Pietro estava a serviço da polícia secreta veneziana, o Conselho dos Dez, também conhecido como "Conselho Tenebroso", sob o pseudônimo de Orquídea Negra. Salvara o doge da morte, e a República de uma conspiração que ameaçava pôr fim às suas instituições. Cansado das intrigas da Sereníssima, e carente de novas aventuras, havia decidido partir em busca de outros horizontes. Desde então, sua trajetória apenas lhe reforçara a reputação.

Tendo chegado a Versalhes no inverno de 1756, acompanhado da futura esposa, Anna Santamaria, e do valete, Landretto, não se apresentou à mais bela corte da Europa de mãos vazias. Um salvo-conduto e cartas de recomendação de próprio punho do doge, bem como de metade dos senadores venezianos facilitaram sua aproximação dos mais influentes personagens do palácio. O secretário de Estado para Assuntos Estrangeiros, Rouillé, e seus dois sucessores, o cardeal de Bernis e Choiseul, foram imediatamente informados do que ocorrera em Veneza quando os canhões ressoaram na laguna. Relatórios chegaram-lhes às mãos, com presteza, tanto da Sereníssima quanto dos agentes do rei que se encontravam espalhados nas capitais vizinhas. Acolher Orquídea Negra na França, salvador das instituições venezianas e, desde então, figura legendária entre as polícias e os serviços de espionagem europeus, constituía uma ótima novidade. Sobretudo, quando o interessado logo explicitou sua disposição em colocar a espada a serviço de Sua Majestade, o rei Luís XV, caso lhe pudesse ser útil.

A chegada de Orquídea Negra a Versalhes, portanto, não passou despercebida, sobretudo nos meios das autoridades. A novidade se espalhou entre os agentes de Sua Majestade. Cochichava-se nos corredores e nas galerias do palácio; informantes e policiais a repetiam nas tavernas e nos subúrbios; espiões, funcionários e embaixadores, jogadores e amantes, nobres envolvidos em assuntos secretos e damas românticas, que sonhavam com Veneza durante a missa, encarregaram-se de espalhar o boato. Logo se alastrou, ora como pulos de pulga, ora como rastilho de pólvora. Os que tinham amigos na Itália pediam novidades e informações. À sombra das tabernas, nos antros decadentes do crime e nas estalagens de má fama, atrás dos lambris dos castelos do interior, murmuravam:

— Orquídea está chegando!

— Quem?

— Orquídea Negra, ora essa! Viravolta, o homem que salvou Veneza!

Se sua reputação o precedia, acrescia-se à sua história um sem-número de fantasias, tanto assim que sua chegada foi cercada de uma graça insólita. Informado da iminente visita e dos detalhes, o rei, no Parc-aux-Cerfs, riu às gargalhadas antes de ir encontrar-se com a amante. Por trás dos sorrisos, propagava-se uma espécie de febre incomum como a que, de tempos em tempos, invadia a corte despertando bisbilhotices incessantes. Entretanto, todos os sorrisos eram calorosos e cúmplices; repercutiam como uma promessa de perplexidade e de pretexto, de ação e de peripécias: Orquídea Negra chegava a Versalhes!

A discussão sobre qual cargo poderia ocupar Viravolta no palácio não durou muito tempo. Sob a tutela do cardeal de Bernis e, depois, de Choiseul, confiaram-lhe rapidamente várias missões secretas que implicavam tanto na segurança do reino como na do palácio e de seus principais dignitários: o rei Luís XV, é claro, madame de Pompadour, Marie Leszczynska, madame du Barry, o príncipe herdeiro, Luís Ferdinando, que viera depois a falecer, e seu filho, Luís Augusto; finalmente, Maria Antonieta, após sua chegada da Áustria. Os talentos de Viravolta não haviam escapado a outra espécie de instituição: de natureza totalmente oficiosa, parecia talhada sob medida para ele, embora as funções fossem bem mais delicadas e perigosas. Pietro não demorou a se encontrar em posição complexa, uma daquelas situações duplas que outrora haviam feito parte do seu cotidiano, quando agia na Sereníssima, a serviço do Conselho dos Dez.

Desde 1758, entrara para o *Secret du Roi*.

Dirigido inicialmente pelo príncipe de Conti e, em seguida, por Jean-Pierre Tercier, o *Secret du Roi* ou Gabinete Negro tinha sido implantado por Luís XV. O conde de Broglie, após consultar o soberano, propôs ao veneziano unir-se às fileiras do seu pequeno exército secreto — os espiões do rei. Pietro passou a fazer parte dos 32 agentes do governo encarregados da diplomacia paralela e da vigilância dos ministros de Estado.

Sob as ordens diretas do conde e de Luís XV, o *Secret du Roi* agia à revelia da corte. Era constituído por um serviço de espiões no exterior e por uma rede de informantes encarregados da interceptação de cartas, da vigilância de pessoas importantes e da sabotagem, se preciso fosse. Originalmente criado para ajudar o príncipe de Conti a conquistar o trono da Polônia, o serviço, pouco depois da Guerra dos Sete Anos, lançara-se em novas aventuras, como a preparação de um eventual desembarque francês na Grã-Bretanha. Seu objetivo: proteger os interesses da França e influenciar a política externa dos Estados europeus, esforçando-se, sobretudo, em preservar os laços com a Áustria e a Rússia. Escolhido a princípio para desempenhar sua função na Sereníssima, Pietro realizara igualmente missões na Silésia, em Londres, no Sacro Império Romano-Germânico, na república da Holanda e nos Países Baixos austríacos. Equiparava-se a agentes ilustres: Vergennes, Beaumarchais, Breteuil e o cavaleiro d'Eon, personagens ambíguos, excêntricos e sempre temidos. Seu filho, Cosimo, ignorava tais atividades. Apenas Anna Santamaria, a antiga Viúva Negra de Veneza, conhecia de longa data os talentos ocultos do marido.

Na tentativa de escapar dos assuntos secretos da Sereníssima República, Pietro acabara envolvido nos da França. Filho de uma comediante e de um sapateiro, fascinado pela nobreza e pela glória, sempre traçara seu caminho de modo insólito; sua própria vida era prova disso. Hábil esgrimista, tanto no sentido literal quanto no metafórico, acostumado a duplas identidades, ator à sua maneira, insolente e brincalhão, ele, outrora incapaz de controlar suas paixões, ganhara em sabedoria e profundeza de alma o que perdera em agilidade. Sua energia e seu gosto pela investigação, entretanto, permaneciam intatos. Após ter se casado com Anna e se dedicado à educação de Cosimo, conseguira dominar os antigos paradoxos da sua natureza e a vertigem íntima, associada ao enorme medo do vazio que o consumira no passado. Nunca renunciara à liberdade de pensamento, mas passara a aceitar as pressões inerentes à vida que escolhera.

Tornara-se rico, embora não o demonstrasse. Veneza lhe garantia uma renda vitalícia pelos serviços prestados. Além disso, tirava de sua dupla ocupação — a oficiosa, junto ao *Secret du Roi*, e a oficial, junto ao ministério dos Assuntos Estrangeiros, renda substancial. Para manter as aparências, recebera um marquesado; a família morava em uma mansão localizada na rue des Cerceaux, nos arredores de Versalhes, na estrada de Marly. O rei os alojara confortavelmente, mas a vida na corte tinha seu preço — e dos mais altos. Os deveres do cargo haviam levado Luís XV a conceder ao veneziano um dos quinhentos quartos situados no último pavimento do palácio. Versalhes estava repleto desses pequenos aposentos onde se amontoavam os cortesãos, sem o menor conforto. Pietro servia-se do lugar como de um escritório e raramente dormia ali; mas a verdade é que ter à sua disposição um aposento no palácio, mesmo que fosse um buraco de rato, era sinal de distinção.

No entanto, naquele mês de maio de 1774, a situação em Versalhes andava tensa. Luís XV estava à beira da morte e Pietro encontrava-se em uma situação bastante delicada. Datava de muito a rivalidade entre seus dois mentores, o duque d'Aiguillon, ministro da pasta em que ocupava seu cargo oficial, e o misterioso conde de Broglie, chefe do *Secret du Roi*; suas relações, inclusive, acabavam de chegar a um impasse. Inicialmente sondado para assumir o cargo de ministro dos Assuntos Estrangeiros, o conde de Broglie acabara preterido por d'Aiguillon. Este contava com uma proteção de peso na pessoa de madame du Barry, amante do rei. Ao assumir o cargo, d'Aiguillon descobrira a verdade sobre o serviço secreto. Existiria realmente, há tantos anos, um Gabinete Negro que trabalhava diretamente sob as ordens do monarca e sem o conhecimento dos ministros? O assunto havia rapidamente se tornado constrangedor. Desde então, d'Aiguillon vinha trazendo à luz a existência de missões secretas levadas a cabo nas cortes do Norte, interceptando a correspondência em que se discutia à exaustão a derrubada de alianças e nas quais até se examinavam meios de se livrar dele! Acusara Broglie de conspiração. O rei não podia proteger o chefe do *Secret* sem confessar a existência do serviço fantasma. Xeque-mate. O conde de Broglie fora preso e exilado em suas terras de Ruffec, por razões do Estado.

Estando o rei à beira da morte, Broglie continuava em desgraça e seus agentes, dentre os quais Viravolta, mantinham-se na expectativa. Pietro suspeitava que, apesar do exílio, Broglie continuava a comandar, às escondidas, a direção do serviço de espionagem e que o rei não o abandonara por completo. Contudo, com a morte de Luís XV, o conde corria o risco de jamais voltar à corte. Quanto a Pietro, estaria na lista negra de d'Aiguillon por ter, durante todo esse período, servido a dois senhores. Assim, não se mostrou muito surpreso quando, pela estrada de Versalhes, viu surgirem três emissários a cavalo, armados e emplumados.

Cumprimentaram-no e se apresentaram, antes de lhe entregarem uma carta lacrada.

— Monsieur de Lansalt? Mensagem do duque d'Aiguillon que exige sua presença na corte.

Pietro tirou o lacre da carta.

O que leu aumentou-lhe a inquietação.

Senhor marquês de Lansalt,

É da mais alta importância que eu o encontre amanhã antes do amanhecer em meu gabinete. O senhor me deve algumas explicações quanto a atividades que julgo irrelevante mencionar; entretanto, no momento, será preciso adiar essa conversa. Nossa reunião se deve a considerações ainda mais alarmantes. O estado de saúde do rei se agravou. A corte e a França rezam por sua saúde. Enfrentamos, além disso, outro problema. Duas palavras são suficientes, acredito: o Fabulista. O senhor está implicado num assunto de natureza criminal. Aguardo sua presença antes do alvorecer. Tenho todos os motivos para pensar que o senhor está seriamente envolvido no drama que enfrentamos.

Como?

Pietro mordeu o lábio. O duque queria conversar com ele acerca de suas atividades junto ao conde de Broglie... O Fabulista? Mas Pietro o matara com as próprias mãos, havia quatro anos! De que se tratava? A que drama o duque aludia? Ele, Pietro Viravolta, implicado num assunto criminal? Seria já uma manobra do duque com o intuito de se livrar dele? Tais pensamentos fervilhavam em sua mente. O veneziano parecia perplexo; percebeu então a existência de outro bilhete no envelope.

A textura o surpreendeu.

Pietro passou devagar os dedos na granulação do material da estranha mensagem.

Pergaminho ou... pele?

Por um instante, imaginou uma monstruosidade.

Pele humana?

O coração apertou-se.

Não... Devia ser pele de boi.

As letras que compunham a mensagem, em contrapartida, tinham toda a aparência de sangue.

Letras de sangue.

E dessa vez... não era sangue de boi.

Mas por que enviar isso justamente a mim?

A RAPOSA E A CEGONHA
O LOBO E O CORDEIRO
A RÃ QUE PRETENDEU SER GRANDE COMO O BOI
O CORVO E A RAPOSA
O LEÃO E O RATO
O CÃO QUE PELA SOMBRA LARGA A PRESA
O MACACO REI
A CIGARRA E A FORMIGA
A LEBRE E A TARTARUGA
O LEÃO VELHO

*

Eis-nos aqui, Viravolta, meu amigo:
Dez fábulas escolhi para nossa diversão;
Pois então, queres brincar comigo?

O Fabulista

Pietro ergueu o rosto.
— Pai, o que houve? — perguntou Cosimo, com a espada em punho.
— Pietro! — exclamou Anna, demonstrando ainda mais preocupação.
Os soldados enviados por d'Aiguillon o cercaram.
O capitão pediu que os acompanhasse.
— Monsieur de Lansalt... Isso... não é exatamente uma carta.
— Ah, não?
— É um mandato. Monsieur de Lansalt...
O capitão fez sinal para que o seguisse.
— ... o senhor está preso.

E enquanto o conduziam, Pietro lembrou-se do que acontecera, quatro anos antes, na festa das núpcias de Maria Antonieta.

Quatro anos antes, maio de 1770
Guerra à austríaca

Ópera de Gabriel, Jardins e Telhados de Versalhes

Quando Pietro Viravolta atravessou as portas da Ópera, transformada em salão de baile, ouviu os murmúrios de admiração balbuciados em torno da delfina.

O inimigo está aqui — mas onde?

Pietro encontrou-se diante dos cortesãos. As primeiras notas da orquestra ressoavam sob os tetos e lustres. A Ópera, recém-concluída, havia sido entregue à corte no mais belo palácio do mundo, inaugurada por ocasião de um acontecimento notável: a celebração das núpcias da futura rainha da França! A multidão se espremia na sala oval e de proporções perfeitas. Cortinas de seda azul pendiam dos camarotes; espelhos refletiam ao infinito as esculturas de ouro fosco. O chão da plateia, elevado à altura do palco, cobria o fosso da orquestra, transformando-se em um imenso salão. E ali ela dançava. Bailava com graciosidade, num vestido deslumbrante. No entanto, Maria Antonieta já causara um escândalo inesperado. Sendo a nova delfina filha de um príncipe loreno, os representantes da Casa de Lorena solicitaram a Luís XV o privilégio de dançar logo após os príncipes e as princesas de sangue real — portanto, antes dos duques e das duquesas. O monarca acabara por consentir e, indignadas com a quebra de protocolo, as duquesas convenceram parte da corte a não comparecer ao baile.

Alheia a essa desavença de precedência, a delfina, como princesa recém-chegada, dançava, dançava — e pouco lhe importava o resto do mundo!

Os cortesãos rodopiavam com a mesma animação. A música reverberava de um lado ao outro; os concertistas manejavam o arco de maneira entusiasmada. Maria Antonieta mostrava-se radiante; uma alegria indescritível estampava-se em seu rosto. Ela deslizava, conduzida pelo rei, enquanto Luís Augusto, neto do monarca, tentava dissimular a timidez, e Viravolta, disfarçadamente, perscrutava os convidados.

Um dos guardas suíços o havia prevenido. O inoportuno epigrama começara a circular, trazendo como assinatura "o Fabulista":

A austríaca que morra;
Sanguessuga, cachorra.

Viravolta duvidava que sua difusão clandestina tivesse sido maquinada, às pressas, por algum duque ou personagem em posição de destaque, preocupado com a etiqueta. O expediente era sórdido demais para que uma figura bem-nascida se rebaixasse a tal sem desonra — muito embora suas lembranças de Veneza o tivessem habituado a enxergar sob as rendas a podridão da pior espécie. Uma coisa era certa: mal chegara a delfina e todos já esperavam um passo em falso. Na festa, Viravolta recebeu uma segunda mensagem, agora do capitão da guarda: "O Fabulista nos avisou que comparecerá ao baile. Estará entre os cortesãos."

Com a testa banhada de suor, Viravolta observou novamente a sala fulgurante.

A delfina corre perigo.

Três mil velas iluminavam o local. A multidão dançava. Pietro olhava de um lado para o outro. Apesar de todas as precauções, conseguiria o

Fabulista realmente encontrar um meio de penetrar ali, no auge das festividades? Nessa noite de festa, a atenção afrouxava. Esquecia-se da política, dos negócios da França e da Europa, dos segredos de Estado. Que diabos! Era uma festa de casamento!

Era preciso, certamente, bem mais que alusões maliciosas para abalar o *Secret du Roi*. Mas o conde de Broglie sabia, de longa data, das possíveis ameaças contra Maria Antonieta desde a sua chegada à França. As últimas informações o puseram de prontidão. Havia deixado de lado alguns assuntos sérios do Gabinete Negro para dar prioridade a essa investigação. E, longe de ser um fato isolado, a mensagem desta noite parecia acionar o sinal de alerta. O Fabulista havia se manifestado em diversas ocasiões, assinando epigramas com o nome que inventara para si. Divertia-se em disseminar, nos próprios poemas, alusões às fábulas de Esopo e de La Fontaine, que descambavam para lições de moral sarcásticas. Não se contentara, entretanto, em anunciar um atentado e proferir ameaças. Durante as investigações, Broglie encontrara pelo caminho os cadáveres de um cocheiro e de um valete, assassinados de forma atroz. Os agentes do *Secret* haviam, além disso, posto a mão em documentos e croquis do palácio de Versalhes que comprovavam uma operação iminente. Ato isolado ou conspiração? Todos ignoravam. Mas, outrora, um simples golpe de canivete no flanco do rei, dado por um desconhecido de nome Damiens, bastara para abalar a monarquia. Independente ou agente estrangeiro, o Fabulista era, segundo as evidências, um agitador enfurecido, como testemunhavam suas imundícias panfletárias e sarcasmos políticos. Um extremista que culpava o tradicional inimigo austríaco por todos os males da Terra e não suportava que uma aliança "contra a natureza" pudesse conduzir Maria Antonieta, filha da ímpia imperatriz, ao trono da França.

O olhar de Viravolta percorria o salão, dos camarotes aos afrescos da abóbada. As figuras desfilavam sob seus olhos. Esforçava-se por manter a lucidez. Felizmente, não se usavam máscaras. O Fabulista poderia ter preferido agir num dos bailes a fantasia, tão apreciados em Versalhes. Seria um membro da corte? Ao escolher comparecer sem disfarce, sem dúvida queria mostrar que podia estar em qualquer e em nenhum lugar ao mesmo tempo, e que não recuaria diante de nada. Tornava-se mais temível para os soldados e para a guarda encarregada da segurança de todos esses grandes personagens — a começar pela da delfina. Não longe, Pietro avistou Anna Santamaria, que um fidalgo, multiplicando as reverências e mesuras, convidava a dançar o minueto.

Franziu o cenho. Não, não podia esquecer o motivo da sua presença na festa.

Subitamente, ao levantar os olhos na direção dos bastidores, acreditou ter vislumbrado uma silhueta que rapidamente entrincheirou-se nas sombras.

Seria ele?

Pietro avançou.

O primeiro maquinista do rei, Blaise-Henri Arnoult, construíra uma máquina genial que permitia transformar a sala ao sabor das cerimônias e garantir as mudanças de cenários nas representações triunfais — como a de *Perseu*, à qual a corte comparecera na véspera. Nos bastidores, uma profusão de cordas, roldanas e aros de metal, que possibilitavam a subida e a descida do cenário; bem como diversas cestas de vime e meadas rodeadas de peças de decoração e de caixas lotadas de fantasias extraordinárias, de marionetes de madeira, cartazes coloridos e outras quinquilharias. Esse refúgio do *deus ex machina*, esse antro com ramificações atrás do cenário, debaixo do palco e no alto das cortinas drapeadas, podia servir muito bem como um maravilhoso... esconderijo.

Pietro fez sinal aos outros guardas, mosqueteiros e soldados da cavalaria ligeira, pertencentes à guarda pessoal do rei, espalhados pela Ópera. Não era tarefa simples entrar sem inquietar os convivas que continuavam a rodopiar no salão. Viravolta por pouco não derrubou Anna, que aceitara o convite para o minueto e se inclinava no compasso da música. Aprumou-se, cruzou olhares com Pietro. Passada a surpresa, observou o marido que, com a peruca empoada, espada na cintura e veste à francesa, acabava de dar-lhe um encontrão, aparentando estar muito agitado.

— Pietro! Meu Deus, meu amor, o que está fazendo?

— Cuidando dos negócios da França — zombou — enquanto os outros se divertem.

Passou a poucos metros da delfina, quando contornou a orquestra; um violinista o fitou com ar distraído. Pietro esgueirou-se por trás do cenário e correu na penumbra do corredor. O piso rangia sob seus pés. Cabos desciam do teto. Passou pela armação de trilhos de quase 10 metros de altura dos bastidores, concebidos para desaparecer nas entranhas da Ópera. Evitou alguns objetos jogados no chão; com o cotovelo, afastou os adornos de madeira. Ao avistar um dos alçapões que permitiam entrar no fosso, ia se adiantando para entrar quando uma corda, dançando não muito longe, o dissuadiu.

Ergueu os olhos.

De novo percebeu a sombra, dissimulada entre os guinchos e as roldanas. A dois passos, o búzio de estuque que havia sido usado em *Perseu* encontrava-se suspenso no ar. Pietro segurou-o, firmou-o e começou a escalar a corda de nós que o mantinha preso. Ofegante, chegou às rodas do maquinário, a 5 ou 6 metros do chão. As tábuas, em precário equilíbrio, corriam pela parede, entre a cortina de cordas e os ganchos. E lá embaixo dançava-se! Pietro avançava no alto, perto do teto. Diante dele, a sombra fugia. Na extremidade inclinada do cenário da Ópera, ele chegou a uma plataforma reservada aos maquinistas, também oculta do olhar dos convidados. Ali, havia duas caixas alinhadas. Pietro se aproximou, ofegante. Os olhos pousaram na primeira...

Seu grito foi abafado pela música e pela efervescência do baile.

O Fabulista!

A caixa acabava de se abrir: o fugitivo, fantasiado, usava a máscara do Kraken, criatura abissal e monstruosa que, na véspera, tentara raptar Andrômeda de Perseu. Tinha a pintura verde, olhos de réptil com pálpebras cercadas de escamas, nadadeiras nas têmporas simulando guelras, pequenos tentáculos em torno da boca escancarada. Trajava uma toga apertada na cintura, na qual trazia um gládio. Surpreso, por pouco Viravolta não caiu do observatório onde se encontrava. Conseguiu agarrar-se a uma das cordas, o que lhe permitiu manter o equilíbrio na plataforma. Ao mesmo tempo, o triste personagem teatral retirava o disfarce; e enquanto Viravolta esforçava-se por não cair, teve tempo de descobrir outro rosto, tão maquilado que parecia ainda mais grotesco. A maquiagem exagerada escorrera ao longo das faces, os olhos estavam contornados de negro e os lábios tinham um azul sinistro.

Com um gesto, o Fabulista atirou longe a máscara e correu para as cordas. Pietro compreendeu sua intenção tarde demais. Os pés, equilibrados na ponta da plataforma, foram alçados em direção ao céu. A cabeça coberta de pó bateu contra as volutas de uma nuvem, bem debaixo da abóbada da Ópera. Aturdido, percebeu a enorme polia diante dele e compreendeu. Havia subido com uma das armações do cenário do *Perseu*. As mãos estavam agarradas à corda, e ele se esforçava para não largá-las e correr risco de quebrar o pescoço. Enquanto isso, o Fabulista descia sem dificuldade, usando a outra extremidade da corda. À sua irrupção no salão, abrindo uma brecha no meio do minueto, alguns cortesãos recuaram. A armação dos trilhos corrediços erguera-se bruscamente. O Fabulista causou uma agitação inicial, revelando uma segunda armação atrás dele, na qual aparecia a paisagem de uma ilha grega rodeada por rochedos brancos, diante do mar, tendo ao longe a ilha Citera abandonada e um promontório cheio de correntes, onde Andrômeda havia sido amarrada. As damas levaram a mão à boca antes de cair na risada, acreditando ser alguma brincadeira preparada pelo rei e por seu maquinista. A própria Maria Antonieta lançou àquele palhaço um olhar maravilhado e riu. Agora dançava com o marido. A multidão, para observar o casal principesco, não hesitava em subir nas banquetas. Ouviu-se uma ou duas notas dissonantes vindas da orquestra; logo depois, o minueto recomeçou ainda mais animado.

A sombra fugia em direção à saída.

O fugitivo se precipitava nos jardins contornando a extremidade da ala norte e quando Viravolta, após descer dos céus mecânicos, irrompeu na cena do baile, ninguém mais se preocupava senão com a dança.

Com a respiração ofegante, Pietro cruzou as portas da Ópera, levando em seu rastro alguns soldados.

Ele está aqui!

Pietro o viu esgueirar-se nos jardins; a toga fora substituída por roupas escuras e o gládio de brinquedo por uma espada de verdade.

Cento e sessenta mil lanternas decoravam Versalhes e seus jardins. Vagalumes dispostos nos bosques, ao redor dos arbustos, sobre as arcadas, nos quadrados e losangos dos jardins, no frontão dos arcos de triunfo enfeitados sobre o Grande Canal — que, nos momentos de calma, evocava-lhe Veneza. Essa incandescência parecia transformar o parque inteiro numa floresta encantada; e, como uma epifania, no canal flutuavam gôndolas com dosséis, como as da Sereníssima. Por todo lado, artífices preparavam os dilúvios pirotécnicos que em breve seriam lançados na direção das novas constelações. As fontes ofereciam o maravilhoso espetáculo das águas. As orquestras espalhadas nos bosques convidavam à dança milhares de pessoas vindas de Paris e dos arredores.

Era chegado o momento aguardado por todos; o mais belo, o mais feliz dessa festividade. O espetáculo dos fogos!

Ah, não! Você não vai me escapar... Agora não!

Por um segundo, Pietro perdeu de vista o fugitivo. Franziu os olhos e vislumbrou-o. Ele parecia de repente brotar da noite e entrar no labirinto. Pietro correu atrás dele. Os habitantes do labirinto, animais de chumbo pintado, davam às aleias um ar fantástico, irreal. O povo igualmente penetrara no labirinto, rindo, sem se preocupar com os caminhos sinuosos e os becos sem saída. Direita? Esquerda? O veneziano não demorou a se perder. Praguejou ao bater numa parede de buxos, surpreendendo um apaixonado na tentativa de enfiar a mão sob as saias da amante. Retrocedeu. Um pouco adiante, belas mulheres riam às gargalhadas dos sustos que pregavam umas às outras. Como pudera o Fabulista encontrar o caminho nessas aleias? Pietro conseguiu achar a saída também. Andara em círculos. Diminuiu o passo; enxugando o suor da testa, observou com amargura as fivelas dos sapatos empoeirados. Ofegante, retornou ao palácio.

Na entrada do salão, um dos guardas suíços avisou-o:

— Nós o surpreendemos na saída do bosque! Ele foi obrigado a abandonar o esconderijo. Aproveitou-se da confusão para entrar aqui novamente.

Pietro recobrou o ânimo. Se o Fabulista fora forçado, obrigado a voltar ao palácio, então ele não tinha escapatória. Acabava de cair na rede. Pietro subiu em disparada a escadaria, seguido do grupo de dragões.

Precipitou-se na direção das escadas internas do palácio.

A porta aberta... Ele quer alcançar o telhado!

*

* *

Primeiro andar. Segundo andar. Um quarto da guarda do palácio se lançara à captura do intruso. Por qual outro labirinto o Fabulista, penetrando de repente nos aposentos reais, conseguira chegar às escadas escondidas que o conduziriam ao último andar? Embora não o adivinhasse, Pietro estava agora convencido de que o fugitivo não lhe poderia escapar. Ao alcançar um corredor estreito e escuro, não longe dos aposentos de madame du Barry, Pietro avistou um alçapão que dava nos telhados. Dispensou os soldados.

— Ele não tem escapatória. Não vamos preocupar os convidados com espetáculos violentos.

Com um movimento ágil, abriu o alçapão.

— Eu cuido disto.

No instante seguinte, estava no telhado do palácio.

Os jardins se estendiam a perder de vista, nas longínquas profundezas da noite.

Vislumbrou ao longe, na parte nordeste dos telhados, a sombra hesitante do Fabulista.

Este buscava em vão uma passagem. Voltou-se, resignado...

Desembainhou a espada para enfrentar Viravolta.

O baile fora interrompido.

Pietro correu até alcançar o fugitivo.

— Aqui estamos — disse, parando a poucos metros dele.

— Tenho a mesma impressão — respondeu o outro.

Viravolta desembainhou a espada. Hesitou ao ver a postura do Fabulista. Estaria ele com... *medo* ou apenas fingia inabilidade?

Os dois adversários se mediram por um breve instante. Pietro firmou a mão no punho da espada.

O retinir do metal anunciou o início do duelo.

Como para saudá-lo, um novo ribombar cortou os céus. Os dois adversários ficaram momentaneamente desorientados. Olharam com surpresa o firmamento a se abrasar. Lá embaixo, os artífices, ao som das trombetas, davam início a seu trabalho. Acendiam os foguetes em torno das fontes e dos bosques, ao longo do Grande Canal. As constelações multicores explodiam por todo lado, a ponto de o universo parecer se romper em dois, lançando nas nuvens sementes de estrelas. Ao mesmo tempo, as fontes se iluminaram e os chafarizes esguicharam na direção do céu, em raios fulgurantes. As rosáceas crepitavam enquanto Viravolta e o Fabulista retomavam o combate. A multidão saltitava nos jardins, os olhos maravilhados na direção dos fogos de artifício.

A delfina escolhera esse exato momento para se apresentar no balcão. A partir de então, milhares de pessoas só tiveram olhos para ela, Maria Antonieta, que agora se reunia ao rei e ao delfim Luís Augusto. Poucas pessoas, um tanto mais lúcidas, distinguiram as silhuetas escuras que se enfrentavam no telhado. Uma exclamação explodiu no céu de Versalhes: aplausos e gritos de alegria fizeram tremer os jardins. E a delfina, a princesa por excelência, no auge da excitação, aplaudia, queria descer para o parque, misturar-se à multidão de franceses que a acolhiam como futura rainha! A seus pés o povo, espalhado sob a luz das lanternas e dos jatos d'água iluminados, pelos bosques, até se perder no horizonte — lá longe, atrás dos jardins, das fontes e da floresta.

O Fabulista emitiu um único grito quando a ponta da espada de Viravolta varou-lhe o coração. Pietro não encontrara dificuldade em desarmar o adversário. Uma estrela escura ia manchando a roupa do bufão. Revirou, alucinado, os olhos. Permaneceu assim alguns segundos, parecendo hesitar entre a vida e a morte. Em seguida, caiu, e seu olhar tornou-se vítreo. Pietro segurou-o com dificuldade.

Sentiu o hálito fétido de sangue.

— Por quê? — perguntou. — Por que tudo isso? Você não sabe lutar, não é?

De repente, mesmo sob a pesada maquilagem, o Fabulista lhe pareceu sincero. Pietro ficou estupefato quando o homem, reunindo as últimas forças, segurou-lhe o braço e murmurou:

— Este reino... fede a gangrena, Viravolta! Você precisa... saber... É tarde demais para mim, mas...

Sobrou-lhe apenas o tempo de sussurrar:
— O Fabulista... não morreu, Viravolta. Ele voltará.
O corpo parecia pesar mil vezes seu peso.
— Ele voltará.

Pietro levantou-se nas sombras, sobre o telhado, acima de Versalhes. Os fogos de artifício ainda brilhavam ao redor, a multidão bradava entre os bosques e os jatos d'água; sua mão, ainda segurando a gola do Fabulista, pendeu contra a coxa enquanto lembrava-se das últimas palavras do espectro.

O Fabulista não morreu, Viravolta.
Ele voltará.

Segredos de Estado

Pátio de Acesso e Pátio de Mármore
Quarto do Rei
Gabinete do duque d'Aiguillon, Versalhes

Eis que o Fabulista parecia renascer das cinzas.

Vamos, mais rápido!

A aurora ainda não surgira e a carruagem, puxada por quatro cavalos, serpenteava rumo ao palácio. Os soldados haviam escoltado Anna e Cosimo até Marly e partiram com Pietro Viravolta de madrugada. Tinham lhe permitido dormir duas horas, sempre sob vigilância. O veneziano não opusera resistência. Sem dúvida, devia haver uma explicação para tudo aquilo. Conhecia d'Aiguillon o bastante para saber que ele tinha algum plano; algo oculto haveria por trás da intimação. Não parava de se questionar. *Um assunto criminal... Qual?* E aquela frase incompreensível — *Viravolta, você quer jogar comigo?* Meu Deus, quanta insolência! Como o Fabulista podia estar de volta?

Pietro observava a paisagem com ar preocupado.

Nem todo mundo chegava a Versalhes como Maria Antonieta. À aproximação do palácio, o viajante poderia supor que veria surgir o palácio de Versalhes rodeado por uma luxuosa avenida, cercado de mansões e construções de incomparável elegância. No rastro das carruagens e das liteiras, a deslizar feito gôndolas sobre um pátio de mármore fulgurante, poderia fantasiar encontrar 1001 espetáculos de pequenas galantarias e gentilezas refinadas. A realidade, entretanto, era bem diferente. Como diziam, os dias de casamento eram poucos, e raras as ocasiões de acenderem 160 mil lamparinas! Se nos jardins resplandecia a glória nacional, a cidade de Versalhes, em contrapartida, era uma cloaca.

Nesse espantoso contraste pensava Pietro, na carruagem, vendo desfilar a cidade mergulhada na penumbra. Distraído, olhava as alamedas da Rainha e do Rei, embalado pelos solavancos da carruagem. Fossas e poças de lama serviam de locais de coleta. Os brados do cocheiro e os passos dos cavalos afugentavam as aves assustadas que se banqueteavam no lixo. Aos terrenos baldios sucediam-se barracas, um verdadeiro insulto à paisagem. A carruagem cruzava tendas, albergues, cafés e tabernas clandestinas; lojas bizarras por onde vagavam cachorros famélicos; abrigos acolhendo uma fauna que nem um bestiário seria suficiente para descrever; cocheiras fétidas e pátios com estercos não menos fedorentos. Durante o dia, hordas de artesãos, pedreiros, marceneiros, carpinteiros, diretores de espetáculos, comerciantes de roupa de segunda mão, mercadores ambulantes, amoladores de facas, vendedores de partituras, ladrilhadores, operários e prostitutas povoavam esse teatro transbordante de vida e promiscuidade. Aventureiros de todas as províncias, atraídos pela glória, ali se aglutinavam como pirilampos. À noite o cenário piorava. Bandidos e gatunos saqueavam as pessoas que perambulavam entre os albergues. Até mesmo na place d'Armes, pardieiros abrigavam vagabundos sem tostão. A praça em si era um gigantesco canteiro que continuava a servir de receptáculo para os dejetos dos passantes. Gatos mortos salpicavam a avenue de Saint-Cloud. De tempos em tempos, alguns importantes personagens enfeitavam a paisagem: homens da Igreja, embaixadores, oficiais e financistas, no que mais parecia uma vasta estalagem do que o entorno do encantador palácio dos anjos. Apenas esse resquício de aristocracia nos lembrava estarmos a dois passos do recinto sagrado.

Tais eram os arredores de Versalhes. Mesmo a chegada ao palácio causava vertigem, pois o fedor de urina e de fezes impregnava o ar. Todas as manhãs, próximo à ala dos Ministros, onde Pietro se encontrava nesse instante, um açougueiro abatia, esquartejava e assava porcos. O próprio palácio era percorrido por aproximadamente 10 mil pessoas, das quais 3 ou 4 mil eram cortesãos. Toda essa multidão malcheirosa aspergia perfume nas axilas, e nos corredores o mesclar de odores se fazia sentir.

A carruagem parou na esplanada do palácio e Viravolta sorriu, agradecendo ao cocheiro, antes de colocar o pé no estribo.

Ah! Versalhes!... pensou Pietro, um sorriso nos lábios, inspirando o ar a plenos pulmões.

Sua distração teve curta duração.

— Siga-nos. O duque o aguarda.

Viu-se novamente cercado pelos soldados armados de espadas e de mosquetes.

— Já estou indo.

Entraram no pátio de acesso. Ali também, nem sombra da esplanada imaculada. Pietro observou a grande quantidade de barraquinhas espalhadas. Luís XV as tolerava; a essa hora encontravam-se fechadas, mas durante o horário de maior movimento, vendiam lembranças e bibelôs. As grandes damas alugavam liteiras a três *sous* o dia, para evitar o chão enlameado e coberto de palha. Vadios, peticionários e requerentes costumavam se reunir nas escadarias da ala dos Ministros.

Os soldados que escoltavam Pietro saudaram os guardas. Diante do Pátio de Mármore, deserto àquela hora, nenhum grupo de cortesãos cochichava e conversava com ar grave sobre os acontecimentos daquela aurora fúnebre.

Entretanto, sempre havia uma exceção à solidão matinal.

Pietro sorriu.

Seu querido e velho amigo Landretto caminhava na sua direção, o cabelo desgrenhado, a expressão consternada.

— Vim assim que fui informado por um dos membros da guarda do duque. O que aconteceu?

— Pare! — ordenou um soldado. — Recue.

Landretto, ignorando o ar ameaçador, continuou a acompanhá-los.

— Bem, você está com ótima aparência — disse Viravolta ao antigo valete.

De fato, apesar dos trajes de veludo carmesim bordados a ouro, o rosto desfeito de Landretto não deixava margem a dúvidas.

— Ao menos consegue me acompanhar sem cambalear; já é um ótimo sinal.

— Passei quase a noite inteira em uma taberna antes de voltar para o palácio. Todo mundo anda comentando; dizem que é chegado o fim.

— Vejo que entornou umas duas jarras para esquecer...

Landretto meneou a cabeça. Viravolta conteve um sorriso. Originário de Parma, órfão muito cedo, Landretto errara por muito tempo pelas estradas da Itália, na fronteira entre a mendicância e o banditismo. Aos 14 anos entrara como valete a serviço de burgueses de Pisa e depois se mudara para Gênova. Pietro cruzara seu caminho uma noite em Veneza. O valete jazia na sarjeta, fazendo a corte às estrelas. Dispensado pelos patrões, bebia um vinho chianti cor de sangue. Pietro o pusera de pé e, algum tempo depois, o jovem entrava a seu serviço. O valete lhe prestara inestimável trabalho quando trabalhava por conta da Sereníssima, sob o pseudônimo de Orquídea Negra, e fazia investigações secretas em nome do doge. *Orquídea Negra... Há muito não escuto este nome.* Agindo sob a chancela do *Secret du Roi*, Pietro frequentemente utilizava apenas a inicial "V" como assinatura; assim, não podia deixar de recordar, com nostalgia, o nome que lhe rendera a glória.

Se Pietro soubera conservar a aparência apesar da passagem do tempo, Landretto ganhara algumas rugas, barriga e queixo duplo. Pouco após a chegada na França, Viravolta cedera seu valete aos serviços do rei. A despeito de seus 40 anos, Landretto tornara-se cavalariço e lhe encarregaram de missão bem particular: garantir parte da formação dos pajens. Passara a morar com esses meninos — quase todos adolescentes turbulentos, refratários a toda e qualquer forma de ensinamento. Beneficiava-se no palácio de uma honra que suas origens jamais lhe permitiriam, graças, em parte, às cartas de recomendação do doge e dos senadores de Veneza. A intercessão do chanceler, bem como a de Saint-Florentin, ministro da Casa Real, conseguiram impulsionar o bom valete a esse firmamento de glória. Landretto passara a ser o suposto herdeiro de uma das mais iminentes famílias de Parma, pelo menos nos documentos. Assim, conseguira o cargo nas Cavalariças Reais, gozando de todas as consagrações do mundo. Um papel fictício. Para Viravolta, isso beirava o insulto. Mas, a seus olhos, Landretto continuava o menino de rua que ele tirara da sarjeta.

— Meu Deus, de que é acusado? — perguntou Landretto. — Enlouqueceram?

— O duque acredita que eu esteja envolvido em um negócio que desconheço. Saberei dentro de instantes.

— Diga se eu puder ajudar em alguma coisa. Espero aqui fora.

— Combinado.

Landretto retomava seus antigos reflexos.

Antes de penetrar no prédio onde o duque d'Aiguillon o aguardava, Viravolta lançou um olhar de esguelha na direção da ala do palácio que abrigava os aposentos do soberano.

Seu pensamento voltou-se para aquelas cortinas, todas cobertas pelo véu fúnebre.

Ele vive, sem dúvida, seus últimos instantes.

Naquele exato momento, um rei morria.

*

* *

Luís XV jazia em seu leito, exangue, fitando as cortinas da janela.

Quando na terça-feira, 26 de abril, durante a ceia no Trianon, não conseguira comer, atribuíra o mal-estar a uma indisposição passageira. No dia seguinte, a febre se manifestou; no outro, enviaram-no à força a Versalhes. No início, nem sequer cogitou estar com varíola. Acreditava estar imune à doença por já tê-la contraído aos 18 anos. A corte ficou a par da verdade antes dele. Imediatamente surgiram tramas e intrigas. O clã de madame du Barry tremia de medo e os partidários de Choiseul se preparavam para o que estava por vir. Em meio a esses infortúnios, as filhas do rei, sobretudo Adelaide, deram demonstração de grande coragem. Trancaram-se com o pai para apoiá-lo na provação, num momento em que ele ainda ignorava o diagnóstico dos médicos. Omitir a verdade ao monarca podia, certamente, melhorar seu estado de ânimo; mas se fizesse esse jogo, a França arriscava-se a ver seu rei morrer sem se confessar. Felizmente, não precisou de ninguém para tirar suas próprias conclusões.

Varíola.

Luís XV observava as cortinas, tentando se concentrar.

Na noite do dia 3 de maio mandara chamar madame du Barry, a amante de que mais gostava. *Não devemos reproduzir o escândalo de Metz. Devo dedicar-me a Deus e a meu povo. Deves partir amanhã.* À favorita não restara outra opção senão obedecer. No mesmo dia, após a missa rezada em seu quarto, Luís recebeu os últimos sacramentos de monsenhor de Beaumont e do grande capelão, o cardeal de La Roche-Aymon. Entretanto, naquele momento, e mesmo ao arrastar-se até a janela e ver a amante entrar na carruagem que a levaria a seu retiro em Rueil, ele ainda alimentava a esperança da cura. Agora que revia as imagens, aquele movimento discreto do vestido, o pé delicado, a mão branca no corrimão de madeira, o último olhar lançado na direção da janela real, era-lhe impossível ignorar: aquela visão furtiva da mulher amada seria a última. Obrigado, meu Deus! E obrigado a você, Jeanne du Barry. Até o além, quem sabe? Para muitos, essa amante fora a vergonha da França. Para ele, uma das poucas razões de viver. Assim era.

As cortinas tremeram e a imagem da condessa também se turvou.

Dois dias antes, Luís XV chamara seu confessor, passando da esperança à resignação e demonstrara, na gravidade desses instantes, inesperada serenidade. Mas ele era rei — e cristão, apesar das fraquezas do seu temperamento. Ao abade Maudoux confiara seus arrependimentos. Certamente, era possível ver nesse ato um arrependimento fácil diante da morte, após uma vida passada, senão a zombar dos preceitos da Igreja, ao menos a deixar alguns de lado. Entretanto, ele era sincero. Pedia perdão a Deus pelo escândalo que sua conduta causara. Nunca, depois de tais declarações, poderia pedir à condessa que voltasse para junto de si; mas sentia-se em paz. À filha Adelaide, encontrara forças para murmurar:

— Nunca me senti melhor nem mais tranquilo.

Luís tentava manter os olhos abertos. A cabeça doía horrivelmente. O sangue latejava-lhe nas têmporas. O corpo era transpassado pela dor. Os olhos fechavam-se numa escuridão que não era mais a do mundo lá fora. Agarrava-se com todas as forças à imagem flutuante das cortinas. Atrás delas, o mundo continuaria a girar. Giraria e madame du Barry viveria na plenitude de sua juventude. Contudo, não estava sozinho. Quem o velava em seu leito de morte? Sem dúvida, o abade, o cardeal e os médicos da faculdade. Ah, já vira demais esses médicos em seus trajes negros! Não queria ver mais ninguém — somente agarrar-se a essas cortinas, esquecer a coroa que pesara por tanto tempo em sua cabeça. Seu olhar se turvava — *muita febre, muita, muita...*

O povo o amava? refletia o monarca. Que lembranças guardariam dele? Tantas vezes fora recriminado por suas aventuras, por seu desinteresse pela vida pública. Saberiam, por acaso, em que consistia o dia de um rei? Uma vida inteira de protocolos e representações públicas. Reinara durante 59 anos, dos quais 31 de governo efetivo. No tempo do Rei Sol todos acompanhavam o relógio do Pátio de Mármore a ponto que, segundo dizia Saint-Simon, com um calendário e um relógio, qualquer um podia, a considerável distância, dizer com exatidão o que o rei fazia naquele momento. Era verdade. Se Luís XV sempre havia respeitado profundamente a obra do seu glorioso antecessor e trazido poucas inovações, além da Ópera de Gabriel, também tentara livrar-se de alguns rigores da etiqueta, cedendo frequentemente aos encantos de uma vida mais espontânea. Adorava entrincheirar-se em seus aposentos com os familiares. Praticamente durante metade do ano, escapava para o Parc-aux-Cerfs, para Choisy ou para La Muette. Certamente, a nobreza não abandonava o palácio que continuava a ser o centro do governo; mas ela havia se afastado. A delfina só saía para ir a Paris. A corte a seguia. E a multidão também, eclipsando-se do palácio, exceto para comparecer às festas solenes.

Sem dúvida mostrara-se demasiado indolente. Perdera Quebec, sem conseguir impedir o declínio do seu poderio no Canadá e na Luisiana. Os ingleses mantinham o domínio do Atlântico e ele não conseguira socorrer a Nova França. Tampouco controlar as brigas religiosas dentro do próprio reino. Sua França estava despedaçada. Mas afinal, nem tudo estava perdido. Graças a ele, a Europa continuava francesa; pequenas Versalhes brotavam por todo lado. Ganhara a Lorena e a Córsega, protegera as sociedades de instrução, multiplicara a criação das grandes escolas e das academias reais e reforçara, continuamente, o ensino. Sua administração era considerada uma das melhores do mundo: intendentes de finanças, funcionários das pontes, tenentes de polícia, engenheiros conceituados! Com o chanceler Maupeou lançara-se, embora tardiamente, a reformas audaciosas. Seus erros foram fruto mais de omissões que de erros de julgamento. Amiúde improvisara entre duas valsas ministeriais, recomeçando a queda de braço com os parlamentos. Mas o mais grave, sem dúvida, fora sua negligência em relação às obrigações simbólicas. Não comungava, não tocava os escrofulosos. Comportava-se então como simples deísta e déspota, indiferente à opinião dos súditos. Tampouco se importara com os filósofos que o atacavam continuamente, a ele ou ao regime — o que dava no mesmo.

Estou sentindo dor, meu Deus. Sinto dor...

As cortinas oscilavam devagar.

Não obstante, esforçara-se por ser justo e correto. Sem dúvida dera preferência à frivolidade das amantes do Parc-aux-Cerfs à austeridade dos ministros. Agora, entretanto, ao se preparar para a partida, sonhava permanecer, aos olhos da França e do povo, como o Bem-Amado.

Ao seu redor, essa gente à cabeceira, essa gente que ele não conseguia distinguir, viu seus lábios tremerem, como se falasse sozinho, e esboçarem um tímido sorriso.

O Bem-Amado...

*

* *

— O senhor marquês Pietro Viravolta de Lansalt!

As portas duplas abriram-se diante de Pietro.

Normalmente, o duque d'Aiguillon ocupava outros gabinetes, mas hoje se instalara provisoriamente na ala dos Ministros, que dava no Pátio de Mármore, de modo a ficar mais próximo do rei. Nesses momentos de agonia, as circunstâncias excepcionais alteravam os hábitos. No gabinete do ministro de Estado reinava um ar de excitação nervosa. Na escrivaninha ornada de ouro empilhavam-se pastas volumosas; outras ainda cobriam as estantes da biblioteca, junto a livros de geografia, história, direito e estratégia militar. Um mapa da Europa aberto acima da lareira, de onde uma Diana de bronze lançava um olhar frio. Um mapa-múndi cheio de continentes aguardava ser roçado pela mão de algum viajante ou atrair a atenção de algum poderoso do reino.

Parado diante das cortinas semiabertas, o duque d'Aiguillon.

— Viravolta! Ei-lo.

Glacial, convidou-o a tomar assento.

Pietro analisou a fisionomia daquele homem de destino singular. Sobrinho-neto de Richelieu, iniciara cedo na carreira militar. Adversário declarado de Choiseul, o mais importante ministro de Luís XV entre 1758 e 1770, era tido como hostil a novas ideias. Certamente era possível perceber-lhe no olhar certa falsa candura, deixando adivinhar que o personagem, político experiente, sabia navegar por águas turbulentas. Contudo, a viva inteligência e a capacidade de trabalho temperavam a predisposição ao autoritarismo e à duplicidade, ambas por muitos condenadas. No comando da corte da Bretanha, atuara como instrumento do monarca na luta contra a pretensão dos parlamentares do reino de ampliar suas prerrogativas, manifestando-se contra a crença de que os parlamentos formavam um único "corpo imaginário". O confronto durara até o parlamento parisiense decretar a supressão do serviço. Chegou-se perto do crime de lesa-majestade. Após anos de negligência, tal episódio fizera Luís XV decidir-se por reassumir os negócios do reino.

O rei havia banido Choiseul e nomeado chanceler Maupeou, antes de nomear o abade Terray como controlador-geral das finanças. Assim surgiu o famoso triunvirato — Maupeou, d'Aiguillon, Terray. Criticado pelo rigor, esse governo, entretanto, demonstrou inteligência e honestidade. Malgrado as decisões impopulares, a atmosfera mudava: se a princípio criticavam Luís XV pela negligência, passavam a acusá-lo de excessiva atividade, até mesmo de tirania. Num momento de revoltas ainda latentes, ele reafirmava a autoridade real. Por sua vez, o austero abade Terray que Viravolta conhecia bem, por tê-lo encontrado diversas vezes em Versalhes, revelara-se um dos melhores ministros de finanças de todo o reino.

Naquele instante em particular, contudo, a situação do duque d'Aiguillon, ministro da Guerra e do Exterior, era tão delicada quanto a de Viravolta. Apesar de contar com o apoio do rei durante muito tempo, suas relações estavam longe da cordialidade. Em 1742, Luís XV havia lhe tomado a amante. Certas más línguas diziam que o duque vingara-se usufruindo secretamente dos favores de madame du Barry. Pietro não sabia se isso era verdade Entretanto, graças às recomendações da madame du Barry, d'Aiguillon conseguira o cargo no ministério dos Assuntos Estrangeiros. Se Luís XV morresse nas próximas horas, d'Aiguillon sabia que estaria na corda bamba. Maria Antonieta se tornaria a rainha da França e madame du Barry era sua inimiga — fim do jogo.

Ah, a política... e o amor!

Viravolta se preparava para o pior.

Peruca empoada, casaca ajustada coberta de condecorações, d'Aiguillon mantinha-se empertigado diante da janela. Voltou-se para Viravolta. A mão no queixo, a outra a tamborilar na escrivaninha, prolongou o silêncio. Em seguida, atacou:

— Você também me traiu, Viravolta...

O tom da conversa fora definido.

— Jamais conspirei contra o senhor, como sabe.

— Humm — fez, em dúvida.

Encarou o veneziano.

— Pietro Viravolta de Lansalt... O homem que derrotou o duque Von Maarken, abateu *il Diavolo* e salvou o doge. Já faz alguns anos, não é mesmo?

— O tempo passa, Excelência — disse Pietro.

— A situação é complicada, não tenha dúvida. Adiei a hora de termos essa conversa, Viravolta... Ou deveria chamá-lo de... "V"?

O duque sentou-se.

— Quando compreendi... Ah, Senhor... Um Gabinete Negro... Uma diplomacia secreta, fundada pelo próprio rei há quase trinta anos! Foi extremamente desagradável a sensação de ser tomado por imbecil.

— Excelência, definitivamente jamais pode ser assim considerado, tendo em vista que acabou vendo o fogo, ao passo que seus predecessores, figuras proeminentes, apenas perceberam a fumaça.

D'Aiguillon deu um breve sorriso.

— Você sempre teve o dom da lisonja, Viravolta. Uma exigência em sua função, não é mesmo? E uma segunda natureza em todos os cortesãos. Veneza serviu-lhe de excelente escola. A França não fica atrás nesse setor...

D'Aiguillon respirou fundo.

— Quanto a mim, sou um militar. A diplomacia só surgiu em minha vida bem tarde... Ah, Viravolta, não me surpreende que o Gabinete Negro o tenha convocado logo após a sua chegada. Entretanto, você serviu a dois senhores.

— Foi por não ter servido o suficiente a este país que mandou me prender?

A ponta de amargura — e de insolência — não passou despercebida ao duque. De imediato, Pietro arrependeu-se.

D'Aiguillon prosseguiu:

— Há duas noites, o cadáver de uma jovem foi encontrado na Galeria dos Espelhos. Em pleno coração de Versalhes. Só Deus sabe como foi parar lá. A Guarda Suíça recorda-se de ter visto um vulto entrar pelo Salão da Guerra. O assassino, evidentemente um frequentador do lugar, aguardou o momento propício. Por sorte, o corpo foi descoberto logo em seguida. Imagine a comoção se, pela manhã, fossem os cortesãos a descobri-lo e não a Guarda! Obtivemos êxito em abafar qualquer rumor. A terrível doença do rei reduziu a importância do fato e isso também foi uma sorte — se é que posso dizer isso. A jovem respondia pelo nome de Rosette. Era empregada da perfumaria Fargeon. Talvez saiba que monsieur Fargeon é um dos principais fornecedores da corte.

— E que relação tem isso comigo?

O duque empurrou um livro na escrivaninha.

Pietro ergueu um olhar interrogativo.

— Logo compreenderá.

O veneziano pegou o volume, uma grande coletânea empoeirada, encadernada de couro marrom, onde se lia *Fábulas de La Fontaine*, numa bela caligrafia antiga. Arabescos corriam sobre a capa. Pietro abriu o livro. Algumas páginas sujas, rasgadas ou coladas. Todas as fábulas estavam ali. Ao folheá-lo, Pietro percebeu um contorno vermelho em muitas delas. Antes de cada uma, nas páginas do lado esquerdo, viam-se gravuras e caricaturas grotescas, em geral engraçadas e infantis, mas sempre admiravelmente desenhadas. O lobo preparava-se para devorar o cordeiro inclinado sobre a água limpa do regato; o lavrador se matava de trabalhar sob o sol e o olhar dos filhos; Perrette descia uma ladeira, a bilha de leite na cabeça. Na primeira página, a data da impressão: 1695.

De súbito, Pietro sobressaltou-se.

Essa letra, em tinta preta, seca e vacilante. Uma dedicatória.

A Pietro Viravolta de Lansalt.

Ergueu os olhos.

— Mas... Não entendo.

— Deixe-me esclarecer sua dúvida — sugeriu o duque.

Ergueu-se.

— Essa antiga coletânea das fábulas encontrava-se junto ao cadáver. Assim como o bilhete que lhe enviei e alguns ossinhos que identificamos como de cordeiro. Coloque-se em meu lugar, Viravolta. Tenho um livro ensanguentado, um rei agonizante, um agente do rei associado a um assassinato cometido no palácio... E, para finalizar, um criminoso que renasce das cinzas. É compreensível que isso tenha me despertado suspeitas.

— Mas esse Fabulista... — disse Pietro. — Ele está morto, eu mesmo o matei!

D'Aiguillon girou o mapa-múndi.

— Bem, ou ele ressuscitou... Ou *alguém* assumiu sua identidade.

O rosto de Pietro turvou-se. Se, outrora, a identidade do Fabulista não representara um mistério, seu retrato revelara muitas contradições. Tratava-se de um abade, Jacques de Marsille, tido como jansenista e fanático a ponto de ter participado de reconstituições de crucificações, como as que os místicos mais devotados organizavam no passado nas grutas de Saint-Médard. Alguns o acusavam de ser um celerado que, sob a capa do rigor e da caridade, ludibriava prostitutas. As versões mais escabrosas afirmavam que ele participava de sabás e de outras cerimônias secretas. Outros testemunhos o descreviam como homem piedoso e justo, erudito, leitor de Pascal, dono de austeridade e profundeza de alma autênticas. Não ajudava os pobres, chegando a abrigar em sua casa os mais desvalidos? O abade era membro de umas duas sociedades eruditas, que nada tinham de secretas, e essa associação só favorecia o homem instruído. Politicamente, o abade de Marsille era conhecido por alguns comentários infelizes sobre Maria Teresa da Áustria. Pietro se lembrava que, antes de morrer, ele havia estigmatizado a "gangrena da França". Que o abade fosse um fanático, até desequilibrado, não restava dúvida; e, certamente, poderia, na noite do espetáculo pictórico, ter mudado o mundo. Mas haviam identificado sua verdadeira motivação? Era de conhecimento geral que o antigo abade da paróquia de Saint-Médard agira por conta própria, após ter solicitado várias vezes, sem obter êxito, uma audiência com o rei. Entretanto, concluiu-se que ele não representava nenhum partido ou facção... E sua morte era fato consumado! Então?

— Posso garantir que não faço a menor ideia — disse Pietro.

O duque respondeu com um ar falsamente indiferente:

— Queira então pegar o documento azul que se encontra na minha escrivaninha.

Pietro tomou do documento em questão, preso com grampos de metal.

— Isso — disse d'Aiguillon — é um relatório policial. Na primeira página, pode ler os epigramas que começaram a circular na corte, por ocasião da morte do rei. Nada deveria ter sido dito nessas circunstâncias. Obtive êxito em interromper a distribuição de panfletos, e também consegui recuperar os bilhetes comprometedores. Vários foram encontrados, tanto no Salão de Diana quanto no de Hércules, nos jardins e na *Orangerie*. Sem dúvida deve lembrar-se das mensagens encontradas no passado, quando da chegada da delfina à França. Encontramos esse aí perto de um chafariz do labirinto.

Pietro abriu o relatório e leu:

Tendo cumprido as planejadas vergonheiras
Luís enfim desocupa o trono
Chora a canalha, choram as rameiras
A morte do bom patrono.

Em breve ao trono
Subirá a filha de Viena,
Maria Antonieta de Habsburgo e Lorena.
Como sobe na amante, que não tem aquilo,
Aguarda ansiosa quem lhe faça um filho.

Como o marido frouxo não lhe vale
Com duas ela se diverte e as usa.
A boa princesa de Lamballe
E a carne, sua Musa.

O duque parou o mapa-múndi e ergueu os olhos.

— Analisamos a tinta e a letra. Não chegamos a nenhuma conclusão, nem mesmo após examinarmos o livro de fábulas, os ossos e outros epigramas espalhados aos quatro cantos. Inútil chamar-lhe a atenção para a ocasião em que esses bilhetes chegam. Certamente não é a primeira vez que visam atingir a delfina...

Em Versalhes, as sátiras eram moeda corrente. O povo precisava se divertir. As alusões às relações proibidas entre Maria Antonieta e sua amiga, a princesa de Lamballe, eram clássicas. Por vezes as calúnias originavam-se nos próprios círculos de poder; em geral sem consequências. Desta feita, o tom do bilhete era dos mais virulentos. E o ataque contra a incapacidade de Luís Augusto e da futura rainha de conceberem um herdeiro para o trono atingia um ponto vital.

— Alguns — continuou o duque — vão supor que sou eu quem faço circular esses poemas... ou madame du Barry! Absurdo! Fora o fato de que o bilhete, como todos os outros, é assinado pelo Fabulista.

Pietro deixou de lado a sátira e leu o relatório.

— Temos motivos para acreditar que a morte da jovem encontrada na Galeria dos Espelhos foi particularmente atroz. Ela teve o tornozelo esfacelado, Viravolta. Por uma armadilha para lobos. Vestígios de corda fazem supor que, em seguida, ela foi pendurada numa árvore. Só Deus sabe onde... e o que aconteceu. O Fabulista deve ter abreviado os sofrimentos da pobrezinha antes de amarrá-la. Pelo menos, assim o espero, pois o cadáver, quando descoberto, estava praticamente devorado por lobos. Depois, nosso assassino a conduziu tranquilamente ao palácio, num carrinho de mão, até a Galeria dos Espelhos, onde se livrou do corpo. Ainda há manchas no piso.

Viravolta contentou-se em menear a cabeça.

O duque o instigou a ler o documento seguinte.

— A pequena Rosette trazia, no que lhe restou do rosto, uma mosca daquelas feitas com tafetá negro. Não preciso lhe explicar o que essas pintas significam.

— Perto do olho são sinal de mau humor — murmurou Pietro. — No canto da boca, convidam ao beijo... Indicam mulheres atrevidas quando usadas sobre os lábios, galantes na bochecha, petulantes no nariz, majestosas na testa ou discretas no lábio inferior...

— A de Rosette era enfeitada com uma inicial, um "F", como Fabulista, e escondia uma espinha.

— Em suma, recente — disse Pietro, preocupado.

Fez-se silêncio. Em seguida, tirou do bolso o bilhete e a pele que o duque lhe enviara quando da intimação.

— E isso? Essa pele? Pensei por um instante...

— Não, é pele de boi. Em contrapartida, as letras... Sangue humano. Da jovem Rosette. Encontramos esse pergaminho sobre seu corpo, com a coletânea das fábulas. La Fontaine, é claro. "O lobo e o cordeiro". Daí os ossos e todo o resto. Alguém pretende nos dar lições de moral! *A razão do mais forte é a única importante...* E como deve ter constatado, o Fabulista o convida, pessoalmente, a um jogo qualquer de gato e rato.

— Por que eu?

— Você é um agente do *Secret*, não é? O jovem informante Baptiste Lansquenet também ganhou uma fábula. O rapaz era... amante de Rosette.

D'Aiguillon pegou um retrato em miniatura do rapaz.

— Acho que o conheço — disse Pietro.

— Isso não me surpreende! Ele era informante do conde de Broglie. Trabalhava também para Fargeon. Foi envenenado... com perfume.

Viravolta ergueu os olhos surpresos.

— *Com perfume?* Mas como?

— Encontrará os detalhes mais adiante. Como dizia, Lansquenet também teve a sua fábula. Bem como todos os agentes assassinados. É provável que haja uma dedicada a você.

— Há dez. Dez que ele me anuncia pessoalmente... Será um convite para que as impeça? Dez assassinatos? Dez armadilhas a desativar? Tenho a impressão de ser o conviva de um curioso divertimento mórbido... Entretanto, nada me garante que ele obedeça à ordem das fábulas listadas. Nem que elas tenham sido entregues tão somente em minha atenção. Talvez ele despache essas cartas com o intuito de nos confundir. Mas o senhor mencionou que *todos os agentes* foram assassinados?

— Sim. Você não é o primeiro a receber as fábulas. Encontrará detalhes referentes a cada uma delas no relatório. Terá tempo para examinar tudo! Agora lhe explico onde quero chegar. Verifique os documentos seguintes. Vinte e um de março de 1774, morte de Beccario, conhecido como Barão, em Sceaux, quando jantava numa estalagem. Primeiro de abril, morte de Fanfreluche, conhecido como Rei de Ouros, em missão em Tréveris. Quatro de abril, morte de madame de Boisrémy, dita A Serpe, à saída de um encontro amoroso, e por isso entenda outra missão, em Epinay. Doze de abril, morte acidental de Manergues, vulgo Meteoro, em Londres.

Pietro começava a compreender. Embora não conhecesse nenhuma das pessoas citadas, os pseudônimos não lhe eram estranhos.

— Isso mesmo, agentes — disse, simplesmente. — Exclusivamente agentes do *Secret du Roi*. Alguém tenta nos eliminar. A todos os espiões, um a um! Alguém que se autodenomina o Fabulista. Mas não compreendo. Se o serviço foi extinto...

— *Foi mesmo*, Viravolta? — perguntou d'Aiguillon transpassando-o com o olhar.

Pietro não se denunciou.

— Acredite em minha sinceridade, Excelência. Eu próprio ignoro a verdade, pois desde que o conde de Broglie caiu em desgraça, não tive mais notícias dele.

— Ora, por favor. Nenhuma mensagem em código? Nenhum bilhete para passar as tropas em revista?

— Posso lhe assegurar que não — respondeu Pietro.

— Viravolta... Veja o paradoxo: Eis que aqui me encontro, obrigado mais uma vez a proteger os interesses da delfina, que me odeia, e talvez a segurança de agentes que nunca cessaram de tramar às minhas costas. Amanhã Maria Antonieta será rainha e tudo o que vem acontecendo hoje não evidencia um bom prenúncio. Não sei o motivo, mas os ataques do Fabulista visam o círculo fechado dos agentes. O casal real, em breve, passará a ser o alvo principal. E o Fabulista talvez seja...

— ...Um de nós.

— Talvez até mesmo Broglie, nunca se sabe. Ou, se assim ouso dizer, seu "superior" no *Secret*. Quem teria a intenção de se vingar de vocês? A menos que o criminoso aja como espião de algum país estrangeiro e planeje aproveitar-se da situação para nos desestabilizar. Algum nobre? Tudo isso foge ao meu entendimento. Luís XV morrerá e seu neto o substituirá. Ele não entende nada de assuntos oficiais. Hoje a monarquia encontra-se fragilizada. Sei que vocês simpatizam com os filósofos e os enciclopedistas. Não importa o que digam, o rei sabe lidar com eles e Voltaire nos apoia. Mas é sabido também que o rei conta com vários inimigos entre os magistrados e os membros dos parlamentos.

— Mas não é disso que se trata, certo?

D'Aiguillon fitou-o, interessado:

— Prossiga.

Pietro franziu os olhos.

— Se *alguém* assumiu a identidade do Fabulista, esse alguém, necessariamente, conhecia a sua existência.

— O que significa...

— Que ele é... da Casa Real. E que conhece bem Versalhes! O fato de ter obtido êxito em se esgueirar na Galeria, de madrugada... Talvez esteja aqui dentro do palácio, todos os dias!

— O que nos deixa com 10 mil suspeitos em potencial. Viravolta, tem ideia do número de empregados, valetes, gendarmes, pajens, cavalariços, cozinheiros, jardineiros, arquitetos, sem falar nos cortesãos e nos visitantes que percorrem o palácio?

O duque inclinou-se:

— Propunha-me a começar por você.

Pietro manteve o olhar firme.

— O senhor não acredita que eu possa ser suspeito de tal aberração...

— Evidente que não. Mas diga-me, por que se endereçar a você? Qual seria o motivo? Uma vingança pessoal? Política?

A Pietro não restou dúvidas quanto à atitude a tomar.

— Confie-me a investigação.

— O que disse?

Pietro curvou-se.

— É exatamente essa a sua intenção, não é? Por que tantos preâmbulos? Essa prisão... O senhor não acreditou, por um segundo sequer, que eu estivesse envolvido em qualquer conspiração contra o senhor, contra a corte ou contra o rei, não é mesmo? Então, vamos ao que interessa. O Fabulista me convida a jogar com ele? Pois bem, confie-me a investigação... em sigilo.

D'Aiguillon deu um sorriso impiedoso.

— Vejo que começamos a nos entender. Encontre o Fabulista, resolva esse assunto e sairá de toda essa confusão de cabeça erguida. Desaponte-me ou faça jogo duplo e eu o crucificarei, Viravolta. O novo poder acabará tomando conhecimento desses epigramas e não irá tolerá-los por muito tempo. Precisarão de um bode expiatório. E encontrarão um em sua pessoa e na de Charles de Broglie. Quanto a mim, já estou aniquilado, a menos que ocorra uma reviravolta. Mas o nosso futuro Luís XVI ignora por completo o *Secret* e suas atividades. Isso pode ser o suficiente para que eu desestabilize a balança. Tenho um cadáver no colo, seu nome foi citado; isso me basta. Então sejamos claros. Se eu cair, você cairá comigo. Consegui derrubar Broglie, não se esqueça. Estou na corda bamba, mas ainda sou ministro.

Deu um sorriso satisfeito no qual se percebia a amargura.

— Nem uma única palavra a Maria Antonieta, evidentemente.

Por um instante, o coração de Pietro palpitou mais forte. Poderia realmente acreditar na ameaça de d'Aiguillon? O espectro dos Chumbos, as prisões de Veneza, onde outrora fora encarcerado, passou diante de seus olhos. Tivera a experiência do enclausuramento. Desta feita conheceria a Bastilha? A ideia não o atraía nem um pouco. O fim do serviço de espionagem era uma eventualidade bastante plausível. Havia a possibilidade de o futuro rei descobrir o Gabinete Negro e se horrorizar... Decidiria extingui-lo e condenar Broglie e seus agentes? Pietro não podia se iludir: já fora vítima das razões de Estado no passado; não alimentava o menor desejo de recomeçar.

O olhar do ministro era categórico.

Inútil enganar-me. Estou com a faca no meu pescoço e a lâmina é afiada.

Cerrou os dentes.

D'Aiguillon continuava a fitar Viravolta.

— Vá ao encontro de monsieur Marienne, da Casa Real. Uma de suas funções é cuidar das invenções que chegam de todo o reino. Aposto que sua ajuda lhe pode ser útil. Creio que já o conhece... Depois, sugiro fazer uma visitinha ao perfumista, Jean-Louis Fargeon. Além de ser o fornecedor da corte e de madame du Barry, era o patrão de Rosette e de Baptiste-Lansquenet.

O duque abriu uma gaveta e dela tirou um pequeno frasco contendo um líquido violeta.

— Eis o perfume no qual o jovem Baptiste mergulhou o nariz. Fargeon poderá, sem dúvida, lhe dar mais explicações sobre sua composição. Mas lembre-se que o próprio perfumista faz parte de nossa lista de suspeitos.

Pietro pegou o frasco. Olhou o líquido bailar diante de seus olhos.

Não ousava abri-lo para inspirar o perfume mortal. Entretanto, duvidava que ainda fosse possível matar alguém que simplesmente cheirasse tal substância. Realmente tinha motivos para ir à procura de monsieur Fargeon.

— Quanto a Broglie — continuou d'Aiguillon —, trate de conversar com ele e de descobrir se tem algum envolvimento nesse negócio. O desaparecimento de seus funcionários não pode ter passado despercebido, esteja ele exilado ou não. Não tenho notícias do cavaleiro d'Eon, de Breteuil ou de Vergennes. Sem contar que não conheço muitos de seus agentes. Encontre-os, previna aqueles em quem confia, fique de olho. Descubra quem é esse tal Fabulista.

Calaram-se. Pietro disse:

— Apenas mais uma coisa. Como descobriu tantos detalhes sobre o *Secret du Roi*? E sobre mim?

D'Aiguillon entregou-lhe um relatório que, até então, permanecera na escrivaninha.

Duas horas da tarde. V. deixa Versalhes em direção a Saint-Germain-en-Laye em companhia de madame A. S*** e de C. numa carruagem de quatro cavalos. Três horas e 15 minutos. A carruagem alcança a floresta.

Pietro deu um sorriso forçado, mas aceitou a superioridade do adversário.

— Faz poucos meses — disse o duque —, mas já foi o suficiente.

— Será preciso me dizer quem ficou encarregado de me seguir.

— Segredo diplomático.

Em resumo, todo mundo espionava todo mundo.

D'Aiguillon curvou-se:

— Cabe a você jogar, Viravolta. Entre nós deixaremos de usar seu pseudônimo habitual. Esse "V" de Viravolta era bom para o Gabinete Negro. Encontre outro. Não tem nenhuma sugestão?

Pietro fitou-o pensativo.

— Talvez.

O duque se levantou. Pietro fez o mesmo, mais lentamente.

Prestes a cruzar as portas, voltou-se.

D'Aiguillon encarou-o.

— Seja leal a mim, Viravolta.

Após uma pequena pausa prosseguiu:

— Mais uma coisa. Além dos poemas, o Fabulista sempre deixa outro presentinho.

— Qual?

— Uma rosa, meu amigo. Uma rosa vermelha.

Viravolta ergueu a sobrancelha. D'Aiguillon sorriu.

— Viravolta, eu saberei...

O duque deu-lhe um tapinha no ombro.
— Eu vou pegá-lo pessoalmente.

*
* *

Os guardas suíços cruzaram as alabardas à saída de Viravolta. Landretto aguardava no salão vizinho. O antigo valete apressou-se em sua direção.
— E então? O que está acontecendo?
— Pelo menos estou livre — disse Pietro. — Por enquanto.
— Por que ele mandou prendê-lo?
— Ele encontrou meu nome junto a um cadáver.
— E?...
— Consegui livrar-me assumindo a investigação do crime do qual era suspeito.
— Agora sim o reconheço. Em que posso ajudar?
— Em nada, por enquanto. Não quero envolvê-lo nesse caso...
Pietro franziu o cenho.
— ...Mas esteja pronto. Nunca se sabe...

*
* *

Em seu escritório, o duque d'Aiguillon permaneceu por muito tempo parado, os olhos perdidos no vazio.
Pálido e fatigado, observou os inúmeros processos que faziam parte do seu cotidiano.
Girou o mapa-múndi com um gesto seco.

Os tesouros de Augustin Marienne

Galeria dos Espelhos
Subsolo da Ala dos Ministros, Versalhes

Pietro dirigiu-se sem mais demora à Galeria dos Espelhos. Por sua vez, Landretto foi ao encontro do seu chefe, o Grande Cavaleiro, para receber suas instruções.

O palácio vivia em clima de expectativa; ninguém sabia como agiria a família real se Luís XV viesse a falecer naquela manhã. A atmosfera nos corredores tornara-se opressiva diante da iminência do luto. A Galeria estava tomada pela agitação. Pietro ali se demorou alguns minutos. Ajoelhou-se devagar no local onde Rosette fora encontrada. Tudo agora estava limpo. Restavam, entretanto, algumas marcas no piso, semelhantes a garras, bem como partículas de cera fria e vagas auréolas escuras, talvez de sangue. Pietro chegou a encontrar, horrorizado, o que lhe pareceu um pedaço de unha. Ou seria um dos minúsculos pedacinhos de osso de cordeiro mencionados por d'Aiguillon? Ergueu os olhos. Em alguns pontos já se ocupavam em cobrir as janelas com cortinas negras. O veneziano, com uma das mãos no joelho, passou a outra no chão sem deixar de observar os cortesãos, que cochichavam.

Ouvia os murmúrios, via os vultos alongarem-se no piso.

Reinava no ambiente um ar contemplativo e fúnebre.

Então, dizia para si mesmo, *o Fabulista voltou. Talvez do mundo dos mortos...* Só Deus sabe por que feitiço. Ali seria o teatro onde encenaria-se a peça representando um combate estranho e inédito. Bem na corte da França.

Habituado às conspirações e à decadência da Sereníssima, Pietro soubera, sem dificuldade, mergulhar no jogo ao mesmo tempo edificante e melancólico, vaidoso e violento, da vida da corte. Insinuara-se no ambiente com a destreza de um gato. Inúmeras pessoas invadiam cotidianamente Versalhes na esperança de serem apresentadas ao rei, de ter a chance de obter a dádiva de uma palavra, de um gesto ou de um simples sorriso que mudaria para sempre seu destino. Mas ali também era possível perder a honra e a vida. Fazer a corte era um ofício. Era necessário conhecer todas as regras e os protocolos da etiqueta. A arte de cumprimentar distraidamente, com um leve aceno de cabeça, de perguntar, sem fitar o outro; de falar em alto e bom tom ou de deslizar pelo piso com leveza. Cada gesto exigia muita graciosidade e prática. Por vezes, era preciso arriscar um golpe antes de bater em retirada; fingir capricho para expor a força; elogiar com maestria o soberano ou alguém do seu séquito capaz de facilitar sua apresentação. E, além de seguir esses planos de ação, sonhos e cálculos, como dizia La Bruyère no século anterior, ser por vezes posto em xeque e amiúde em xeque-mate nesse jogo exaustivo. O ouro e o sangue corriam alternadamente.

As criaturas que Pietro tinha sob os olhos naquele instante, com suas vestimentas e drapejados de seda, entendiam tudo de tal dissimulação. Apesar de não ser novato nessas manobras, reconhecia que os franceses levavam o jogo a um supremo grau de refinamento. Na igual distribuição de vaidades e de arrogância, superavam os italianos em astúcia, o que não era pouco. O terror cotidiano de perder os favores podia levar indivíduos, em princípio sãos, ao delírio. O funcionamento da corte assemelhava-se ao da velha roda da fortuna. Os espelhos da Galeria refletiam, ao infinito, lutas por pequenos favores e dores profundas. Pietro deu um sorriso cínico. A primeira alusão do Fabulista fora clara.

Um teatro. Isso mesmo: o teatro dos animais.

E quantas fábulas, de fato, desenrolavam-se nessas alcovas.

Eis-nos aqui, Viravolta, meu amigo:
Dez fábulas escolho para nossa diversão;
Pois então, você quer jogar comigo?

O veneziano levantou-se.

Ajeitou o nó do rabo de cavalo e, com desenvoltura, acariciou um dos anéis que brilhavam em seus dedos.

Tudo será representado entre essas paredes. Ele está aqui, entre nós. Mas onde?

Não tinha mais tempo a perder.

Ao encontro de Augustin Marienne.

Enquanto atravessava a Galeria, penduravam-se as últimas cortinas negras, que caíram diante das janelas que davam para o parque.

*
* *

O escritório do responsável pelo departamento de Invenções da Casa Real situava-se no subsolo da ala dos Ministros. Viravolta cruzou a porta e desceu a escadaria que conduzia às antigas fundações do palácio. Deparou-se com outra porta, esta de madeira, enfeitada com ferragens e tendo um grande entalhe como fechadura. Bateu três vezes antes de entrar. Mais dois degraus até atingir a sala onde Augustin Marienne o aguardava.

— Vejam só... Viravolta! Há quanto tempo!

No fundo da sala, estava um homem de cerca de 60 anos, as mãos unidas, de pé atrás da escrivaninha, numa postura semelhante a uma esfinge. Elegante e esbelto em seu traje negro, destoava do espetáculo ciclônico a rodeá-lo. Óculos no nariz, recebeu Viravolta com um gesto amplo dando a impressão de convidá-lo ao palácio das mil e uma noites. Pietro relanceou os olhos pela sala. Sempre se surpreendia ao olhar aquela bagunça. A sala era exígua, o teto bastante baixo. Desenhos e esboços de projetos, cada um mais absurdo, presos nas paredes. Viravolta ergueu a sobrancelha ao divisar uma estranha máquina guarnecida de rodas, cordas e válvulas em torno da armação de carruagem enfeitada com o lírio dos Bourbon em ouro e encimada por uma chaminé de metal ornada de plumas.

— Vejo que recebeu novas propostas... — observou com ironia.

A título de comentário, uma letra redonda e sofisticada anotara no esboço, com a maior seriedade do mundo: *Projeto de carruagem sem cavalos para os deslocamentos de Sua Majestade, o Rei. Funciona unicamente por propulsão automática.* Mais adiante, rabiscos a lápis, inspirados nos trabalhos de Leonardo da Vinci, exibiam meia dúzia de engenhos que, caso fosse plausível acreditar nas explicações anexadas, permitiam *Voar como os pássaros*. Enquanto Pietro sorria diante de tamanha profusão de ideias, Augustin remexia nas pilhas de pastas empoeiradas.

— Acredite, minha função é cada vez mais desgastante. Todos esses estudos, croquis, cálculos, chegam às centenas de todo o reino. Algumas das invenções são enviadas por sociedades acadêmicas e foram imaginadas por um ou mais de seus membros; todos se invejam mutuamente, enviam propostas e contrapropostas. Outras são produzidas por indivíduos que, naturalmente, se consideram gênios!

Assumiu um ar grave, fitando Pietro.

— Mas a genialidade, meu caro amigo, é bem rara. Evidentemente todos desejam colocar o talento e o fruto de suas elucubrações a serviço da França! Devo admitir: quanta nobreza! Todos também almejam receber a recompensa que merecem suas equações e circunlocuções sublimes, das quais algumas, creia, são realmente tão geniais que escapam por vezes a nossos mais conceituados gramáticos e sagazes engenheiros!

Assim dizendo, tirou os óculos para limpá-los num paninho.

— Ao mesmo tempo, tenho por esses fantasistas certa admiração. Quanta vitalidade, não é mesmo? Quanta imaginação!

Pietro continuava a vagar em meio à gigantesca desordem. Ali, entrevia-se um assento provido de rodas. A propulsão seria obtida por um homem que, escondido dentro de uma arca, acionaria pedais ligados a molas, permitindo transportar duas pessoas... Lá, um complicado emaranhado de fios facultaria, se fosse possível acreditar no comentário a acompanhar o croqui, a transmissão de sinais secretos por meio da propagação do som. A máquina tinha como objetivo servir *aos agentes do rei e aos soldados de Sua Majestade em tempos de guerra* ou, acrescentava o inventor com certa malícia, aos *cortesãos vivendo amores proibidos*. Um pastor e astrônomo, do sudoeste, propunha uma lente de aumento que permitiria ver os astros *como se estivéssemos no próprio astro*. Num registro diferente, um senhor Jean Viot de Fontenay anunciava a invenção de "bombas antimefíticas" capazes de purificar todas as fossas de Versalhes. Elas haviam se multiplicado e seu esvaziamento causava incessantes problemas. O desleixo das pessoas que circulavam diariamente pelo palácio só piorava a situação. Existiam velhas latrinas, sobretudo na extremidade das alas Norte e Sul, mas, por experiência própria, Viravolta sabia que as privadas da entrada do pátio de acesso, como as dos guardas suíços, por exemplo, viviam regularmente soterradas sob esculturas escatológicas. O saneamento continuava negligenciado, apesar dos estudos, plantas e pesquisas já esboçados pelos melhores engenheiros do reino, na busca de solução para o problema. Nesse contexto, o senhor de Fontenay e seu memorando contribuíam para resolver os problemas de saúde pública.

Viravolta perambulava, balançando a cabeça, dois dedos pousados sobre os lábios, hesitando entre o riso e o sincero deslumbramento. Augustin, acostumado ao desfile diário de milagres, demonstrava menos encantamento. Seu trabalho consistia, sobretudo, no de um secretário, redigindo correspondências de conteúdo sempre invariável.

— Olhe esse, por exemplo.

Augustin voltou-se para uma bancada na qual se via um instrumento muito estranho, composto de quatro hastes dispostas em torno de um tubo cilíndrico de madeira, terminando numa ponteira provida de uma mola. No topo do tubo, bolas de chumbo percorriam o caminho das quatro canaletas, duas de cada lado, que, partindo da ponteira, formavam um desenho como que de patas de aranha. O peso das bolas que avançavam uma após outra pelas canaletas as fazia moverem-se alternadamente à esquerda e à direita. Augustin, soltando as bolas a intervalos regulares, fez a demonstração a Viravolta. Conforme a pequena aranha parecia animar-se em cadência, as hastes viravam com as bolas que caíam, por meio de uma roda endentada que parecia comandar o conjunto. Ao atingir a base da canaleta, cada bola a fazia inclinar-se no sentido inverso; no instante seguinte, uma bola retornava ao topo que havia acabado de deixar, pronta para a próxima descida. Pelo menos era a maneira menos obscura de apresentar essa curiosa máquina, cuja função exata escapava a Pietro.

— Isso, meu amigo, é fruto de uma das obsessões do momento. O moto-contínuo. A grande novidade. Trata-se de produzir esse movimento semelhante ao divino ou ao primeiro motor de Aristóteles, sem o auxílio de nenhum ser humano, sem vento nem correnteza, sem fogo nem tração animal. Depois que esses malditos filósofos cismaram de inventar sua *Enciclopédia*, todos se imaginam capazes de fazer progredir as ciências, do estalajadeiro ao proprietário de terras que se entedia em sua província, e qualquer um que se interesse por mecânica...

Voltou-se para sua escrivaninha e abriu uma das pastas.

— Claro que não funciona. A fricção e a resistência do ar acabam sempre por se sobrepor a essa pretensa eternidade. Tenho aqui 250 projetos semelhantes. Todos esses memorandos terminam na lixeira. Em geral, nos damos ao trabalho de rabiscar, na margem da carta, uma mensagem cortês e um agradecimento em nome do rei, o que bastará para lhes compensar o trabalho. Contudo, não queremos desencorajá-los, é evidente... Afinal, sabe-se lá... Talvez exista um Da Vinci para cada 10 mil fanfarrões. Se pudéssemos encontrá-lo logo, sem ter que responder a todos os outros...

O moto-contínuo. Pietro sorriu.

Augustin ergueu o olhar.

— Bem, vamos ao que interessa. Foi o duque que mandou você aqui?

— Exatamente.

— Ah, o duque! Do jeito que vão as coisas, é capaz de ele deixar Versalhes antes de você. Mas vejamos o que temos... Neste caos, tenho algumas novidades que poderão ajudá-lo.

Passou diante de Viravolta e aventurou-se na direção de um armário. Parecia procurar algo. Depois, devagar, tirou o que parecia um pequeno baú de viagem. Apresentou o conteúdo ao veneziano. Desta vez, Pietro identificou de pronto o objeto.

A arma sob seus olhos era uma pistola, mas de estilo e aspecto assombrosos. Lembrava as pistolas Dog-Lock utilizadas um século antes pelos ingleses, mas também as Twigg de Londres, mais contemporâneas, e, num outro gênero, as pistolas de ferro Scottish All Steel Flintlock, características das Terras Altas da Escócia. O mais estranho é que o artefato possuía canos múltiplos — seis, para ser exato. Pietro jamais vira algo semelhante. Devia medir uns 35 centímetros de comprimento. O tambor era de latão. Os canos desmontáveis e de metal trabalhado evocavam também os modelos não encurtados dos regimentos de cavalaria. Trazia a marca da manufatura de Saint-Etienne e um entalhe, *h/b*. A coronha era de nogueira marchetada e, como herdeira digna de suas ancestrais, terminava numa soleira recoberta por uma calota de metal, como que pronta a rachar o crânio do adversário.

— Permita-me que lhe apresente o que podemos denominar de sistema Marienne — disse Augustin inclinando-se numa reverência.

Deixou correr os dedos pelos canos. A expressão tornou-se maliciosa.

— Esta arma, Viravolta, teria encantado os mestres platinadores e os armeiros de Liège. É uma revolução. Ainda a mantemos em segredo, pois apresenta diversas dificuldades. Trata-se de um protótipo, uma experiência. Possui seis canos numerados. Cada um possui, na boca, quatro ranhuras que permitem o desmonte, com a ajuda de uma chave quadrada que encontrará nesta caixinha. É revolucionária, como eu dizia. Em quê? *Como funciona?* Hum... O sistema consiste na invenção de uma cápsula específica e separada que, com certeza, um dia suplantará o sílex da pederneira.

Os dedos acariciavam o instrumento.

— A detonação da pólvora é feita aqui, pelo choque do cão sobre a cápsula de latão. Esta é colocada em uma ranhura que alcança a câmara de combustão. Tal procedimento oferece vantagens surpreendentes... Sobretudo desenvolver armas capazes de dar vários tiros! Olhe só os canos neste longo cilindro perfurado. A cada puxada no gatilho, é possível alinhá-los sucessivamente, cada um munido de sua respectiva cápsula. Um escudo recobre o cão quando do disparo, para evitar que queime os dedos do atirador. Tudo isso ainda não é muito prático, pois, além do peso da arma, todos os canos devem ser carregados pela boca antes da utilização. Trabalhamos, entretanto, com diversas hipóteses de carregamento pela culatra.

Augustin pigarreou.

— Em resumo, é para você. Graças aos canos giratórios, poderá dar seis tiros sem recarregar. Já fiz nesta arma muitas inovações. Adoraria gravar nela a marca "patente de Marienne". Mas a modéstia e a conveniência do segredo me obrigam à humildade. É a triste sorte de um funcionário do rei.

Parecia rir para si mesmo.

— Acrescento que esta arma pode também servir para uma luta corpo a corpo. Veja esta fenda aqui. É possível desbloqueá-la sem dificuldade com o indicador.

Acionou-a. Com um tinido, uma lâmina reluzente saiu.

— Muito bem. E isso? — perguntou Pietro, atônito.

Mostrou outro cilindro, na parte superior da arma, que parecia conter uma mola de disparo.

— Ah, isso...

Augustin voltou-se na direção do armário e retirou dele um arpéu com puxadores dobrados, enrolado dentro de um cabo.

— Você pode fixar aqui o arpéu. Não encontrará dificuldade em acioná-lo. Instalado no sistema de disparo, permitirá subir em poucos segundos ao teto do palácio. O cabo é resistente o bastante para aguentar o peso de um homem. Sei que você já viu, em Veneza, o arcabuz-espada, a alabarda com cano e outras invenções. Reconheça que esta aqui é especial. Para falar a verdade, ela foi concebida por um antigo oficial da Marinha.

Mas Pietro deixara de prestar atenção. Pegara a arma. Firmou a mão na coronha, brincando com o indicador no gatilho que liberava o punhal. Tomou do arpéu.

A voz de Augustin lhe chegou novamente aos ouvidos.

— E não é tudo.

Em um gesto teatral, pegou a pena no tinteiro.

— Isto, meu amigo é uma pena comum. Mas essa...

Abriu uma gaveta disfarçada na parte inferior da escrivaninha e sacou outra, uma pena de ganso estreita que poderia ser confundida com a primeira, bem como um pequenino tinteiro preto. Assumiu expressão misteriosa. Retirou a tampa do tinteiro e com um cuidado que surpreendeu Viravolta, enfiou a ponta da pena na tinta.

— Atenção, por favor — disse, gesticulando para que o veneziano se afastasse.

Subitamente, jogou a pena, com a ponta voltada para a frente, no chão, longe da escrivaninha. Pietro não conseguiu conter o grito e recuou. Ao bater no chão, a pena havia explodido, soltando uma fumaça esbranquiçada e odor de pólvora.

— Ótima para assinar contratos explosivos, não acha? — ironizou Augustin. — A pena é mais forte que a espada. Como constatou, uma gota foi o bastante. Devemos isso, e não o repita a ninguém!, a um antigo notário de Chaumont, cansado de apor assinaturas e contra-assinaturas em todos os atos de posse. Desde então, o valente homem, em vez de aplicar a lei, resolveu fazê-la. Ocupa um cargo no Parlamento de Paris, mas permita-me ficar calado sobre sua identidade.

Abriu um estojo contendo meia dúzia de penas e um tinteiro do mesmo tipo. Pietro pegou uma delas, que mal molhou para repetir a operação. Sem ousar atirá-la, examinou-a minuciosamente enquanto Augustin fechava o estojo e erguia o indicador.

— Um último presente, Viravolta.

Tirou do bolso um baralho.

— Estas cartas, querido amigo, parecem absolutamente inofensivas e ideais para qualquer jogo de cartas da moda. Contudo, desconfie do seu poder.

Com o polegar, separou uma carta e pressionou a borda contra uma pasta grossa. Ao empurrá-la, ouviu-se um barulho comparável ao de uma estocada contra a carne.

A pasta dividiu-se em duas.

— Como pode ver, elas devem ser manejadas com precaução. Usei o rei de copas; cada carta, à direita, tem o corte de uma lâmina de navalha. Todas juntas tornam-se arma das mais temíveis. Preste atenção ao distribuí-las, Viravolta. Certifique-se de tomar cuidado com a mão.

Guardou a carta com cuidado.

— Além disso, atrás de cada uma há uma flor, meu amigo, que reconhecerá sem dificuldade. Este jogo foi inventado por um campeão de *whist*,[1] de faraó e de lansquenê. Dei meu pequeno toque pessoal... em sua homenagem — disse numa reverência. — Aposto que você não poderia viver sem mim.

— Estou profundamente emocionado — disse Pietro.

Augustin arrumou as cartas no estojo de metal e entregou-o.

— É tudo. Ah, eu teria outras coisas para mostrar-lhe, como isso, por exemplo — disse abrindo um estojo de joias azul-pastel forrado de veludo.

Pietro viu uma série de pontinhos negros parecidos com pastilhas.

---

[1]Whist — jogo de cartas muito apreciado na França e que deu origem ao *bridge*. (*N. da T.*)

— Moscas. Mas se uma delas for esmagada no rosto da mulher que a usa, um produto ácido, capaz de arruinar-lhe a beleza para sempre, é liberado... O problema é que ainda não descobri sua utilidade... Tenho também um anel de diamante que corta vidro e barras de metal, e...

— Basta — disse Pietro.

Augustin parou de coçar a cabeça.

— Você tem razão. Enfim, peço a gentileza de colocar sua assinatura em meu livro de anotações, para a boa ordem de meus registros pessoais e de minhas encomendas. Gostaria de deixar claro que deve fazer uso do material que leva consigo do modo que mais lhe convier. Não se esqueça de que, à exceção das penas, o resto ainda não passa de protótipos.

Pietro aproximou-se. Segurava a pena, ainda úmida, na mão.

— Ah, não, por favor, com essa pena não. Com a outra...

— Ah, claro — disse, trocando as penas.

— É verdade que, em geral, aqueles que recebem as encomendas são nossos engenheiros, os arquitetos da Superintendência de Construções, Arte e Manufatura ou os oficiais da Casa Real. Você é um cliente muito especial. Não é sempre que atendemos pedidos de agentes de Sua Majestade. Preciso encontrar um meio de pôr sua assinatura em destaque, para não perdê-la em meio a tamanha confusão.

— Faça isso — comentou Pietro.

— Bem, pronto, assine aqui. Pode ser seu apelido, se preferir, algum sinal característico que eu possa notar de imediato.

A pena restou em suspenso por um instante. Pietro ergueu a sobrancelha e sorriu.

— Ainda faço uso da minha velha alcunha...

Piscou para Augustin.

E assinou com letra elegante e bonita.

De repente, bateram com força na porta.

Pietro e Augustin se entreolharam.

Ao abrirem, encontraram Landretto, a expressão amedrontada.

— O que houve?

Ele o fitou um instante sem responder. Em seguida, abriu os braços e disse, com expressão desolada:

— Terminou!

O retorno de Orquídea

APOSENTOS DO DELFIM, VERSALHES
MANSÃO DE CERCEAUX, MARLY

Em seus aposentos, acompanhado de Maria Antonieta, Luís Augusto andava de um lado a outro, como um animal enjaulado.

Quando ouviu o clamor e os passos no corredor, o futuro rei compreendeu ter chegado o momento... e vacilou.

Perdera o pai aos 11 anos e a mãe, Maria Josefa de Saxe, dois anos depois. O avô, Luís XV, deveria encarregar-se de sua educação, mas não se dedicara à tarefa com ardor. Talvez por julgar nociva a própria influência e, cansado da responsabilidade que lhe cabia em relação a todos os súditos, delegara a tarefa a alguns felizes eleitos, como o duque de La Vauguyon e o abade de Radonvilliers, aos quais, a princípio, se juntaram dois jesuítas, Croust e Berthier, e depois o abade Soldini. Todos afirmavam que o jovem príncipe não era nem excelente nem péssimo. Aprendera latim, alemão e inglês, mostrava-se apaixonado por história e, sobretudo, por geografia. Desajeitado, era de uma timidez exagerada. Persuadira-se, sem motivos, da própria mediocridade. Tinha aulas, lia e caçava muito, assistia à missa, mantinha em dia os livros de despesas, ocupava-se com obras de caridade, discutia técnicas com o ferreiro Gamain e mostrava-se mais à vontade com os batedores que o acompanhavam nas caçadas do que com as damas da corte. Parecia conter, em embrião, dois destinos, oscilando ainda sobre a corda da própria indecisão: um que o veria renascer com o esplendor solar de seus ancestrais; o outro que o faria contemplar tal esplendor de baixo.

Haviam-lhe dito que ele seria, um dia, o chefe da nação e único depositário do poder divino. Conhecia as qualidades necessárias a um bom monarca, fascinado que era pelas leis e tradições da monarquia francesa, pelos preceitos de Bossuet e Fénelon, pelas normas com que se devia governar o Estado e a religião. Sobre os grandes painéis talhados e recobertos de arabescos evocando árvores e vagens gigantes, ele havia contemplado as infinitas filiações abrangendo Carlos Magno, os capetianos e São Luís, Carlos VII, Luís XI e Luís XIV. Conhecia as rivalidades ancestrais das casas e linhagens da França, as pretensões dos duques que fora preciso derrubar e os parlamentos que haviam sido chamados à razão. Havia se compenetrado de tudo isso com o respeito de quem não pode ignorar o próprio destino. Das ideias dos filósofos que agitavam o espírito europeu, das teorias de Montesquieu e dos arroubos de Rousseau não tinha conhecimento. Luís XV sempre o excluíra da gestão dos negócios e Luís Augusto acatara-lhe a decisão, sem questionamentos. Dedicava ao avô um amor filial mesclado de temor e, por vezes, de muda desaprovação. O rei se comportara como um velho depravado, elevando uma prostituta à posição de quase rainha da França. Aos 20 anos, Luís Augusto vivera até então um conto de fadas, reflexo distante de um sonho que, sem dúvida, desejara menos resplandecente, porém mais feliz. Suas reflexões o haviam levado, ao longo dos anos, à melancolia, reforçada por suas predisposições naturais que nem mesmo o temperamento alegre da pobre Maria Antonieta tinha forças para vencer.

Tinha as pálpebras baixas, não ousava olhar pelas janelas, como se o espetáculo do mundo que o aguardava representasse um suplício.

Febril, os dentes cerrados, olhou a mulher com expressão perdida e disse:
— Tenho a impressão de que o universo inteiro desabará sobre mim.

Apagaram uma vela.
Uma pequena lamparina tremeluzente extinguiu-se na sacada do quarto do rei.
O rei morreu! Viva o rei!

Luís voltou a fitar Maria Antonieta. Lágrimas brotaram-lhe dos olhos. Quando os cortesãos e seu séquito chegaram, comprimindo-se diante da porta, encontraram os dois ajoelhados e em pranto.
Luís XVI murmurava:
— Meu Deus, cuidai de nós, protegei-nos... Somos jovens demais para reinar!
O abismo se abrira. Como diria mais tarde um sábio memorialista, parece que naquele momento, o novo rei teve a visão angustiante de tudo o que precisaria saber e não lhe fora ensinado.

*
* *

Viravolta voltou rapidamente à mansão onde morava com Anna Santamaria e Cosimo, na estrada de Marly. Contemplava sua imagem no grande psichê do quarto e vislumbrava, atrás dele, Anna, estendida na cama. Em Versalhes, só se falava de morte; o ambiente tornara-se fúnebre. Pietro fora tomado pelo incontrolável desejo de contradizer a sorte. Agora podia observar a bela mulher pelo espelho, o busto desnudo, a cabeleira encaracolada sobre os ombros, o espartilho desatado e as coxas à mostra.

Pietro havia se lavado, arrumado a peruca e terminava de empoá-la. Anna se levantou para escolher a roupa do marido e se decidiu não por uma casaca francesa, como as que ele costumava usar no palácio, mas por um dos casacos ajustados venezianos de outrora, de cor clara, ornado com galões e arabescos de ouro. A esse traje, Pietro não acrescentou a capa negra da época de suas atividades em Veneza, tampouco sua *bauta*[1] de carnaval. Verificou as mangas, alisou a camisa branca. Arrastando a cauda drapeada do vestido, Anna sorriu, os seios descobertos. Verificou a fivela do cinto do marido, fechando-a com um estalido. Ele calçou as luvas e desembainhou a espada lembrando-se daquele dia em que, havia quase vinte anos, ao sair da prisão dos Chumbos, tivera a sensação de renascer. Colocou-se em guarda e, após a exibição, guardou a espada na bainha. Examinou a pena entregue por Augustin Marienne, a insólita pistola-punhal e o baralho com flores impressas no verso, enquanto Anna girava ao seu redor, lançando-lhe jatos vaporosos de perfume.

— Desta vez, corremos um grande risco, minha querida. Se eu fracassar...

— Tenho confiança de que tudo dará certo — afirmou Anna. — Você também sabe.

Pietro inspirou.

— Sem dúvida você tem razão.

Voltou a se admirar no espelho.

— Em todo caso, o figurino está completo.

— De jeito nenhum...

Anna aproximou-se, ocultando alguma coisa na roupa.

— Hoje à tarde passeei pelos jardins... Espero que os jardineiros não se zanguem comigo.

Entregou-lhe a oferenda. Uma flor negra.

O coração de Pietro palpitou.

— Agora, Fabulista, seja você quem for, terá que se ver comigo!

Partindo de Versalhes, o clamor propagava-se por todos os lugares: *O rei morreu! O rei morreu! Viva o rei!* Em meio ao repicar dos sinos, o povo da

[1]*Bauta* — traje que consistia em chapéu tricórnio preto, véu ou capa também pretos e máscara branca. Usado tanto por homens quanto por mulheres em Veneza, em diversas ocasiões, inclusive no carnaval. *(N. da T.)*

França expressava seu luto e sua esperança; nos pátios e escadarias, nos jardins e sob as janelas do palácio, o alarido crescia, percorria as estradas, invadia os albergues, prestes a difundir-se por todo o reino. Pietro prendeu a flor na lapela, acariciando as pétalas. No reflexo do espelho, dirigiu um sorriso a Anna Santamaria.

Ela retribuiu com extrema graciosidade.

— Veja, a primavera voltou...

Alargou o sorriso, antes de acrescentar:

— E Orquídea Negra retoma suas atividades.

SEGUNDO ATO

O baile dos animais

Se existe alguma coisa de hábil na República das Letras, pode-se dizer que é a maneira pela qual Esopo apresentou sua moral. [...] Ouso, Monsenhor, apresentar-vos alguns ensaios. É um entretenimento conveniente aos vossos primeiros anos. Estais numa idade[1] *em que o divertimento e os jogos são permitidos aos príncipes; porém, ao mesmo tempo, deveis dedicar alguns dos vossos pensamentos a reflexões sérias. Tudo isso se encontra nas fábulas que devemos a Esopo. A aparência é pueril, confesso-o; mas essa puerilidade serve como cobertura a verdades importantes...*

Vosso muito humilde, muito obediente
e muito fiel servo,
De La Fontaine.

Carta a Monsenhor, o Delfim[2]

[1]O delfim tinha então 6 anos e 5 meses. (*N. da T.*)
[2]Luís de França, chamado de O Grande Delfim e Monsenhor, filho de Luís XIV e de Maria Teresa, nascido em 1661 e falecido em 1711. (*N. da T.*)

Assassinatos in Fabula

Pátio de Mármore, Versalhes
Perfumaria Fargeon, rue du Roule, Paris

Pietro atravessou o Pátio de Mármore na direção da carruagem que o conduziria a Paris. Enquanto caminhava no piso xadrez, observava os cortesãos reunidos em grupos. Uma moça portava uma sombrinha, alguns homens agitavam as bengalas. Acabaram por se dispersar. A vela da janela do rei havia sido retirada. A balbúrdia em Versalhes cessara. Apenas alguns padres, na câmara-ardente, acompanhavam os despojos do soberano, trancado rapidamente num caixão de chumbo cheio de álcool etílico, antes de seguir rumo a Saint-Denis. O féretro desfilou em meio ao povo que, ao ver o carro serpentear em direção ao sepulcro, em vez de tentar impedir-lhe, aos prantos, a passagem, começara a berrar "*Taïaut, taïaut!*", o conhecido grito do monarca durante as partidas de caça. Bem, tudo transcorrera rapidamente. Pietro meneou a cabeça.

Voltara a Versalhes para uma rápida reunião com o duque d'Aiguillon. A família real partira para Choisy no mesmo dia do falecimento de Luís XV. Ninguém desejava permanecer no palácio. Luís Augusto, sucessor do avô, nunca contraíra varíola e ainda havia risco de contágio. Viravolta acabara de ver *Mesdames Tantes*, as tias do novo monarca, subirem na carruagem com as princesas Clotilde e Elisabeth. Haviam heroicamente cuidado do pai em seus momentos finais. O novo casal real, os dois irmãos de Luís e suas esposas ocuparam outra carruagem. A caminho do gabinete de d'Aiguillon, Pietro encontrara, no interior do palácio, visitantes ingleses que passeavam pelos aposentos das *Mesdames* e preparavam-se para a visita aos jardins! Ele não conseguia entender como se permitia que os ingleses percorressem o palácio, como se nada tivesse acontecido. O duque tinha motivos para se inquietar. Negligências como esta possibilitavam o jogo do Fabulista.

Era uma das características mais extraordinárias do local: a segurança praticamente inexistia. As portas do palácio ficavam abertas a quem quisesse entrar. Para um homem como Viravolta, que percorrera todos os bairros de Veneza e enfrentara as piores conspirações, isso era motivo para arrancar os cabelos. Versalhes, sem dúvida, era o mais belo palácio do mundo. Entretanto, entrava-se nele à vontade. Sempre que Pietro tentara alertar a Casa Real a esse respeito, enfrentara uma apatia desanimadora. Era-lhe difícil aceitar a tradição antiga que, em parte, explicava tal situação: todos os franceses tinham direito a aproximar-se do soberano. Como consequência lógica de tal belo costume, era impossível conceber um rigoroso sistema de segurança. Qualquer um, se corretamente vestido, e desde que não fosse monge, mendigo, moça de vida fácil, nem trouxesse marcas de varíola, podia penetrar nos recintos e divertir-se como se estivesse em um museu, ir e vir pelos grandes aposentos do rei, sentar-se próximo às lareiras das antecâmaras e até mesmo penetrar no quarto onde diziam que o monarca dormira. Os homens eram obrigados a portar uma espada na cintura; caso não a possuíssem, poderiam alugá-la sem dificuldade numa barraca perto dos portões da entrada. As vendedoras de peixe, em bate-bocas exaltados, expeliam suas injúrias diante dos poderosos, não apenas sob as janelas da rainha, mas também dentro do palácio, até a entrada dos gabinetes internos. Em meio a tudo isso, a gentalha circulava sem que ninguém se preocupasse em vigiá-la.

Certamente os gendarmes eram em grande número e o rei cercava-se de vários guardas. Versalhes dispunha de quatro companhias incumbidas da segurança, dentre as quais uma escocesa e uma companhia dos Cem Suíços. Os *hoquetons,*[1] encarregados da guarda da *Prévôté de l'Hôtel,*[2] garantiam o policiamento e a segurança do palácio. Os portões de honra, principais portões de Versalhes, eram o território de dois regimentos de infantaria, a Guarda Nacional e a Guarda Suíça. Quando o monarca deixava o palácio, sua proteção ficava a cargo dos cavaleiros-ligeiros, dos mosqueteiros e dos gendarmes. A guarda real procedia regularmente a revistas e a buscas fazendo a ronda no exterior do palácio, acompanhados de cães de caça farejadores. Contentava-se em desalojar a golpes de espada os vagabundos que se aninhavam nos cantos e recessos dos jardins. Quanto ao resto, a soldadesca de Versalhes era bastante emblemática de tal desenvoltura. As companhias ali passavam todas as 24 horas do dia. A sala dos guardas, repleta de biombos, de leitos, de armas e de cinturões, parecia um quarto de caserna desarrumado.

Pietro suspirou. Pelo menos, tinha vida.

Cuspiu no chão e assobiou para o cocheiro que o aguardava a curta distância.

Os cavalos trotaram em sua direção.

Os olhos voltados para o piso do pátio, a mão no punho de sua espada, Pietro concentrava-se nas tarefas que o aguardavam para dar início à investigação.

Bem, em resumo...

Era urgente falar com o conde de Broglie, antes de entrar em contato com os outros agentes de Sua defunta Majestade e lhes transmitir a informação referente ao perigo que os cercava. Um perigo invisível, incompreensível e, no entanto, bastante real. O Fabulista buscava eliminar os antigos membros do Secret, pelo menos os mais perigosos. Por quê? Pietro ignorava

---

[1]*Hoquetons* — arqueiros sob a jurisdição dos juízes e magistrados. Eram assim chamados por usarem um casaco bordado chamado *hoqueton*. (*N. da T.*)
[2]*La Prévôté de l'Hôtel du roi*, jurisdição encarregada dos palácios e dos jardins reais e comandada pelo *prévot*, ou preboste. (*N. da T.*)

o motivo. Talvez Broglie tivesse mais informações. Entretanto, o chefe continuava no exílio em Ruffec, e a viagem era demorada. Quanto aos agentes, o veneziano não obtivera do duque d'Aiguillon qualquer informação satisfatória. Vergennes encontrava-se em Estocolmo; o cavaleiro d'Eon, em Londres; Beaumarchais, sabe-se lá onde — em todo caso, não em Versalhes. Hoje, a corte abandonara o palácio. Pietro convenceria Broglie a dar o alarme, caso ainda não o tivesse feito. Talvez algum dos agentes tivesse elementos capazes de fazer avançar a investigação. Contudo, por razões de segurança, trabalhavam isolados e não se conheciam. Sem contar que, como sugerira d'Aiguillon, o Fabulista podia ser um dentre eles...

Enquanto isso, Pietro precisava ir a Paris encontrar o perfumista Fargeon. A pobre Rosette e seu amante, Baptiste Lansquenet, tinham trabalhado para ele, o que o tornava um dos principais suspeitos. Pietro, contudo, mostrava-se cético. Fargeon estabelecera-se, há algum tempo, como fornecedor oficial de vários personagens importantes da corte, tendo à frente madame du Barry. Por que motivo um homem como ele iniciaria uma conspiração sinistra? A menos que não passasse de um cúmplice, agindo sob ameaça. O veneziano suspirou. Rosette, sem dúvida, fora assassinada por ter se intrometido em assuntos que não lhe diziam respeito. Confidências na cama? Talvez tivesse entreouvido conversas comprometedoras. Lansquenet não passava de um informante sem importância. Teria ele também descoberto alguma coisa suscetível de justificar sua morte e, em consequência, a de sua amante? Algo que dissesse respeito não apenas à *existência* do Fabulista, mas também à natureza de seu projeto? Quem sabe sua identidade? Quaisquer que fossem tais informações, não conseguira, como era evidente, prevenir ninguém a tempo. Tudo continuava envolto em mistério. Contudo, a associação do nome enigmático do Fabulista, como se ressurgido dos mortos, aos sórdidos panfletos que haviam recentemente circulado sobre Maria Antonieta lançava presságios de revelações inquietantes.

Pietro levava com ele os documentos de d'Aiguillon e o livro de fábulas. Considerou a coletânea de um gesto maquinal, pousando os olhos na capa empoeirada...

Havia outros elementos mais preocupantes. Como d'Aiguillon avisara, Pietro tinha encontrado, nos detalhados relatórios, elementos complementares aludindo à morte dos espiões. Se Rosette tivera sua fábula, "*O lobo e o cordeiro*", os outros tinham sido assassinados em circunstâncias que correspondiam, de modo mais ou menos irônico, às dos poemas de La Fontaine, alguns conhecidos, outros mais obscuros. À Serpa, sufocada, coubera "*A leiteira e a bilha de leite*"; ao barão, envenenado num albergue, "*Os médicos*"; ou ainda Meteoro, afogado no Tâmisa, "*O burro carregado de esponjas e o burro carregado de sal*". Em cada caso, os investigadores haviam registrado uma estranha encenação. Havia um círculo vermelho, feito por mão misteriosa, em cada uma das fábulas já utilizadas. Sem contar as dez restantes, dirigidas especialmente a Pietro, tendo Rosette e Baptiste como mensageiros e que tiveram início em torno da perfumaria Fargeon. *Dez fábulas escolho para nossa diversão/Pois então, queres brincar comigo?* Mas por que convidá-lo a esse divertimento mórbido e desafiá-lo a, de certa forma, impedir a execução das fábulas finais?

Baptiste Lansquenet, de qualquer modo, não escapara à regra. Como o duque lhe contara, o informante fora assassinado... com um perfume. Sem dúvida por meio das substâncias tóxicas que fora obrigado a inalar em altas doses. Não se conseguira — pelo menos até o momento — identificar a origem e a natureza exatas do veneno. Tal perfume seria possível? O jovem fora encontrado na cozinha do apartamento miserável que ocupava nos Halles, a dois passos da rue du Roule e da perfumaria Fargeon, sentado numa cadeira, as mãos atadas às costas, os olhos arregalados e o nariz enfiado no inalador. Ao redor do corpo, pedaços de carne espalhados. Uma careta abominável deformava os traços da sua fisionomia, a ponto de os investigadores afirmarem que ele parecia ter no rosto um ricto grotesco. Nas costas do cadáver, o assassino prendera a fábula "*A raposa e a cegonha*", extraída do primeiro livro de fábulas. Contava como a cegonha se vingara da raposa depois que esta lhe servira uma papa em prato raso, o que impedia a pobre ave de comer. Retribuindo o convite, a cegonha, por sua vez, pregara uma peça à amiga, servindo-lhe carne num jarro alto de boca estreita.

"Às ordens! Pronta! disse ela,
Cer'mônias é que eu não faço."
E preparou a goela
Qual quem vai jantar ao paço.
Quis a cegonha em tal caso
Dar um banquete d'estalo;
Porém serviu-o em um vaso
De muito estreito gargalho.
A cegonha sem fadiga
Todo o pitéu comer soube,
Pois que o focinho da amiga
Pelo gargalo não coube.
Pobre raposa!... esperando
A mais fina paparoca,
Teve que se ir esgueirando
Fazendo cruzes na boca!
Aqui lição proveitosa

Colha o que vive de enganos:
O que sucedeu à raposa
Também sucede aos humanos.

(*A raposa e a cegonha* — tradução de
J. Inácio de Araújo)

E, como sempre, naturalmente, a rosa. Aquela rosa vermelho-sangue, idêntica à encontrada no corpo parcialmente devorado de Rosette, fora deixada na cena do crime. Pietro fez uma careta de repulsa enquanto remexia no bolso, de onde tirou o frasco de perfume entregue por d'Aiguillon. O líquido que parecia sangue balançava, evocando um mistério ou um presságio. Vamos ver, pensava Orquídea Negra, o que tem a dizer o querido Fargeon — seja ele culpado ou inocente.

Bem, mestre Fargeon... É chegada a hora de termos uma conversinha.

*

* *

Na carruagem, Pietro perdeu-se em pensamentos. Ao afastar as cortinas carmesins constatou que a estrada de Paris continuava esburacada e lamacenta. A luz alaranjada da tardinha banhava as sombras fugidias. O Sena transportava suas montanhas flutuantes de lixo, boiando à superfície em meio a reflexos marrons, verdes e cinzentos. As tinturarias, os hospitais e as oficinas despejavam no rio seus dejetos. Em todas as estações do ano, ali se lavava roupa. No verão, nadava-se. Alguns se afogavam, ou ao menos tentavam. Ah, Paris! Cidade de lama! Do Palácio Real ao das Tulherias e do Louvre ao Palácio da Justiça, a beleza das construções emergia sobre os eflúvios das fossas, como as fachadas das vilas venezianas emergindo da laguna. O lodo era constante. Sem carruagem, só se saía às ruas de meias negras. Quando chovia, os carregadores de guarda-chuvas ofereciam proteção aos passantes — mesmo que muitos fossem, como Baptiste Lansquenet, informantes da polícia ou do *Secret*.

O espetáculo proporcionado por essas ruas era tão repugnante quanto maravilhoso. Pietro não pôde conter o sorriso. O movimento era frenético. Ali, num coche, um médico trajando negro; acolá, num cabriolé, um professor de dança. Mais adiante, um armeiro. Jovens a cavalo chicoteavam a multidão que os impedia de avançar. Sob os raios do poente, um nobre mandava açoitar os seis cavalos de sua carruagem sem se preocupar com o populacho, enquanto os cocheiros contentavam-se em gritar: *Cuidado! Cuidado!* Vez por outra aconteciam acidentes, encarados com a mais perfeita indiferença. Uma humilde carroça vinda da Île Saint-Louis esgueirou-se entre duas carruagens, evitando por milagre a colisão. Duas crianças escaparam por pouco das rodas ameaçadoras de uma berlinda. Sem cessar ouviam-se gritos. Catadores de ostras, limpadores de chão, carregadores, vendedores de tisana, batedores de carteira e meretrizes berravam por todo o lado. Atraíam o passante enaltecendo os méritos do arenque ou das laranjas de Portugal. O pescado dos portos da Mancha, trazido a Paris em grandes baldes com água do mar, agitava-se sob o nariz dos transeuntes. Os açougueiros abatiam os animais na rua, o sangue escorrendo-lhes sob os pés e tingindo de vermelho os calçados dos passantes. A veste esvoaçante de um abade deslizava entre as saias de duas velhotas que brigavam trocando cusparadas e insultos. Pouco a pouco a penumbra ganhava a cidade, alongando as formas e as silhuetas difusas.

Das torres da Notre-Dame vislumbrava-se a cidade como uma mistura em claro-escuro de gesso, rasgada por pedra e calcário e andaimes de onde subiam nuvens de fumaça a ponto de ocultar os campanários e o Sena, sinuoso e cintilante. A cidade inspirava e expirava como um asmático, mas de modo tão forte e tão poderoso que, de uma velha coberta de rendas podia, de súbito, transformar-se em um ogro capaz de devorar seus congêneres. A cidade fedia tanto quanto brilhava. Curtidores de couro, padeiros, donos de cafés, marceneiros, ferreiros, comerciantes de vinho, joalheiros, agiotas, lapidários, vendedores de especiarias, boticários, modistas, padres e parteiras, atores e atrizes, mendigos e moribundos, como formigas, seguiam em meio ao enxofre, ao salitre, ao carvão, à farinha, aos mil ingredientes da vida urbana que os milhares de semblantes suportavam com indiferença.

A carruagem atravessou os portões dourados do palácio das Tulherias. Pietro voltou ao relatório entregue pelo duque d'Aiguillon acerca de Fargeon. Originário de Montpellier, o perfumista se autodenominava homem ligado à ciência e ao progresso. Vangloriava-se da exploração de recursos até então desconhecidos no domínio da química e de ter conseguido associar as fragrâncias de suas fórmulas a todos os estados d'alma. As notas de d'Aiguillon registravam Fargeon como leitor assíduo da *Enciclopédia*. Dentre as referências usadas para o exercício da profissão, constava também o tratado do ancestral Jean, boticário e perfumista detentor de privilégio real, que concebera a primeira nomenclatura de produtos e composições de perfumaria;

as obras de Antoine Hornot sobre o fenômeno olfativo; a enciclopédia do sábio alemão Von Haller; o *Tratado das sensações*, de Condillac, e, ainda, os primeiros trabalhos de Lavoisier.

Após o falecimento do pai, Fargeon fora confiado a um contramestre chamado Jean Poncet, originário de Sète, que afirmava que "o nariz era a porta da alma". Antigo aluno dos oratorianos, Fargeon ali encontrara campo para a elaboração da sua mística pessoal, que enfatizava uma reabilitação da natureza frente ao imperialismo do espírito. Orientado pelos setenses e sob o olhar clarividente da mãe, concluiu os primeiros estudos e, por conta própria, passou a criar seus próprios pós, ruges, maquilagens e cosméticos, como sabonetes e pastas para clarear mãos e rosto, óleos e tinturas para dar brilho aos cabelos, opiatos para os dentes, pastilhas para perfumar o hálito...

Pietro ergueu os olhos ao ouvir o cocheiro indicar que chegavam. Não demorou a sair. A rue du Roule, no coração dos Halles, era bastante larga e repleta de lojas. A multidão, já numerosa à aproximação da noite, descia em direção à Pont-Neuf ou dirigia-se rumo a Saint-Eustache. Pietro ajeitou o tricórnio. Antes de entrar, ergueu os olhos para a placa. Encontrava-se no número 11. A casa de quatro andares com suas claraboias, sacadas e cumeeiras, assemelhava-se a todas as outras. Viravolta empurrou a porta; chegava pouco antes da hora de fechar.

*

* *

Do outro lado da calçada, sob uma arcada para entrada de veículos, um homem cobriu o rosto com o capuz.

Isso, meu amigo... Bem-vindo ao baile dos animais.

Puxou um punhal cintilante.

Um perfumista singular

Perfumaria Fargeon, rue du Roule, Paris

Pietro surpreendeu-se com o contraste entre os miasmas da rua e o oceano fluido de perfumes no qual penetrava. Essências de narciso e de flor de laranjeira mesclavam-se aos odores italianos tão queridos, de limão, laranja, mandarim, cidra e melancia, aos quais a madeira de sândalo e especiarias do Oriente, canela e cáscara acrescentavam notas de fundo pungentes. Bem distante ficara o fedor de Versalhes, entre as paredes forradas de madeira e pintadas de branco aperolado. Escadas móveis permitiam o acesso aos recipientes expostos em prateleiras de mogno. Potes de essências, garrafões, caixinhas de rapé feitas de osso, caixas de bergamota, estojos perfumados, tudo cuidadosamente arrumado. Misturas de ervas de Montpellier alinhavam-se junto às águas de cheiro de rosa, jasmim, violeta, lírio, narciso e cravo. Pietro não conteve o sorriso ao levantar os olhos para o teto e ver os querubins gorduchos pintados. Adiantou-se, descobrindo-se, para cumprimentar a jovem de uns 17 anos que interrompera o arranjo de uma braçada de flores e se voltara ao vê-lo entrar.

— Não sei qual das flores é a mais bela — elogiou.

A moça logo corou. Pietro assumiu um ar travesso.

— Senhorita...?

— Constance.

— Sou o fidalgo de Veneza.

— De Veneza? — repetiu com voz melodiosa.

O rosto da deliciosa Constance iluminou-se.

— Gostaria de falar com o Sr. Fargeon...

Sem desgrudar os olhos dele, ela dirigiu-se aos fundos da loja.

Retornou alguns minutos depois, acompanhada do perfumista. Fargeon devia estar na faixa dos 30 anos: rosto maduro, sobrancelhas espessas, testa alta, olhos profundos, uma fisionomia comum com um sinal discreto na têmpora esquerda — a menos que fosse uma mancha de vinho. Pietro o cumprimentou ao vê-lo plantar-se à sua frente com ar interrogativo e vagamente desconfiado.

— Senhor Fargeon... Venho da parte do duque d'Aiguillon.

Assim dizendo, exibiu ao perfumista o mandato oficial com os símbolos reais e o selo do ministério.

— O du-du-que? — gaguejou Fargeon. — Mas por que esse assunto... Esse assunto adquiriu tamanha importância?

Parecia nervoso. Constance continuava a arrumar o buquê de flores lançando olhares ao veneziano.

— Os guardas já vieram aqui — acrescentou.

— Eu sei. Mas esse assunto é, digamos assim, especial. Gostaria de conversar um pouco com o senhor.

— Quem é o senhor?

— Meu nome pouco importa.

Por um momento, os dois se encararam.

— Venha — disse o perfumista, fitando Constance de esguelha. — Vamos à sobreloja, por gentileza.

Quando Fargeon o convidou a segui-lo, Pietro piscou para a mocinha, que lhe sorriu com ar insolente. Passaram pelo recinto repleto de caixas e livros, nos fundos da loja. Em seguida, penetraram no santuário: o laboratório.

A sala era comprida e pouco iluminada, abarrotada de caldeirões bojudos, cântaros e barricas, tinas e prensas, escumadeiras e almofarizes. Numa bancada reinavam ainda serpentinas translúcidas e outros inaladores. Ali o perfumista destilava as substâncias raras e as deixava escorrer. Nesse santuário encontrava-se um homem careca e pançudo, com apenas dois tufos de cabelo a ornarem-lhe as têmporas. Lembrava um monge louco de alguma abadia perdida nos Abruzzes, na Itália. Os olhos saltavam das órbitas. Podia-se ver sob a camisa uma sucessão de dobras de gordura. Uma colher de madeira na mão, mexia um caldo numa tina — cheio de pétalas e grãos, o líquido dava uma impressão levemente inquietante. O falso monge cisterciense ergueu os olhos sem expressão para Pietro e o cumprimentou em silêncio. O veneziano retribuiu o cumprimento enquanto Fargeon o conduzia, comentando:

— Esse é Crapaud. Ele é um pouco lerdo, mas tem a sorte, como eu, de possuir um olfato apuradíssimo e de discernir, entre mil fragrâncias, aquela que virá a ser o perfume da estação. Fora isso, é um imbecil.

— Ah! — exclamou Pietro, sem saber o que dizer.

Deixando o laboratório por uma porta escondida, subiram uma escadinha que conduzia à sobreloja, onde havia outra porta. Penetraram em um aposento parcamente mobiliado: duas cadeiras em torno de uma mesa redonda, de centro, enfeitada com um vaso de flores secas, e um estrado, junto ao limite direito do aposento. Ali, entre aquelas paredes, Fargeon morara ao chegar a Paris. Convidou Pietro a sentar-se em uma das cadeiras, pigarreou e disse, meneando a cabeça:

— Que lástima a morte do nosso bom rei.

— Certamente — disse Pietro.

A conversa morreu.

Fargeon observava o veneziano e, após alguns segundos, retomou:

— Vou repetir o que já disse às autoridades. Fui informado do falecimento de Baptiste; depois, do de Rosette; e, só por último, da natureza do relacionamento entre os dois. Não sabia de nada, embora nutrisse alguma suspeita ao perceber os olhares que trocavam vez por outra. Aliás, tenho por princípio não me imiscuir nos assuntos amorosos de meus funcionários. Já me bastam os da corte!

Inclinou-se, unindo as mãos sobre os joelhos.

— Entenda, meu comércio exige discernimento. Sou feito um pássaro entre víboras. Madame Vigier me advertiu assim que cheguei, antevendo em mim o provinciano ainda ingênuo. Aprendi rapidamente. Infelizmente, meu estabelecimento é frequentado por todo tipo de espiões, informantes e embusteiros. Em nossa bela corte perfumada, reina toda sorte de intrigas; o que se diz a alguém pode melindrar um terceiro e por aí vai. Um passo em falso na corda bamba entre minha loja e Versalhes e posso cair na ruína. O senhor compreende o quanto toda essa situação me aflige... Além disso, a morte desses dois jovens me encheu de medo e de tristeza. É com sinceridade que lhe digo que gostava deles.

— O senhor não faz ideia de algum assunto em que estivessem envolvidos?

— Nenhuma. Evidentemente, sempre pedi que fossem discretos. Afinal, eu faço ligas perfumadas para condessas que gostam de exibir as coxas, se me permite a expressão; forneço pó de violeta a abades ricos e galantes. Os mais insanos de meus clientes por vezes utilizam vários de meus produtos segundo as diferentes horas do dia! Se tudo isso viesse a público eu ficaria em péssima situação. A partida de madame du Barry é prejudicial para os meus negócios. Não tenho o menor interesse em participar de intrigas que não me dizem respeito ou que possam vir a comprometer minha situação.

Pietro o escutava. A intuição lhe dizia que o homem estava sendo sincero. Ao que tudo indicava, ele se limitaria a repetir as informações já fornecidas aos guardas. A não ser que abordasse o assunto de forma diferente e, assim, aproveitando-se da surpresa, o colocasse em alguma situação embaraçosa.

Pietro tirou do bolso o frasco de líquido de cor púrpura.

— Este frasco contém o perfume com o qual Baptiste Lansquenet foi envenenado.

— O que o senhor disse?

— Presumo que não lhe tenham dito as circunstâncias em que ele foi assassinado, não é?

— Bem... Não, não exatamente. Eu...

— Acredita que seja possível matar com isso, senhor Fargeon?

— Com... perfume?

Pietro destampou o frasco antes de estendê-lo ao perfumista.

— Com *este* perfume — disse.

Fargeon fitou Pietro revirando os olhos assustados.

— O que quer que eu faça?

— Bem, sinta o cheiro — respondeu Pietro.

Fargeon franziu o cenho. Decidiu-se. As narinas aproximaram-se do frasco. Imediatamente recuou.

— Mas é repugnante! — exclamou.

— Tóxico, para ser mais exato.

— O senhor chama a isso de perfume? Não pode supor que eu tenha preparado semelhante horror!

— Seria um insulto ao seu trabalho, não é mesmo?

Pietro propôs que voltasse a inalar o odor.

— Baptiste Lansquenet foi encontrado com o nariz num inalador e as mãos amarradas às costas. Senhor Fargeon, poderia me dizer quais são, em sua opinião, os ingredientes deste perfume?

— Os ingredientes?

— Sim, segundo seu nariz, se assim posso me expressar.

Fargeon hesitou; voltou a se aproximar da substância, como quem molha a ponta do dedo na água gelada. Fungou uma vez. Em seguida voltou a aproximar as narinas, desta vez mais perto, na boca do frasco. Fechou os olhos e, superando a aversão, afirmou:

— Repugnante e tóxico, sem dúvida. As notas de cabeça são facilmente identificáveis. Lírio e asfódelo, tenho quase certeza. Espere... Não, tenho muita certeza. Mas não é tudo...

Os olhos ainda fechados, continuou a mover o frasco sob o nariz.

— As notas de coração são constituídas por pelo menos um desses componentes que poderiam, na verdade, causar a toxidez... Beladona... Sim, é isso: beladona...

Lírio, asfódelo, beladona. Certo...

— Só isso?

— Não — respondeu, erguendo por um instante o rosto. — Seja o que for, seria necessária grande quantidade desses eflúvios para matar... Isso me parece pura fantasia, meu caro, quer dizer, desculpe, senhor... Nunca ouvi fábula semelhante.

— Isso combina à perfeição com o personagem que procuro. Na verdade, acredito que o nosso amigo Baptiste tenha sido envenenado e que a inalação desse pretenso perfume fatal não passe de encenação. Aliás, devem ter lhe inoculado nas veias alguma substância letal, enquanto enfiavam-lhe o nariz no inalador. Mas o motivo de atrair nossa atenção para este perfume... poderia ser um artifício, uma mensagem. Continue...

— As notas de fundo são mais complicadas... Copo-de-leite, manjericão e uma gota de... Ah, isso é terrível, não consigo me lembrar...

Pietro estendeu o pescoço, mas Fargeon, as sobrancelhas franzidas, penava para encontrar as palavras.

— É ridículo, a palavra está na ponta da minha língua... Senhor, que mistura... Em todo caso, observe que, à exceção do manjericão, trata-se apenas da maceração de flores... Flores, nada senão flores...

Lírio, asfódelo, beladona, copo-de-leite. Nada além de flores... exceto o manjericão.

Fargeon meneou a cabeça em sinal de desdém.

— Nada a fazer. Vamos perguntar a Crapaud. Só assim ele serve para alguma coisa. *Crapaud!* Cra...

O perfumista foi interrompido por um grito lancinante.

O veneziano levantou-se de repente.

De um salto, Pietro pôs-se de pé. Escancarou a porta, desceu as escadas e entrou às pressas no laboratório.

Não era mais possível discernir o rosto de Crapaud. O corpo adiposo de membro da ordem cisterciense tombado para a frente, os braços repousados ao redor da tina, a cabeça e os ombros mergulhados na mistura fervente, no líquido estranho do mestre perfumista, entre pétalas e grumos, tendo, ao lado, espetada a comprida colher de pau.

Pietro precipitou-se e, puxando Crapaud pelas costas, o retirou do preparado. De pálido e redondo, o rosto ficara vermelho feito um tomate, as pálpebras inchadas, queimadas, o nariz escarlate. Expelia a mistura engolida independentemente de sua vontade. O sangue se misturara ao preparado do perfumista, desenhando figuras vaporosas. Pietro soltou uma imprecaução. Tão pesado era Crapaud que lhe custava segurá-lo. Reteve o grito ao descobrir o talho no pescoço. O homem havia sido degolado; a cabeça pendeu entre as mãos de Pietro de maneira abominável. O ventre também fora aberto por um punhal ou uma espada. Crapaud perdia as entranhas. Quando Fargeon apareceu e sufocou um grito, Pietro acabava de perceber um papel preso às costas do pobre homem.

A Rosette e Lansquenet ele conhecia.
Mais grave ainda: quem eu sou ele sabia.
Céus! O próprio se atrevia
A me afrontar com a chantagem.
Mas que impudente espécime da criadagem!
Viravolta, mal se pode crer!
Convém, no entanto, não se esquecer
De que ainda estou de olho em ti.
Enquanto o Fabulista espera,
Em seu ofício persevera;
E para Crapaud terá achado
Fábula em tom adequado,
Assim como a rosa, em circunstância,
A esta estrofe empresta sua fragrância.

*

A RÃ QUE PRETENDEU SER GRANDE COMO O BOI
Livro I — Fábula 3

Uma rã, fitando um boi
De enorme e fidalgo porte,
Com vergonha, porque pequena sempre foi,
Dispôs-se a encher-se de ar para tornar-se forte.
E, com inveja, disse a outra rã:
"Vê bem, responde, minha irmã,
Ficando grande estou? De porte colossal?
— Não, disse a outra. — E agora, igual ao boi estou?
— Nem perto ainda estás". E o pobre do animal
Inchou-se... inchou-se... e estourou!

Assim é a vida... quer o hoje ser o amanhã;
O escravo quer ser rei, o plebeu quer ser nobre;
Inconformado, quer ser rico o pobre...
E, às vezes, têm a sorte dessa rã.

*

Sete fábulas guarda ainda a sorte!
Ah, e que um conselho de ouro caiba, importe:
Fareja e segue o perfume da morte.

(Tradução de Luiz Homero de Almeida)

Viravolta largou o corpo de Crapaud. A cabeça foi a primeira a despencar na mistura. Desembainhou a espada e correu para a saída.

— *Ele estava aqui!* — gritou Pietro, indignado. — Só Deus sabe como, mas ele estava aqui!

Nenhum movimento nos fundos. Pietro escancarou a porta que dava para a loja. Encolhida num canto, debulhada em lágrimas, Constance.

O Fabulista a havia agredido e rasgado seu vestido, deixando espalhadas ao redor as flores do vaso derrubado, além de frascos e pó de violeta pelo chão. O rosto pálido, ela apontava para a porta da rua, ainda entreaberta. Os soluços a sacudiam, os lábios tremiam, sem conseguir articular um som.

Pietro correu para a porta. O turbilhão na rua continuava, máquina cega e anônima, grande roda de ofícios e homens que deixavam suas ocupações. O burguês na carruagem. O grupo de estudantes. O professor de dança. Os cocheiros berrando: *Cuidado!* As crianças. Os comerciantes fanfarrões. O açougueiro e seu facão.

O abade mergulhando na noite.

Os mil sinos.

Paris.

Pietro olhou à esquerda... à direita...

A espada na mão, o tricórnio na outra, fechou a cara.

Miséria, deixou escapar.

Voltou à loja. A jovem recuperava o controle. Arrumava as flores e frascos derrubados.

— Está melhor?

— E-eu não ouvi a campainha... Ele entrou de supetão... Encapuzado... Não vi nada...

Pietro voltou a atravessar a sala na direção dos fundos.

— Feche a loja — pediu.

Voltou ao laboratório. Fargeon ainda estava ali, com os braços pendentes, boquiaberto. Contemplava o cadáver de Crapaud sem ousar tocá-lo. O infeliz permanecia chafurdado em sua mistura e nas próprias vísceras.

Em seguida o perfumista, que parecia saído do mundo dos mortos, exclamou:

— A íris-do-pântano!

— O que disse? — perguntou Viravolta.

— O perfume... a flor da qual não me recordava o nome. É a íris, enfim... uma espécie bem específica de íris...

Fargeon o olhava, os olhos arregalados, desconcertados.

— A íris-do-pântano. É uma flor... uma flor do sabá!

O rosto de Pietro ensombreceu-se.

O Corvo e a Raposa

Estrada de Marly
Oficina do Fabulista, Versalhes
Mansão dos Cerceaux, Marly
Sala nos Halles, Paris

Um tríplice assassinato.

Um tríplice assassinato ligado às fábulas de La Fontaine... e aos perfumes.

Viravolta retomara o interrogatório de Fargeon enquanto Constance fora avisar a polícia. A jovem deixaria o emprego na loja, para desgosto do perfumista, que perdia um a um todos os funcionários. As autoridades chegaram e o representante do comissariado de polícia veio conversar demoradamente com Pietro. Deliberou-se quase até a meia-noite. Três mortos: Lansquenet, Rosette e agora Crapaud. Todos deviam ter conhecimento de alguma coisa. Todos, de um modo ou de outro, haviam cruzado o caminho do Fabulista. Os novos interrogatórios com o perfumista, Constance e demais ajudantes da perfumaria nada acrescentaram. Em relação ao Fabulista, tudo se ignorava. Ele não deixara rastros. E bem debaixo das vistas de Pietro! De qualquer maneira, atingira seu objetivo. Viravolta enfurecia-se e só a duras penas conseguia dissimular a inquietação. No instante em que deixava a loja, o agente de polícia lhe perguntou, sem deboche, se a investigação avançava.

Contentou-se em responder, ajeitando o tricórnio:

— Não se preocupe, sei o que faço. Terá notícias...

A carruagem o conduzia de volta para casa.

O que exatamente ocorrera naquela loja? Como única pista, apenas palavras. Fábulas e epigramas que o Fabulista divertia-se em ir deixando atrás de si, e as estranhas gotas de perfume, como assinatura. "*A raposa e a cegonha*" para Baptiste, que acreditara poder abrir o bico sem punição; "*O lobo e o cordeiro*" para Rosette, vítima da própria inocência; e agora "*A rã que pretendeu ser grande como o boi*", para um empregado obeso que havia tentado se passar por um chantagista. O Fabulista aumentava seu bestiário. Quais faltavam ainda? Pietro lembrou-se das letras de sangue na pele de boi. "*O corvo e a raposa.*" "*O leão e o rato.*" As sete últimas fábulas.

Apanhando a coletânea empoeirada, Pietro procurou as fábulas assinaladas em vermelho. As gravuras rudimentares nas páginas à esquerda atraíram-lhe a atenção. Em "*O lobo e o cordeiro*", via-se o lobo devorando o cordeiro, que pendia de uma árvore pelas patas, acima do regato. Adiante, uma carroça abandonada... Em "*A raposa e a cegonha*", a raposa aparecia agonizante, o nariz enfiado num vaso de gargalo estreito, enquanto a cegonha risonha devorava a refeição; mais adiante, o sapo literalmente explodia ao lado do boi. O corvo parecia pregado no galho da árvore, o olhar apavorado, um pedaço de queijo caído aos seus pés. O leão, numa jaula, rondava o rato aprisionado, prestes a devorá-lo... O veneziano balançou a cabeça. *Mas como quer que eu descubra? Quem será o corvo e quem a raposa? Quem o leão e quem o rato?* Observou a lista na pele de boi e, mentalmente, riscou as primeiras fábulas.

~~A Raposa e a Cegonha~~ Lansquenet
~~O Lobo e o Cordeiro~~ Rosette
~~A Rã que pretendeu ser grande como o Boi~~ Crapaud
O Corvo e a Raposa
O Leão e o Rato

O Cachorro que pela sombra larga a presa
O Macaco Rei
A Cigarra e a Formiga
A Lebre e a Tartaruga
O Leão Velho

Quanto ao perfume... Lírio, asfódelo, beladona, copo-de-leite, íris-do-pântano. Evidentemente, Baptiste não havia sido envenenado apenas com o perfume. Então, qual o motivo de tal encenação? Por que despertar a atenção para essa substância tóxica e sua exata composição? *Fareja e segue o perfume da morte*... Teria o Fabulista a intenção de lhes sugerir alguma coisa? Pietro relembrou as hipóteses formuladas com d'Aiguillon. Seria o Fabulista um ex-agente do *Secret*? Um simples peão a serviço do estrangeiro, de uma instituição inimiga do Estado ou de uma organização desconhecida? A menos que se tratasse de um louco que agia isoladamente. Quem sabe um nobre de Versalhes? Neste caso, por que não tinha atacado antes e cara a cara? Tudo isso era um presságio de mau augúrio. Dez mil pessoas circulavam todos os dias pelo palácio. Nesse momento, o palácio achava-se deserto, mas, em breve, a multidão voltaria e seria impossível controlar todas as idas e vindas! Pietro suspirou. Talvez já tivesse cruzado muitas vezes com esse misterioso adversário. O recurso irônico às fábulas assemelhava-se em muito às aventuras vividas em Veneza. Voltava a defrontar-se com um especialista em quimeras e quebra-cabeças, que se servia do labirinto das letras para melhor confundi-lo.

Esticou as pernas, pensativo.

Voltou a olhar o pequeno frasco de líquido de cor púrpura, o livro de fábulas e a rosa vermelha. Acariciou a orquídea no coração, fechou os olhos e cobriu o rosto com o tricórnio, na esperança de relaxar por alguns instantes, apesar dos sacolejos da carruagem.

Cegonhas, sapos, lobos e cordeiros rodopiavam em sua cabeça.

O repouso durou pouco. Conservava ainda o relatório do duque d'Aiguillon. Essas fábulas o perturbavam. Havia algo de simples e misterioso ao mesmo tempo... Como se faltasse algum detalhe no quadro. Reabriu a pasta. D'Aiguillon mandara coletar as informações essenciais sobre La Fontaine e sua obra. Ali, sem dúvida, encontraria a primeira pista. Apreensivo, mergulhou na leitura. Após uma vida despreocupada de burguês da província, em Château-Thierry, La Fontaine assumira o cargo de inspetor de Águas e de Florestas e passara a frequentar, com assiduidade, os salões, lendo tanto os antigos quanto os modernos. Em 1658, "Adonis", poema épico inspirado em Ovídio, lhe rendera a proteção de Fouquet, em Vaux-le-Vicomte. Apadrinhado pela duquesa d'Orléans, após a queda de Fouquet, superintendente do Tesouro, conheceu estrondoso sucesso com seus *Contos*, narrativas graciosas e licenciosas nas quais usava verbos irregulares, prática que retomou nas primeiras fábulas, publicadas a partir de 1668. A princípio sob a proteção de madame de La Sablière, e depois de monsieur e madame d'Hervart, adicionou duas coletâneas suplementares ao livro. O público, receptivo, apreciava sua "ampla comédia que encerra cem atos diferentes", de onde se extraía moral ora pessimista, ora epicurista. Inspirava-se diretamente em Esopo, em Fedro e na sabedoria hindu. Apesar de hábil cortesão, era famoso pela liberdade de pensamento. As fábulas continham três coletâneas e 12 livros de máximas, todas apresentando evocações pitorescas e concisas do mundo animal. Servindo-se, assim, "dos animais para instruir os homens", La Fontaine retratava as imperfeições e manias da sociedade humana...

Pietro olhou distraído a paisagem através da janela da carruagem.

Uma comédia que encerra cem atos diferentes...

Servir-se dos animais para instruir os homens.

Assassinatos usando fábulas bastante cruéis como *modus operandi*.

Pietro fechou a pasta.

Vejam só a que ponto chegamos!

*

* *

Tão logo voltou à oficina, a dois passos do palácio, o Fabulista retirou o capuz.

Às gargalhadas, ofegava, tentando recuperar o fôlego.

Jogou o facão ensanguentado na bacia e lavou as mãos com água fria.

Há muito, vinha frequentando os mais recônditos lugares de Versalhes, disfarçado de valete. Pacientemente tecera sua teia, aprendendo tudo sobre os usos e costumes do palácio, as relações entre os membros da corte e os jogos de poder. Doravante, não estava mais sozinho. Seus aliados eram mais influentes do que até Viravolta poderia supor. Havia ressuscitado seu personagem de comédia. Na verdade, o personagem de comédia *deles*. Não apenas um louco ou o bobo da corte do rei, não — ele mesmo era um rei, o rei dos animais! Gargalhou com mais vontade.

Havia fechado o cerco em torno de Versalhes. Como imperador das sombras, contava com informantes. Utilizava os serviços de um corcunda, contratado para trabalhar, durante o dia, nas latrinas dos guardas suíços. Em parceria com Etienne, sua alma penada — um bruto ganancioso, mas que lhe obedecia cegamente —, havia enganado a todos. Até mesmo ao conde de Broglie, chefe do *Secret*, exilado em Ruffec! Quando encontrava o pobre miserável do Etienne, atarracado e servil, para obter informações, observava-o varrer o lodo. Os olhos grudados nos dejetos, via no trabalho de sua criatura o reflexo bastante fiel do ódio e da vergonha que Versalhes escondia sob suas pretensões solares. De tempos em tempos, Etienne jogava os panos de limpeza num grande balde de água salobra e explodia numa gargalhada, tapando a boca com a mão. Atacado por lobos na floresta, tivera quase metade do rosto arrancada pelas garras dos animais. Três talhos profundos e cicatrizes davam-lhe ar disforme, meio homem, meio animal. O Fabulista estimava esse rebotalho que nunca conhecera senão o sofrimento e a aversão. Ninguém se importava com tais vermes em Versalhes; Etienne era ideal para executar algumas das mais vis tarefas ordenadas pelo patrão. Também lhe servia de faxineiro e de cocheiro. O Fabulista enxergava nele uma extensão do lado vergonhoso, bestial, do qual nascera seu jogo de morte. Etienne era a imagem dos seres que povoavam as fábulas nas quais se inspirava para armar suas armadilhas eruditas e mórbidas.

Repetidas vezes costumava se lembrar da própria infância. Também sofrera muito. O Fabulista via-se novamente no porão a observar, lá no alto, pelas frestas do alçapão, uma luminosidade indefinida. O alçapão que, em vão, tentara por tantas vezes abrir. Ainda guardava na memória a textura da madeira úmida na qual cravava as unhas. Por vezes, abandonado, sozinho, seu grito cortava o silêncio antes de ele voltar a descer as escadas e se enfiar entre os sacos de sal e as garrafas de vinho. Juntava as mãos nos joelhos, nelas apoiava o queixo e olhava o respiradouro oval que dava para o lado de fora. Tentava entender o que acontecia. Seu cérebro infantil não era capaz de controlar o tormento. A cólera germinara em terreno fértil.

Um dia, foi salvo pelo abade. Este soubera fazer brotar sua inteligência — inteligência que o santo homem sempre considerara fulgurante. *Deus está contigo, meu filho,* dizia-lhe, por vezes. Seu espírito aguçado voltava-se para um único objetivo: a vingança. Outrora sonhara com mitologias esquecidas, imaginava-se diferente como as criaturas e as quimeras ilustradas nos velhos livros de contos que ele conseguia bisbilhotar junto da ama e das outras crianças. Ele próprio comparava seus atributos aos dos monstros divinos que povoavam o seu universo e lhe falavam misteriosamente. Quando aprendeu a ler, mergulhou de corpo e alma nessas narrativas; de posse dos rudimentos do grego e do latim — e do catecismo, é claro — lera os salmos e as histórias pagãs que o abade consentia em lhe emprestar entre admoestações pascalianas. Ele se via Pã e sátiro, centauro de torso musculoso e flecha certeira. Tanto Górgona quanto fauno, raptava ninfas nos bosques profundos. Lia e relia, incansavelmente, a preciosa coletânea, rasgada e empoeirada — o livro de fábulas, sua própria comédia, resumo improvável de sua vida, de suas metamorfoses e torpezas.

Sua vida, em si, era uma comédia.

Tudo isso fazia parte de um passado distante do qual só restara a cólera, a acuidade de julgamento, a capacidade de penetrar nas almas. Sim, por isso seu corcunda o divertia; quando ia encontrá-lo nas latrinas, para vê-lo a limpar sempre e sempre as imundícies, glorificando-se nesse reino de corrupção e de pestilência, não parava de rir.

Bem-vindo ao meu reino!

Chegara a hora de todos pagarem.

Deixada para trás a infância, emancipara-se. Tornara-se uma fera. Fascinante. Brilhante. Sofisticado. Esgrimista e estrategista sem par, capaz de prever três, cinco, dez lances antecipadamente, em seu tabuleiro de xadrez mental. Frio e metódico. Tal as traças e as mariposas, podia fazer-se passar por vagabundo ou marquês decadente, valete ou príncipe. A um tempo fera e domador. De marionete, transformara-se em marionetista. Tudo transcorria segundo seus planos. Escolhera cada uma das fábulas. Dedicara-se com afinco a estudar as fábulas de seus mestres e a compor os próprios poemas, sob a vela a se consumir, alisando a pena e ruminando suas rimas, analisando-as repetidas vezes. Quem suporia tal talento, pacientemente cultivado e alimentado pelo ódio? Sim, era um poeta, um poeta maldito! Ao mesmo tempo, como verdadeiro artista, não negligenciava essa qualidade frágil e, ah, tão necessária: o talento da improvisação.

O Fabulista pestanejou ao sentir o odor a emanar do casaco. O único problema de frequentar aquele maltrapilho do Etienne era que, invariavelmente, parte do constante fedor das latrinas onde se encontravam terminava por lhe impregnar as roupas. Fora este odor que Rosette tinha reconhecido na noite da sua morte. Ela compreendera — tarde demais — quem era ele. Pobre Rosette. Ele já a possuíra, em uma das casas em que ela trabalhava. As meretrizes debochavam dos marqueses balofos, dos velhos empoados e dos jovens cínicos e malcheirosos. Diante dele, porém, sempre se calavam. Sentiam medo. Adivinhavam sua força. Etienne também desejara a pequena Rosette, mas a ele só restara sonhar. Ela teria rido, apontado a carne macilenta, debochado das cicatrizes deixadas pelas garras dos lobos, se o corcunda ousasse despir-se diante dela. O Fabulista cometera a tolice de confiar à moça alguns segredos, enquanto Etienne assistia a seus jogos amorosos. Que erro! Rosette não passava de uma tola. Apressara-se em repetir tudo ao seu queridinho maltrapilho, Baptiste Lansquenet. *Baptiste! Eu sempre o amarei!* E Crapaud os espionara, a eles também, aquele falastrão imbecil. Triste *vaudeville*, triste fábula! Os três poderiam revelar seu projeto aos outros informantes e agentes do *Secret*. Tal erro jamais se repetiria.

Por um instante, o Fabulista observou o interior da oficina. Mantinha, com preocupação obsessiva, os lençóis limpos, imaculados. De cada lado da cama, buquês de flores murchas, artisticamente arrumados. Um sofá e alguns livros, dentre eles *Clélie*, de Madeleine de Scudéry, e vários volumes da *História natural*, de Buffon, abandonados numa estante, compunham o singular alojamento. Em contrapartida, a área dedicada à oficina propriamente dita testemunhava uma febre e atividade completamente distintas. Mais afastado encontrava-se um estrado coberto por uma camada de poeira. Os restos de um coelho eviscerado ainda reinavam ali. A pouca distância, uma armadura de madeira simulava o esqueleto do roedor, bem como soluções químicas de diferentes cores. Sobre um pano engordurado alinhavam-se pinças, tenazes e vários instrumentos. Desenhos do coelho, em diversas posturas, feitos com talento riqueza de detalhes, junto a outros esboços semelhantes, representando doninhas, marmotas e pássaros. Não longe, uma raposa de pelo vermelho, em cima de um pedestal, a boca escancarada, parecia prestes a pular sobre uma galinha. Peles estendiam-se sobre um cavalete.

O abade nunca demonstrara muito interesse pelo naturalismo. Quanto ao Fabulista, ali encontrara verdadeiro derivativo que lhe satisfazia a obsessão pela precisão, o amor à técnica, a preocupação com o trabalho bem-feito. Conservar a aparência de vida dos animais era um trabalho fascinante. No início, contentara-se apenas em estofá-los com palha. Com o tempo, aperfeiçoou a técnica. Havia, por exemplo, passado a fincar hastes de ferro nas patas para aumentar-lhes a firmeza e manter os animais em poses cada vez mais próximas da realidade. Após obter o seu espécime, tinha o hábito de lhe tirar as medidas e recriar a cor e as características exatas por meio de desenhos anatômicos. Removia-lhe a pele com paciência, começando por incisões no ventre e na parte interna das patas. Conservava o crânio e os ossos dos membros. Além dessa dissecação, era preciso descolar a pele com todo o cuidado e raspar a menor parcela de carne e de gordura que porventura tivessem restado, para evitar qualquer posterior putrefação. A etapa seguinte era o curtimento da pele, a fim de amaciá-la, antes da pose e da montagem. Protegia a pele graças a compostos e pós químicos. Paralelamente, preparava uma maquete exata do corpo do animal, modelando a carcaça com argila, para formar seu esqueleto — isso quando não utilizava o próprio esqueleto original. O sabão de arsênico, capaz de conservar primorosamente as peles, estava perto do estrado. No passado tivera a oportunidade de conhecer, em Saint-Médard, o boticário Jean-Baptiste Bécoeur que o deixara a par da grande descoberta. O Fabulista sempre tinha o sabão na oficina.

Depois, dava forma ao animal estofando-lhe o corpo. Para restaurar, o melhor possível, as características do animal e conservar-lhe o brilho do olhar, utilizava olhos de vidro e outros artifícios para alguns órgãos, como a língua. Em seguida, colocava a pele e a ajustava após untá-la de banha. Alguns retoques de pintura faziam-se por vezes necessários, antes da costura final. Procurava sempre dar as mais realistas poses às obras. Era uma arte, um pouco como a de La Fontaine — a arte da *escultura animalesca.*

Tanta precisão... Tanta meticulosidade...

O Fabulista abraçou com o olhar o aposento, demorando-se em um dos vasos de flores murchas a emoldurar-lhe a cama.

Fareja e segue o perfume da morte.

Os traços fecharam-se num ricto.

Assim permaneceu alguns segundos até cobrir o rosto com o capuz.

Vamos! Nada de descanso. É preciso cumprir o plano. Repousaria mais tarde. Voltou a vestir o mantô. Etienne o aguardava. Era preciso preparar a continuação de sua obra, ocupar-se dos outros agentes. Pelo menos, ao se livrar de Rosette, Lansquenet e Crapaud, estancara a hemorragia. Seu plano era um conjunto de cálculo e adaptação, tendo as fábulas como guia. Sim, cada um tinha sua fábula. Cada um, a sua morte. E Deus, ou o Diabo, velava por todos. No momento em que o Fabulista antevira a sucessão dos acontecimentos, preparara seu bilhete para Viravolta. *Viravolta, o inimigo...* As dez últimas fábulas para ele e para o mundo. Entretanto, Orquídea não assistiria ao final do espetáculo.

Demorara a escolher seu campo de batalha. A formar aliança com o inimigo. A ressuscitar o Fabulista das núpcias de 1770 — o personagem outrora inventado por ele e pelo abade. Riu. Em seu mantô e capuz negros, haveria de precipitar-se, tal uma aparição, um pesadelo. Aquela noite, retornaria para usufruir da liberdade dos bosques. O Fabulista cavalgaria novamente, cavaleiro do inferno, por trás da cortina de árvores, os troncos cravados na terra como flechas de tinta imprecisa. Ele seria um poema, uma charada, um enigma, uma metáfora; se transformaria em mito, seria um conto, uma daquelas tenebrosas histórias que não se ousa contar às crianças senão aos sussurros, na hora de dormir. Ele seria... o Fabulista!

Preparava-se para sair quando três golpes surdos ressoaram na porta.
Tomou da adaga e foi até a porta.

— Etienne?

— *Não* — respondeu uma voz grave e rouca.

Revelada a identidade do recém-chegado, o rosto retorceu-se num ricto.

— Lorde Stevens. Não o esperava aqui. Imagino que venha em busca de novidades...

O homem alto e empertigado, o rosto na penumbra, não respondeu.

O Fabulista fez uma reverência.

— Entre, entre. Não me queira mal se nossa conversa não se estender por muito tempo.

Pousou a mão no coração.

— Uma nova fábula me aguarda.

*

* *

Luzes tremeluzentes, amarelas e alaranjadas, piscavam ali e acolá como vagalumes.

Pietro deixou o olhar se perder, embalado pelo movimento do veículo.

A carruagem finalmente entrou no pátio pavimentado e o ruído dos cascos diminuiu sob o comando do cocheiro. Pietro desceu e despediu-se. Ergueu os olhos para as janelas. A mansão, localizada na rue des Cerceaux, fora construída havia cerca de 50 anos. Nas sacadas, as grandes janelas pareciam olhos abertos na noite. Atrás de uma delas, a luz vacilante atestava que Anna devia aguardar seu retorno. Duas lanternas iluminavam o alpendre. Pietro entrou e deixou o tricórnio no aparador da entrada. Deslizou sobre o piso xadrez e dirigiu-se à grande escadaria de degraus brancos. Desabotoou o colete. Ao chegar ao alto, espiou pela porta entreaberta do quarto de Cosimo. A roupa branca abandonada na soleira atestava que o filho não se encontrava em casa. Sem dúvida saíra ao encontro de alguma namorada. O quarto encontrava-se na mais absoluta confusão: pelo chão, camisas amarrotadas espalhadas, roupas em desordem e calçados amontoados. O leito desfeito; um grosso volume da *Enciclopédia* usado para equilibrar a cômoda instável — sem dúvida, uma maneira de aplicar os princípios técnicos e físicos das artes e das novas ciências invocadas por Diderot e seus colegas. Pietro dirigiu-se ao quarto que ocupava com Anna Santamaria.

Ela adormecera. Perto do leito havia velas consumidas quase por completo, em candelabros dourados. Não tinham mais criadas desde que a última pegara uma gripe forte e fora dispensada. Seria preciso contratar mais uma ou duas. Mantiveram Ariel, o cozinheiro, que, a esta hora, devia estar roncando nas dependências da mansão. Pietro sorriu ao ver que Anna reservara frango e queijo em um prato. Havia também deixado uma bacia de água quente, achando que ele chegaria a tempo. A água ainda estava morna. Pietro retirou a camisa, os sapatos, a calça e o calção e mergulhou os pés doloridos na bacia de prata, estendendo sobre os joelhos uma toalha em tela de Limbourg. Curvou por um momento a cabeça, despenteado e fatigado. Olhou a lareira desligada, fria. Depois os olhos cruzaram um espelho montado sob a penteadeira. Anna tinha outro em seu pequeno budoar. Aquele, porém, perto da alcova, lhe permitia desembaraçar os cabelos pela manhã, logo ao despertar.

Pietro examinou o rosto. De onde se encontrava, o espelho parecia em posição curiosa. Via apenas parte do próprio reflexo, sob um ângulo distorcido; um quarto do rosto cortado pelo ovalado de madeira sobre o qual o espelho fora montado. Analisou os próprios traços. A sobrancelha erguida. A maquiagem desfeita. Os olhos franzidos, enrugados nos cantos. Os vincos na testa, que não mais podia ignorar. Sem dúvida ainda era bonito. Afinal, na sua idade já era um homem vivido. Suspirou. Havia em seus olhos reflexos esbraseados, como uma chama escura a tremeluzir e que, nesta noite, parecia trazer lembranças das aventuras na Sereníssima, das amantes de outrora, das partidas de cartas, dos golpes de espada aos pés da escadaria dourada, das canções na laguna... Sem deixar a poltrona, estendeu a mão para pegar o velho punhal veneziano de punho de madrepérola que costumava deixar perto da penteadeira de Anna.

Um instante depois, distraiu-se com uma sombra. Fechou o olho. A forma evocava-lhe... uma flor.

Uma orquídea.

Uma orquídea na parede.

Quem era ele, se perguntava, senão... uma sombra?

Divertiu-se movendo os dedos e fazendo surgir, a partir da corola da orquídea imaginária, as duas antenas de um inseto... Sim, quem era ele senão uma sombra movediça? Uma fábula? *Sou uma fábula. E o Fabulista também é uma sombra. Quem sabe o mundo inteiro não passa de uma sombra? Um palco de teatro, para a representação de uma peça em quatro atos... Todos sombras...*

Voltou a suspirar, de súbito tomado pela preocupação.

Observou Anna, em repouso no leito, entre dois véus estendidos e as cortinas do baldaquino. Um breviário forrado de couro, largado no chão. A mão de Anna Santamaria sobre a colcha tombava do leito, como se acariciasse o livro de salmos. Deitada de bruços, o rosto semioculto pelo travesseiro, respirava profundamente. Pietro levantou-se e ajoelhou-se perto do leito. Ninguém exceto ela tinha a capacidade de fazê-lo sentir-se à vontade e de enchê-lo de satisfação. Pietro escutava o vento zunir no pátio e produzir rangidos na casa, mas de Anna emanava um estranho calor. Enquanto a fitava, o rosto tornava-se quase grave, quase preocupado, como se tentasse se lembrar de alguma coisa absoluta e vital. Semiadormecida, Anna entreabriu as pálpebras. Ele observou-lhe os lábios, as faces afogueadas, o sinal de beleza no canto da boca. O sorriso de Anna, luminoso e confiante, se acentuou.

Ah! Você chegou. Sabia que voltaria.

Ele a beijou sussurrando:

— Eu amo você, minha dorminhoca!

Ao se despir, por pouco não entornou a água da bacia. Reprimiu uma imprecação.

Faltavam empregados naquela casa.

E tu, Landretto... Onde estás?

Pietro sorriu ao ver a imagem do antigo e eterno valete passar diante de seus olhos. O que faria esta noite? Gostava muito daquele safado! Lembrava-se de Landretto agitado, pedindo pelo patrão junto ao doge e a Emilio Vindicati; levando livros e novidades da cidade para a cela na prisão dos Chumbos; trocando gentilezas com Casanova, na ocasião igualmente hóspede das celas da República.

Landretto, meu velho amigo! Por que não ficaste comigo? Sinto tua falta. Por que nos afastamos?

Mas onde fora parar aquele tempo em que os três cantavam em Veneza? Meu Deus, como o tempo passa rápido. Onde estava a juventude? Onde fora parar a sua juventude? Olhava a poeira de Versalhes nos muros, visualizava as gôndolas flutuando pelos canais viscosos, o pó a se derreter nos rostos, corações e paredes. Tudo não passava de um sonho deliquescente, mas onde fora parar o tempo em que cantavam?

Lentamente, Pietro esticou as pernas. Cochilava. As imagens de Baptiste Lansquenet, ricto grotesco, o nariz enfiado no inalador; a de Rosette pendurada num galho, o pé dilacerado, devorada pelos lobos; e de Crapaud, eviscerado, desfilavam em sua mente. O Fabulista parecia rir da sua cara.

Ao final de alguns minutos, despertou, trêmulo.

Piscou.

Sem dúvida o duelo estava marcado.

Mas, inferno, o que procuras?

*

* *

O tricórnio de Landretto repousava perto do leito desfeito.

No passado, havia sido confidente e valete fiel. No momento, encontrava-se em péssima situação.

Em seu traje de cavalariço do rei, trazia as mãos amarradas às costas.

Deveria ter ouvido a própria consciência — ter escutado seu antigo patrão, Pietro Viravolta. O sangue latejava-lhe nas têmporas. A enxaqueca o incomodava, os músculos doloridos pesavam terrivelmente. Ainda na véspera bebera demais, comera demais. Senhor, por que bebia tanto? E agora... Tratava-se apenas de um pesadelo ou caíra numa armadilha?

Faça, por favor, com que isso seja um pesadelo...

As mãos continuavam presas às costas, amarradas.

Landretto, diante de uma parede fria e vazia, tentava lembrar-se do que ocorrera.

Não precisara partir para Choisy. Com alguns dos companheiros, descera por Notre-Dame até a região dos Halles, rumo a um de seus endereços favoritos. Liquidaram alguns barris perto da Île Saint-Louis. No caminho de volta, enquanto cantarolavam, uma jovem deslumbrante, muito maquiada, aparentando pouco mais de 20 anos, o deteve. Uma das deliciosas mariposas de Paris. Usava um vestido de fru-frus cor de malva, um leque sedutor, as maçãs do rosto febris. Landretto acabara por se deixar convencer. Ela lhe recordava vagamente a bela mulher que amara em Veneza, a Dama de Copas, agente secreto a serviço do doge. A jovem elogiara seus atrativos, sua pretensa origem, seu maravilhoso trabalho de cavalariço de Sua Majestade, os botões de ouro nos punhos da camisa, o tecido do paletó. Acabara largando os colegas, prestes a entrarem em outra taberna, seduzido pelas piscadelas e pelos cumprimentos.

A jovem o havia conduzido a uma casa de tijolinhos aparentes da velha Paris, perto do Châtelet, a esse quarto estreito de paredes cinzentas e mobília praticamente inexistente, consistindo em um leito coberto por lençóis acetinados, uma bacia e uma cadeira. A janela dava para o pátio. Um pálido raio de sol tombava diante dele. Agora, empoleirado na cadeira, Landretto só conseguia ver a parede úmida. Mal se lembrava do que acontecera depois de entrar ali. Não tinha nem mesmo certeza de ter desempenhado sua função — era mais ou menos o último pensamento do qual se lembrava, se é que podia confiar em sua memória. Envergonhado, havia desmoronado. A água gelada acabava de acordá-lo.

O dia despontava no horizonte.

A água ainda lhe molhava o rosto; algumas gotas escorriam em seu pescoço; a moça desaparecera; em seu lugar, uma corda envolvia-lhe o pescoço.

E atrás dele, à medida que recuperava a consciência, uma voz recitava:

O CORVO E A RAPOSA
Livro I — Fábula 2

O senhor mestre corvo, em um galho pousado,
No bico tinha preso um queijo apetitoso.
Sendo atraída ali pelo manjar cheiroso,
Diz-lhe a mestre raposa em tom adocicado:
Bom-dia mestre corvo, meu senhor.
Que bonito que sois! Que penas, que esplendor!
Palavra que se a voz tendes maviosa
Quanto vossa plumagem é vistosa,
Sois a fênix, oh! sim, das florestas daqui.
De orgulho, o corvo, então, nem coube mais em si.
E para a linda voz mostrar,
Descerra o bico e assim deixa o queijo escapar.
A raposa o agarrou e disse: Meu senhor,
Aprendei que o adulador
Vive à custa de quem lhe dá atenção.
Vale um queijo por certo esta lição.
O pobre corvo, então, confuso e envergonhado,
Jurou, mas tarde já, não ser noutra apanhado.

(Tradução de Luiz Gonzaga Fleury)

Os pés de Landretto, vacilantes, mantinham o equilíbrio sobre o assento da cadeira. Afixada no gancho de um lustre ausente, a corda prendia-se à porta de entrada. Bastaria um sopro para que a cadeira balançasse — e ele junto. A cabeça lhe doía, as mãos transpiravam. A corda arranhava-lhe a garganta.

— Q-quem é você? O que deseja? — perguntou num tom estrangulado.

A princípio ouviu apenas um sopro, depois a voz se decidiu:

— Vamos conversar um pouco a respeito do seu patrão, se não se importar.

— D-do... meu patrão?

— Não me tome por imbecil. Refiro-me ao Orquídea Negra.

— Como sabe...?

— Ah, estamos em Paris — respondeu a voz. — Mas, se preferir, podemos falar sobre... sobre o seu segundo patrão. E da sua traição.

— Minha *traição*?

Landretto sentiu o corpo ser percorrido por calafrios. Acreditou que iria cair. O pé resvalou na cadeira; equilibrou-se no último instante, como pôde, as mãos amarradas às costas, cada vez mais sufocado. A língua pendia da boca. Tentava respirar. Buscava também virar o pescoço para ver o homem que se mantinha sentado atrás dele, uma ponta da corda na mão.

— Você sabe muito bem do que estou falando, valete querido... Cabe a mim denunciar e descrever os defeitos dos homens... Vamos! Nada de segredinhos, nada de fingimento entre nós... Sei que a sua genealogia foi inventada de cabo a rabo... Você, cavalariço do rei, oficial por derrogação... Que palhaçada! Oriundo da mais nobre ascendência? Senhor de Parma? Sei que deve tudo isso às cartas dos senadores de Veneza e à boa vontade do rei que preferiu fechar os olhos. Afinal, não foi isso o que ele sempre fez? Fechar os olhos? Não foi ele, também, sempre cego?

Landretto emitiu um ruído indistinto.

— Na verdade, pequeno Landretto, você é um mentiroso, um Judas. Nunca teve família, não é mesmo? Sempre foi órfão...

Landretto, a respiração curta, alucinado de dor e de raiva, não sabia mais o que dizer; as lágrimas ardiam-lhe os olhos. O Fabulista riu. Levantara-se e rodeava a cadeira. O piso do quarto rangia sob seus pés.

— E se deixou enganar por uma simples prostituta. A arrogância o levou a acreditar que ela era sensível a seus atrativos, valetinho, a seu traje de botões de ouro! Você é uma farsa, Landretto, uma completa farsa... Fantoche, fantoche, fantoche, marionetezinha! Eis o que é! Você usurpou seu sobrenome! E você será o mensageiro da infelicidade. Agora, diga-me... Qual o animal que representa?

Landretto soltou um gemido.

— Seu silêncio é eloquente, Judas, você está muito quieto. Veja bem, eu também adoro fazer versos, embora você não esteja em condições de bater asas.

O Fabulista aproximou-se da cadeira; a mão demorou-se na corda, que continuava presa ao gancho no teto e à maçaneta da porta.

— Ah! Querido Landretto!... Decidi brincar um pouco com seu patrão. Ele merece tratamento especial. Você também, valete. Landretto... *Você me servirá de isca.*

Nesse exato instante, a porta se abriu; Landretto acreditou ter chegado seu fim, mas o Fabulista acabara de afrouxar a corda para permitir a entrada do recém-chegado no aposento. À sua frente, outra visão de pesadelo. Viu surgir um ser deformado e curvado, o lado direito do rosto dilacerado por três cicatrizes regulares. Landretto o reconheceu. Esse corcunda... Passara por ele, uma centena de vezes, perto das latrinas dos suíços. Percebeu, então, a ironia do destino: todos se encontravam, todos os dias, em Versalhes! E aquele fedor! As pálpebras pesadas, o corcunda o fitava, os beiços arreganhados num sorriso desdentado e imbecil. Parecia deleitar-se em silêncio com o espetáculo.

Atrás de Landretto, a voz voltou a rir — mas, desta vez, um estranho riso de falsete. O Fabulista estendeu os braços e, com movimentos bruscos, divertiu-se em imitar o grasnar do corvo — gritos agudos e grotescos. As mangas do mantô preto pareciam as asas da ave. Continuou a agitar os braços, o rosto escondido sob o capuz escuro.

— Etienne é... o meu valete. Ele é bem mais fiel que você. Meu amigo, qual animal você representará? Reze! Reze para que Etienne não abra essa porta! E vamos recitar juntos.

O corcunda o encarava fixamente.

O Fabulista ria ainda. Tornando-se sério, disse num tom glacial:

— *O senhor mestre corvo, em um galho pousado*... Qual a continuação, Landretto?

Filosofia nos jardins

Terraços do *Parterre* Sul, jardins de Versalhes
Buckingham House, Londres

Fareja e segue o perfume da morte.

Lírio, asfódelo, beladona, copo-de-leite, íris-do-pântano.

Nada além de flores... e do manjericão.

Pietro concebeu uma ideia bem estapafúrdia. Sabia, contudo, que uma das chaves do sucesso era a empatia com o inimigo e a compreensão da sua forma de agir. A estratégia do Fabulista falava por si só: ele adorava *contar histórias*. De preferência, mórbidas. Pietro havia percebido um dado fundamental. Acompanhar seu raciocínio significava também romper com os métodos convencionais e, para poder levar adiante a investigação, aprender, de alguma forma, a *pensar em poesia*. Uma poesia sinistra, evidente. Pensar nas fábulas, sem dúvida, e em enigmas literários, tal era a sua obra. O Fabulista matava servindo-se do espírito francês, também presente na força, na inteligência e no preciosismo. Talvez os ingredientes desse perfume reproduzissem, a seu modo, uma fábula. Talvez aí residisse o significado do convite, do "conselho" dado a Viravolta pelo Fabulista: *Segue o perfume da morte*. Por enquanto, de nada lhe valeriam esclarecimentos adicionais do perfumista, mas sim de um especialista em flores. E, sob essa ótica, quem melhor do que um dos jardineiros de Versalhes?

Pietro chegou rapidamente aos terraços do palácio abandonado pela corte e por uma parcela dos gendarmes. Maio era o grande mês das flores e dos bosques. Durante o inverno, quebrava-se o gelo dos lagos em meio aos *parterres* cobertos de neve e os lenhadores recolhiam a madeira das árvores derrubadas. Na primavera, os encanamentos e os dutos das fontes eram inspecionados; preparava-se a terra e plantava-se, lançava-se parte da flotilha no Grande Canal, dentre as quais chalupas, barcas e gôndolas da Sereníssima. No instante em que Pietro aventurava-se nos jardins, tinham acabado de instalar os bancos de madeira no *parterre* do centro, ladear as alamedas de passeio com árvores frutíferas e arcos de flores e transplantar a célebre coleção das laranjeiras. Os jardins resplandeciam sob o sol. No entanto, a morte do rei provocara um grande vazio. Versalhes parecia uma princesa abandonada, adormecida, em meio a um palácio encantado.

Descendo os terraços na direção dos *parterres* do sul, Pietro avistou um dos jardineiros ainda trabalhando. Consultou-o; o homem indicou um colega, que se encontrava a certa distância.

— O senhor verá... Le Normand é realmente especial, um dos herdeiros dos grandes mestres jardineiros de Versalhes. Por vezes ele inventa para si outros atributos, pois sob a aparência de trabalhador esconde-se um homem muito culto. Gaba-se de ter sido, certa época, jardineiro de Voltaire, em Ferney. Desde então, banca o filósofo. Toma-se em parte pelo antigo patrão, mas é preciso convir que, apesar de passar muito tempo a plantar, é dono de grande cultura. Não se surpreenda se ele começar a fazer grandes digressões! É que o trabalho o inspira.

É exatamente de alguém assim que preciso, pensou Pietro.

Seguiu em direção ao homem chamado Le Normand que, de mangas arregaçadas e chapéu, recolhia com a vassoura espinhos e pétalas dos canteiros, guardando-os no cesto. O suor escorria-lhe pelas axilas. Alguns dos colegas se serviam de escardilhos para arrancar ervas daninhas. Os dentes dos ancinhos imprimiam desenhos regulares na areia das alamedas. Em tempos normais, uma multidão de empregados, das mais diversas profissões, se cruzavam no local barulhento: jardineiros e marceneiros cumprimentavam encanadores, enquanto horticultores faziam uso das tesouras de jardinagem e passavam pelas carroças dos cuteleiros. Escondidos em redutos verdejantes, nos graciosos canteiros, moveleiros de estilo rococó, bronzistas, douradores, latoeiros e pintores ocupavam-se em embelezar os caramanchões. Os pescadores de passagem forneciam areia de rio para cobrir as aleias. Hoje, contudo, reinava a calma.

— Olá, amigo. Deixe que me apresente. Pietro Viravolta de Lansalt. Disseram que o senhor é uma espécie de... fênix dos criadores desses bosques.

O jardineiro se aprumou.

— Viravolta... Não seria o senhor o cavalheiro de Veneza?

— Às suas ordens. Trago um pequeno enigma para submeter à sua sagacidade...

Não tardou em explicar a razão de seu novo interesse pelas flores. Deixou, contudo, de mencionar os assassinatos propriamente ditos, embora explicasse que um perfume, criado a partir de uma estranha mistura de flores, custara a vida a um amante desprezado. Segundo acreditava, os ingredientes escolhidos não eram fruto do acaso, mas sim de premeditação, visando a determinado objetivo. Para acrescentar um pouco de interesse à discussão, Viravolta esclareceu que a investigação transcorria a pedido de Sua Majestade.

— Qual? — perguntou Le Normand.

— O novo rei, é claro.

Em seguida, mencionou os ingredientes do perfume misterioso. Gostaria da opinião do jardineiro a respeito da natureza e do significado das flores utilizadas na criação do perfume. Le Normand escutou com atenção. Rugas desenhavam-se em sua testa. Mantinha-se de pé, as duas mãos apoiadas no cabo da vassoura. Pietro olhava distraidamente os dois tufos de cabelo que surgiam por baixo do chapéu.

Finalmente, sorriu e balançou a cabeça, tirando o chapéu.

— Se as flores têm um significado? Mas, monsieur de Lansalt...

O jardineiro o observou em silêncio e retomou a conversa abrindo os braços.

— Olhe ali... Perto dos espelhos d'água diante dos terraços, bem na frente do palácio. Ali se cruzam os dois principais eixos dos jardins. Acredita que foram concebidos por acaso? De jeito nenhum...

Franziu os olhos.

— Se as flores têm um significado? Estes jardins são uma floresta de símbolos. Eles falam conosco, monsieur de Lansalt. Têm um significado moral, como outrora pretendeu nosso grande Rei Sol...

— É verdade? — perguntou Pietro, em tom falsamente jocoso.

— Claro — retomou o jardineiro. — Esta terra foi trabalhada, revolvida, adubada como um poema! Considere, por exemplo, o caminho que leva do norte ao sul... Ficaria surpreso ao saber que esse é o caminho do homem perdido, esquecido do Céu e do bem comum, em prol do mundo das aparências e das ilusões? Seguir esse caminho é iludir os sentidos; é tudo sacrificar em prol do homem, desencaminhando-se na negação e no esquecimento de Deus. Esse não é o caminho reto preconizado pelo grande Luís!

— Então tinham razão em dizer que é um filósofo!

Le Normand esboçou um sorriso.

— Ah, não é bem verdade. Porém, posso lhe garantir ter trabalhado para Voltaire. Experimentei infinito prazer em cuidar de suas plantações. Por vezes, conversávamos ao pôr do sol. Eu, ainda cavando; ele, refestelando-se na poltrona, os pés apoiados na cadeira... Mas deixemos isso de lado.

— Prossiga, eu lhe peço.

— André Le Nôtre, que concebeu estes jardins, era um artista, monsieur de Lansalt. Acredite ou não, meu avô esteve a seu serviço. Isso me lembra uma história...

Pietro pigarreou.

— Claro, desculpe. Assim, por exemplo, se caminhar na direção oeste, depois do *parterre* de Latona, terá a opção de escolher entre três caminhos...

Abandonando momentaneamente a ferramenta de trabalho contra o ombro, voltou-se, os dois braços abertos agitando-se à medida que indicava a Pietro os diferentes ângulos dos jardins.

— O caminho norte, sob o severo olhar de Palas, é o das responsabilidades, do trabalho. O sul o conduz a um misto de prazeres e pensamentos inconsequentes... E à sua frente, monsieur de Lansalt, encontra-se a única via verdadeira — a Via Reta, a Alameda Real. Estes jardins assemelham-se a uma grande fábula; contam uma história. E como eu lhe dizia, cada caminho contém a sua moral.

— Sem dúvida... Mas voltemos às minhas flores, se não se importar...

Pietro concentrou-se para se lembrar do conjunto de ingredientes do perfume da morte.

Lírio, asfódelo, beladona, copo-de-leite, íris-do-pântano. Nada além de flores... e do manjericão.

O jardineiro ouvia pacientemente; mordeu o lábio.

— Sim, monsieur de Lansalt, de fato as flores também possuem uma linguagem... Sem dúvida esse mistério remonta ao tempo em que o homem procurava desvendar, graças às flores, os segredos da natureza. Quando trabalho nesses jardins, posso lhe assegurar, monsieur de Lansalt, que dialogo com elas, à procura, talvez, de parte de mim mesmo...

— O senhor não para nunca...

Le Normand voltou a rir.

— Jardineiro, filósofo... É quase a mesma coisa, não é? Não se escolhe essa profissão por acaso. Mas repita: quais são as flores do seu perfume?

— Bem... o lírio.

Aprumou-se e coçou a cabeça. Depois, apoiou o cotovelo no cabo da vassoura.

— O lírio. Sem dúvida, é o mais simples. Dizem que nasceu de uma gota de leite que brotou do seio de Hera, quando Zeus ordenou que Hércules fosse levado para ser amamentado pela deusa adormecida, pois assim se tornaria imortal... Uma gota de leite caiu e formou a Via Láctea; outra tombou na terra e deu vida ao lírio. Afrodite enciumou-se da sua brancura e dotou a flor de um enorme pistilo.

— Muito bonito.

— Também é o símbolo da suprema nobreza, evidente, por ser a flor do nosso bom rei. Na Idade Média, era desenhada com três pétalas, designando a Fé, a Sabedoria e a Cavalaria. O brasão azul, dotado de três flores de pétalas de ouro, a França! E a encontrávamos por toda parte nos jardins, simbolizando o amor dos cavaleiros... Assim como, é claro, a rosa.

Pietro voltou a pensar na rosa vermelha que o Fabulista sempre deixava no local do crime.

— A rosa... O que pensa desta associação?

— Bem... Se o lírio é o rei, a rosa é a rainha! A rainha das flores, a de Afrodite e da sua beleza. Cupido, filho de Marte e de Vênus, usava uma coroa de rosas, bem como Príapo, na primavera. Príapo, deus da fecundidade e dos jardins, meu santo padroeiro!

— Mas a conjunção da rosa e do lírio não teria, talvez, um significado político?

O jardineiro refletiu.

— Tem razão. A rosa desempenhou um papel crucial na Inglaterra.

— Na Inglaterra?

Pietro calou-se um instante.

— Os Plantagenetas, monsieur de Lansalt.

— Ah, claro... A família acaba dividida em duas facções... A Guerra das Duas Rosas, sob Henrique VI. A *rosa vermelha para os Lancaster, a branca para os York*. Os dois lutavam pela Coroa!

— Exatamente.

— O rei, a guerra, o amor, a Inglaterra... Uma declaração? Não entendo.

— A rosa e o lírio representam o confronto entre duas potências, monsieur de Lansalt; entre duas cabeças coroadas.

Pietro suspirou e olhou o sapato, batendo com a ponta no chão empoeirado.

— Temo ter me aventurado em terreno movediço. Seria melhor eu retomar tudo isso sob outro ponto de vista.

— Não perca o ânimo! E as outras?

— Vejamos... O asfódelo.

— A flor dos mortos do Elísio. A flor dedicada aos heróis mortos.

Uma ligação com os assassinatos, disse Pietro a si mesmo. *Os agentes do* Secret?

— O asfódelo é uma flor associada ao luto. Também representa o amor perdido. É encontrado, junto com a rosa, nos bosques do além... Costumava ser plantado perto dos túmulos e acreditava-se que os mortos se deleitavam com suas raízes. Algumas variedades, como o as*phodelus ramosus*, evocam também a realeza... Só isso?

— Não. A beladona.

— Uma flor venenosa, tóxica por excelência, como o acônito! Vulgarmente chamada de bela mulher, o que já diz tudo. Seu nome científico é *Atropa belladonna*. Nossa, que buquê perigoso!

— Para um perfume perigoso.

— Esta flor é dedicada a Atropa, a mais velha das três Parcas, cuja missão é cortar o fio da vida dos mortais. Mais alguma coisa?

— O copo-de-leite.

— Ele só tem um significado: armadilha.

Armadilha...

Pietro recuou instintivamente alguns passos.

A armadilha de Versalhes. Eis-me novamente às voltas com uma armadilha.

Depois, balançando a cabeça, encarou o jardineiro.

— Resta uma flor: a íris-do-pântano... E uma planta: o manjericão.

Le Normand pestanejou.

— Ora, ora... Eu lhe falei há pouco do lírio. Entretanto, o mais interessante é que a flor heráldica da Casa da França não é um lírio. Na verdade, trata-se de uma íris. Uma variedade especial de íris, para ser mais preciso. A íris-do-pântano, de flores amarelas e folhas em formato de gládio.

— O lírio, a flor-de-lis é uma íris?

— Sim. Seu nome também vem do panteão grego. Como o lírio e a ancólia, representa a virgindade, mas também o sofrimento da Paixão e da Ressurreição. É associada ao pecado original. Entretanto, essa variedade particular, a íris-do-pântano, é uma flor de raiz rasteira, gosto acre e repulsivo. Era usada nos unguentos de que se cobriam as criaturas da noite. Uma flor de bruxaria, *monsieur* de Lansalt. Uma flor do sabá!

— Nenhuma de minhas flores significa propriamente assassinato?

— Não que eu saiba, embora uma delas possa ter associação com a ideia.

— É mesmo?

— O manjericão. A *raiva*.

Pietro permaneceu um momento imóvel e coçou o rosto. Duvidava cada vez mais da exatidão de sua intuição. Ela não o fazia progredir. Não obstante, era como se percebesse, por trás desse véu, despontar uma verdade inconteste.

Segue o perfume da morte.

A rosa e o lírio. Um confronto entre as duas potências. As duas Coroas. O asfódelo, a flor dos heróis mortos. A beladona, um veneno. O copo-de-leite como representação de armadilha. A íris-do-pântano, para o grande sabá do Fabulista. Tudo isso salpicado de manjericão — símbolo de sua raiva.

Perdido em meditações, Pietro, sem saber se o Fabulista era louco ou se urdira algum plano, contemplava absorto a areia sob os pés. Estava confuso: a substância que matara Lansquenet, os ingredientes que a compunham, as flores revelando uma fábula oculta, tudo parecia conduzi-lo a seguir o rastro da morte no perfume do Fabulista, desde o início da investigação. Um rastro sutil... e perigoso.

— Muito obrigado, meu amigo. Talvez tenha prestado um grande serviço a Sua Majestade, embora eu ainda ignore qual.

— Isso muito me honra... apesar de eu ser um filósofo — disse, em tom sarcástico.

Pietro sorriu. Girou nos calcanhares e preparava-se para afastar-se, quando acrescentou:

— Ah, e como tal...

Sorriu:

— E a orquídea? Especialmente a negra...

O jardineiro retribuiu o sorriso.

— A flor significa o *fervor*, monsieur de Lansalt. Um fervor raro.

Calaram-se.

Pietro riu.

Le Normand voltou a varrer as folhas, enquanto Viravolta afastava-se, pensativo.

Preparava-se para subir as escadarias na direção dos terraços quando foi segurado pelo braço por um homem que trazia o rosto coberto por uma echarpe e que surgira de um canto da balaustrada. Mantinha-se semioculto na sombra.

Orquídea Negra, instintivamente, pôs a mão na espada.

Por baixo da echarpe, a voz brotou.

— *Por aqui*, V. Estava à sua procura.

Pietro permaneceu imóvel alguns segundos, resistindo ao apelo. O homem suspirou e revelou o rosto.

Desta vez, Viravolta reconheceu-o de imediato.

— Se já terminou de se distrair no meio das flores...

O conde de Broglie.

— Viravolta, precisamos conversar.

*

* *

Naquele mesmo instante, um agente especial da Coroa inglesa entrava nos jardins da Buckingham House, em pleno coração de Londres. Recém-chegado da França, trazia notícias alarmantes. Atravessara o St. Jame's Park para chegar à residência real onde se fizera anunciar a Sua Majestade, George William Frederick, conhecido como George III, eleitor de Hanovre, rei do Reino Unido e da Irlanda. Após apresentar as justificativas necessárias, atravessou os portões e percorreu um labirinto de corredores. Ao chegar aos jardins, foi conduzido à presença de lorde Stormont, um dos mais próximos conselheiros do soberano, e embaixador inglês na França, de volta a Londres para uma viagem relâmpago. O espião fez uma reverência e apresentou o relatório. Enquanto expunha as informações, lançava de tempos em tempos olhares ao rei, de peruca e amplo manto vermelho com galões de ouro e bordado de arminho, que parecia absorto na contemplação de suas roseiras. George III comprara essa residência em 1761 antes de presenteá-la à sua jovem esposa Charlotte. Adorava retirar-se ali de vez em quando com a família real. Enquanto aguardava o início da reunião que aconteceria dentro de uma hora, no Palácio St. James, com os principais ministros, o rei usufruía de alguns momentos de tranquilidade. Distraía-se percorrendo os jardins a observar as amoreiras, as rosas e as flores selvagens. Havia calçado uma luva, o que lhe possibilitava examinar as roseiras sem receio. Quanto a lorde Stormont, a mão no queixo, escutava o agente com a máxima atenção. Logo o dispensou e aproximou-se de Sua Majestade.

— O rei da França está morto — anunciou.

— Morto? — repetiu George III, meditativo. — Então, finalmente aconteceu.

— O mais inquietante, Majestade, é o que passa pela cabeça da nossa própria contraespionagem. Algumas manobras fogem à minha compreensão.

— Mas o que anda fazendo lorde Stevens?

— Não faço ideia, mas posso garantir que me informarei com a maior presteza. Ao que tudo indica, ele prepara uma "operação" acionada pelo sinal verde recebido de Sua Majestade. Uma operação que ele batizou de... *Party Time.*

George III fitou-o de esguelha.

— *Party Time?* Mas, em nome da Coroa, o que isso quer dizer?

Lorde Stormont afastou os braços.

— Juro que não faço a menor ideia. Mas, acredite, vou me informar.

Sua Majestade estalou a língua e soltou a rosa cheia de espinhos que segurava.

— Talvez haja chegado o momento de chamar lorde Stevens à ordem. Mantenha-me pessoalmente informado.

Depois, com ar distante, o rei voltou a se ocupar das rosas.

Stormont virou-se na direção dos jardins, a expressão preocupada.

— *I will, Your Majesty.*

Party Time.

Loteria Nacional

Residência Real de Choisy

Seria possível?

De pé, diante das janelas de seus aposentos em Choisy, Maria Antonieta tentava se concentrar.

Apenas agora, passado o choque inicial ao ouvir seu séquito pedir "os cavalos da rainha" no momento em que deixava Versalhes, começava a compreender. A paisagem tremulava diante de seus olhos. Mantinha o lenço sobre os lábios. O coração palpitava. Havia atravessado os corredores com o marido, por entre as alas de fidalgos, seguida da condessa de Provence e do conde e da condessa d'Artois. Na carruagem que os conduzira rumo a Choisy, a tensão era palpável. Sob o efeito da emoção, a condessa d'Artois havia pronunciado uma palavra errada e todos irromperam em um riso nervoso. A chegada ao palácio, longe dos miasmas de Versalhes, era uma lufada de ar fresco. O momento parecia propício para tentar enxergar tudo com mais clareza. Os olhos perdidos na contemplação dos jardins, a jovem tentava reassumir o controle. Ao atordoamento da perda mesclava-se uma formidável promessa.

Rainha da França!

Por um instante, observou as copas das árvores a se agitarem sob a brisa. A seguir, sentou-se e tomou da pena. Mergulhou-a suavemente no tinteiro e inclinou-se. Uma reminiscência a fez sorrir. Ao final da cerimônia de núpcias, toda a família havia desfilado e assinado, na ordem adequada, o contrato de casamento. Em letras elegantes, o rei assinara simplesmente "Luís"; e o delfim, "Luís Augusto". Maria Antonieta, por sua vez, se inclinara e assinara "Maria Antonieta Josefa Joana" e fizera um grande borrão ao lado do primeiro J. Talvez fruto da hesitação, logo após terminar o "eta" ao final do prenome "Antonia". Não estava habituada à nova assinatura. Ao nascer, recebera os prenomes de *Maria Antonia Josefa Joana*. Em família, sempre a chamavam de Antonia. Os prenomes de consonância francesa eram comuns na Corte de Viena.

Um borrão.

Deu uma gargalhada; logo depois, um véu passou-lhe diante dos olhos.

Tudo aquilo lhe parecia muito distante.

No momento escrevia à mãe, a imperatriz Maria Teresa da Áustria.

> Não posso me impedir de admirar a disposição da Providência que escolheu a mim, a mais moça de suas filhas, para o mais belo reino da Europa. Sinto, mais do que nunca, o quanto devo à ternura da minha augusta mãe que empregou tantos cuidados e esforços para conseguir-me tão boa situação...

Levantou-se, pensativa, e começou a arrumar um buquê de lilases.

Luís XV estava morto. Maria Antonieta tinha a sensação de que parte da própria história ia embora com ele. Amava o Papai-Rei que sempre se mostrara atencioso e benevolente com ela — apesar de algumas notas dissonantes. Sentia-se triste, vagamente perdida. Mas não era esse o seu quinhão cotidiano desde a chegada à França? Mas hoje, em meio a sentimentos confusos, experimentava uma obscura satisfação.

Quantas vezes? Quantas vezes precisei lutar?

A princípio dócil cordeiro, espontânea e ansiosa por se comportar adequadamente, precisara aprender todos os costumes, intrigas e estratagemas da corte francesa. Desde o início, seguira os conselhos da velha condessa de

Noailles, sua dama de companhia, a quem apelidara de "madame Etiqueta". No palácio, os membros da família real eram tanto senhores quanto escravos. O protocolo não sofrera alterações desde Luís XIV. Como Maria Antonieta não tardara a descobrir, a etiqueta era o cerne de uma luta sofisticada na busca pelo poder. Demorara a compreender todas suas sutilezas. Refém dessa golilha desde a manhã até a noite, despertava entre as 9 e as 10 horas, vestia-se, fazia sua oração, tomava o desjejum, visitava as filhas do rei e às 11 horas se penteava. Ao meio-dia, entrava o seu séquito. Fazia a maquiagem e lavava as mãos diante de numeroso público. Aprendera a modular seus cumprimentos, do acenar de cabeça à inclinação graciosa, dependendo da importância dos presentes. Depois trocava a roupa e ia à missa, passeava, dedicava-se a diversas atividades e jantava, antes de uma pequena reunião que precedia a hora de se recolher. Perita em reverências, campeã no gracioso andar deslizante, rainha dos vestidos de saias-balão com anáguas de crinolina, Maria Antonieta havia aperfeiçoado certas técnicas para tornar-se imbatível. Desde os 14 anos, era a primeira-dama de Versalhes. Executava como ninguém o famoso "passo deslizante", dando a ilusão de planar acima do chão. Rapidamente também compreendera a avidez por mexericos e fofocas dos habitantes de Versalhes. Urinava-se atrás das cortinas para, em seguida, aniquilar a moral dos outros, as mãos encharcadas de urina e o rosto coberto de pó.

Ela sabia ter um ponto vulnerável. Na verdade, um ponto crucial: sua incapacidade de conceber um herdeiro. Sua mãe vivia repetindo que disso dependia a aliança franco-austríaca, bem como o equilíbrio das nações europeias. Nas cartas que lhe endereçava, a imperatriz não cessava de enfatizar que a felicidade no casamento dependia da habilidade da esposa. Maria Antonieta bem que se esforçava, mas em vão. Discutiam a "frigidez moral", ou seja, a impotência do seu marido; falavam de fimose. No início, o rei e a corte não se inquietaram, atribuindo as dificuldades à timidez do delfim. A situação acabara por preocupar Luís XV. Seu neto passava os dias a se aturdir nas partidas de caça. Frequentar a corte era para ele uma tortura.

Mandara instalar um torno em seus aposentos e, se nada entendia do sexo feminino, passava horas a fabricar chaves ou desmontar fechaduras. Por vezes ajudava os artesãos do palácio em tarefas menores, e divagava diante dos livros de história e geografia. Desobedecendo ao conselho da mãe, temerosa por sua saúde, Maria Antonieta começou a participar das cavalgadas. Esse passatempo lhe permitia estar cercada de um grupo de pessoas bonitas, em piqueniques nos quais todo protocolo era esquecido, o que representava motivo de grande aborrecimento para a condessa de Noailles. A política, os negócios, tudo aborrecia a jovem. Além disso, pouco entendia do assunto. Luís submetera-se a tratamentos a base de banhos, poções, mesmo de limalha de ferro. Haviam mencionado a possibilidade de uma operação, mas os cirurgiões concluíram não haver nenhum obstáculo físico à consumação do casamento. Luís, afinal, não queria ser potente? Não queria parecer-se com o avô?

Maria Antonieta mantivera a mãe informada dos eventuais avanços sexuais. Milagre! No dia 22 de julho de 1773, em Compiègne, Luís Augusto, antes de partir para a caça, proclamara a vitória. Conseguira! Apressara-se em anunciar a novidade ao rei que, aliviado e satisfeito, os abraçara afetuosamente. Uma primeira etapa fora vencida. Mesmo assim, nada de filhos. Durante esse período, o conde de Provence e o conde d'Artois se casaram. A partir de então, existiam três casais de príncipes em Versalhes. Passeios, caçadas, bailes e espetáculos retomaram seu curso. Maria Antonieta frequentava todas as festividades e temia que as cunhadas fossem mães antes dela. Apesar do temor, não se desesperava.

Um bebê. Quando terei um bebê?

Parecia tentar ler o futuro.

Rainha da França...

Felizmente, sempre contara com o apoio do conde de Mercy-Argenteau, embaixador da Áustria, seu mentor e conselheiro desde que chegara à França. Maria Antonieta podia se abrir com ele sobre quase tudo. Possuidor de excelentes conhecimentos de política, prestava-lhe mil serviços. Sempre a ajudaria. Em resumo, a morte de Luís XV tivera ao menos uma consequência positiva. Madame du Barry jamais voltaria a botar os pés em Versalhes. A guerra entre as duas mulheres durara demais. As aventuras do rei haviam revoltado Maria Antonieta. Acostumada à virtude e à austeridade dos hábitos austríacos, a pequena figura de porcelana continuara, durante cinco anos, a enfrentar a sulfurosa odalisca. Agora encontrava o campo livre. Obedecendo à ordem do rei agonizante, a condessa deixara Versalhes. Maria Antonieta era a nova rainha. Talvez também conseguisse demitir d'Aiguillon, que nunca escondera opor-se à aliança austríaca, e convencer o marido a nomear Choiseul.

Sim, o aprendizado fora difícil.

Sorriu. *Agora sou a soberana.*

Voltou à escrivaninha para terminar a carta. Tinha tanto em que pensar! Entretanto, sabia como desempenhar sua função. Tão logo voltasse a Versalhes, cuidaria dos prazeres: organizaria bailes, passeios e entretenimentos. Para tal, era bem-dotada. Seria a mais bela, a primeira-dama, um exemplo para a França e para o mundo; daria ao reino da França o brilho, o triunfo e o esplendor que merecia. Versalhes! Em Viena, a mãe se orgulharia dela. Faria da vida uma festa e não o caminho da cruz. Tinha vontade de rir, de se divertir, de levar a França em sua dança! Sentiu o rubor colorir-lhe a face.

Continuava o ouvir a voz a repetir:

Rainha! Rainha da França!

*
* *

Ousemos... É preciso ousar.

No extremo oposto da propriedade de Choisy, Luís Augusto, afundado na poltrona, usufruía de alguns instantes de solidão para meditar. Estar ali, em companhia da família, era um bálsamo para o seu coração. Assumira um risco ao permitir que suas tias o acompanhassem. Afinal, velaram muito tempo o pai e podiam ter contraído a doença. Mas Luís as amava e julgava importante estarem unidos nesses dias de luto. Contudo, não conseguia dominar a angústia. Como se arrependia por não ter se interessado antes pelos negócios de Estado! Por que Luís XV não insistira em fazê-lo participar do Conselho? Teria ele julgado o neto enfadonho? Luís experimentava hoje intensa vulnerabilidade. Devia afirmar sua autoridade. Os ministros nunca lhe haviam dispensado a menor atenção, o que também era culpa sua. Os negócios do reino o aborreciam. Agora precisava enfrentá-los. Não podia mais contentar-se com a caça e o ofício de ferreiro. O medo da propagação da varíola o impedia de reunir-se com os ministros empossados. Via-se diante de uma prioridade absoluta: constituir o governo.

Não se sentia suficientemente experiente. Precisava de alguém capaz de ajudá-lo a administrar os negócios. Sartine, convocado às pressas, recusara o cargo. Depois, desamparado, Luís Augusto perambulara pelos jardins, as mãos às costas, fitando os pés, enquanto o mundo inteiro se perguntava qual decisão tomaria. O caso de d'Aiguillon estava praticamente resolvido. Fora aliado da condessa du Barry, o que lhe dificultava manter o cargo. Sabia também que Maria Antonieta não hesitaria em lhe propor Choiseul. Os partidários de Choiseul, exilados, aguardavam seu retorno triunfal. Mas Luís não esquecera a oposição de Choiseul ao pai, o falecido delfim, em assuntos bastante graves. Então — nem os *barrystas* nem os *choiselistas*? Senhor, tudo se complicava. A quem pedir conselhos?

Luís — assim passaria a ser chamado, pois renunciava a "Augusto", a isso também sendo preciso acostumar-se —, não confiava plenamente nos conselhos dos irmãos. Mais uma vez seria necessário buscar os conselhos das tias. Adelaide se pronunciara e lhe informara ter à sua disposição uma lista com o nome das pessoas indicadas para ocupar os principais cargos.

Tal lista, segundo dissera, fora elaborada outrora por seu irmão, o delfim Luís Ferdinando, filho de Luís XV. Oferecia, portanto, a melhor das referências.

Luís baixou os olhos para o papel que trazia na mão.

Por um breve instante, passaram-lhe pela cabeça as palavras que mais temia.

Jamais conseguirei!

Por mais que houvesse se preparado para o inelutável, este chegara antes do previsto. Uma coisa era imaginar-se nos trajes reais; outra, vesti-los de verdade. A garganta contraía-se. Conteve o tremor da mão. Sem explicação, uma curiosa lembrança vinha-lhe à memória.

Uma festa oferecida aos pequenos príncipes. Organizaram uma loteria e cada contemplado deveria oferecer seu prêmio à pessoa que mais amava. As crianças da família real logo receberam montes de presentes. Luís Augusto as via circular entre risos, gritos de alegria e abraços. Permanecia parado a observá-las, as mãos vazias, pois ninguém cogitara em dar-lhe um presente. Quando recebeu o brinquedo sorteado na loteria, recusou-se a dá-lo a alguém, preferindo guardá-lo para si. Fora recriminado por não respeitar as regras do jogo. Contentou-se em responder:

"Sei que ninguém me ama e eu também não amo ninguém. Logo, acredito estar dispensado de dar presentes."

Sempre o haviam esquecido.

Por que recordar-se desse episódio?

Há algum tempo, Luís tentava se ver sem disfarce. Ou sem emoção. Não era tarefa simples. O nariz adunco, a boca carnuda, o queixo gordo. Dentição feia. Os traços eram atenuados pela miopia que tornava, de certa forma, seu olhar mais mortiço e suave. Sabia que achavam sua voz um pouco anasalada e que ela subia facilmente nos agudos. O andar era oscilante por causa da corpulência. Em contrapartida, era dotado de uma força descomunal. Legítimo Bourbon nas caçadas, excelente cavaleiro, essa paixão o transformava em centauro. Teria o talento para decidir, escolher e orientar um reino do qual seria, doravante, o guia? Inspirou profundamente; revirou os olhos. Sentia-se mal. Pigarreou. Ao final de um momento, ergueu-se e foi procurar uma pena; mergulhou-a no tinteiro.

Ele também escrevia uma carta.

Monsieur, mergulhado na justa dor que sobre mim se abate, dor que partilho com todo o reino, tenho, entretanto, deveres a cumprir. Sou rei: esta palavra basta para abranger muitas obrigações, mas tenho apenas 20 anos. Julgo não ter adquirido todos os conhecimentos necessários. Além disso, não posso encontrar-me com nenhum ministro, uma vez que todos tiveram contato com o rei durante a doença. Tendo sempre ouvido falar de sua probidade e da reputação que tão apropriadamente conquistou, graças ao profundo conhecimento dos negócios de Estado, peço que me ajude com seus conselhos e seu saber. Ficarei grato, monsieur, se puder vir a Choisy, onde terei o maior prazer em recebê-lo...

Sim, necessitava de um mentor que seria a um tempo seu primeiro-ministro e seu mais fiel servidor. Interrompeu-se para olhar a famosa lista de candidatos em potencial. O cardeal de Bernis? Fora de cogitação chamar o oficial de "Mamãe Meretriz", como Luís Augusto e as tias costumavam chamar madame de Pompadour. Machault? Por que não? Outrora degradado por Luís XV, era favorável à isonomia fiscal e mostrava-se disposto a cortar os abusos. Apesar de ter 73 anos, transbordava de energia. Teria, com certeza, um plano para a França. Saberia consolidar as finanças. Certamente atacaria os privilégios e teria que enfrentar a nobreza empenhada em mantê-los. Talvez, entretanto, proporcionasse à monarquia o segundo sopro de vida de que necessitava.

Inspirou; pela última vez olhou a lista em que havia um círculo em torno do nome de Machault.

O mensageiro partiu uma hora depois.

Quis o destino que, no galope, perdesse uma espora.

Foi forçado a voltar a Choisy.

Nesse meio-tempo, Luís mudara de ideia. Havia optado por outra pessoa. Alguém que também havia sido ministro do falecido avô. Dispensado da corte como Machault, por ter zombado da Pompadour em 1740, desde então o homem em questão vivia exilado em Pontchartrain, perto de Versalhes. Era idoso, mas conhecia todos os ardis do poder. Afável, experiente, soubera permanecer ao abrigo das recentes intrigas. A um tempo resoluto e discreto, ajudaria, sem sombra de dúvida, o novo soberano a carregar o pesado fardo. E Maria Antonieta não lhe seria hostil. Cedendo a Adelaide, que militara por ele, Luís XVI mudara de opinião.

Um segundo nome havia sido assinalado na lista.

Maurepas.

Com ele, tudo seria mais tranquilo.

O rei mandou chamar a rainha para que ela transmitisse a mensagem a *Mesdames Tantes.*

O mensageiro voltou a partir.

Luís XVI suspirou. Era preciso agora ocupar-se do restante do governo.

Se Maurepas aceitasse, contaria com preciosa ajuda.

Ousemos... Ora diabos, faz-se necessário ousar!

Foi então que Guimard, pajem do palácio, pediu para vê-lo. Havia sido recomendado por d'Ogny, intendente dos Correios. Por que alguém como Guimard lhe solicitava uma audiência com tanta insistência e munido de tal recomendação? Trazia uma carta da maior importância, referente a assuntos urgentes, o que despertou a curiosidade de Luís.

Recebeu-o, portanto.

Guimard entregou-lhe a carta lacrada assinada pelo conde Charles de Broglie.

Os dedos e o abre-cartas apressaram-se em tirar o lacre do envelope.

Mas... De que se tratava?

Da existência do Gabinete Negro.

A verdade sobre os 28 anos da diplomacia paralela conduzida pelo falecido avô.

O Secret du Roi.

Luís XVI descobria, assombrado, o impensável.

Rastro mortal

ORANGERIE DE VERSALHES

A *Orangerie* tinha a aparência de uma pequena catedral. Ampla, alta e de linhas clássicas, dava para os jardins de Le Nôtre. A comprida galeria central, voltada para o sul, era ladeada por outras duas, situadas sob as escadarias dos Cem Degraus. O conjunto, iluminado por grandes janelas, emoldurava o *parterre* baixo como um quadro. A intenção de Le Nôtre era representar "a eterna primavera dos jardins das Hespérides". No centro, encontrava-se uma vasta bacia circular, rodeada por seis canteiros gramados. No inverno, mais de mil árvores, plantadas em caixas, permaneciam protegidas das geadas e davam ao local a aparência de floresta. Na primavera, como naquele momento, as árvores, expostas no *parterre* baixo, constituíam os únicos enfeites ao longo dos três hectares.

Em meio a essa delicada paisagem, conversavam Pietro e o conde de Broglie, entre laranjeiras vindas de Portugal, da Espanha e da Itália, limoeiros, romãzeiras, espirradeiras e centenas de árvores cítricas. Podadas em formato arredondado, haviam sido plantadas em caixas de madeira cujas estruturas datavam do século XVII. Os dois passaram perto de uma carreta abandonada, usada para o transporte das árvores, antes de encontrar refúgio sob as arcadas em formato de abóbada da galeria. Ao longe, sob a luz, a balaustrada ao sul do *parterre* dava para a estrada de Saint-Cyr, diante da qual se estendia o lago dos Suíços.

Pietro admirou a paisagem ao redor.

A eterna primavera dos jardins das Hespérides.

— Precisava vê-lo — disse Viravolta.

— Pois bem, aqui estou.

— Não poderia ter chegado em melhor hora. Preparava-me para ir ao seu encontro em Ruffec.

Charles-François de Broglie usava uma casaca azul-marinho de mangas largas e punhos avantajados. Havia retirado a echarpe. Pietro observou por um instante o rosto de sobrancelhas bem desenhadas, as rugas na testa e no canto dos olhos, sinais de experiência, e os lábios finos. Broglie! O herdeiro distante dos primeiros serviços de informações da França. Criados sob o reinado de Luís XIII e outrora dirigidos pelo cardeal Richelieu e sua eminência parda, o padre Joseph, um astuto franciscano, os serviços empregaram, no passado, numerosos agentes que se tornaram famosos, como o barão Hercule de Charnacé e François Langlois, antigo cura de Saint-Germain-l'Auxerrois. Os membros da primeira rede foram protagonistas de numerosas façanhas, sobretudo de ter salvado La Rochelle de uma expedição naval, neutralizando a frota espanhola, em julho de 1640, ao largo do cabo Saint-Vincent. Apesar de enfraquecido sob o reinado de Luís XIV, não obstante a vigorosa direção do tenente-geral de polícia, La Reynie, o mais famoso dos grandes comissários, o "serviço" havia perdurado. A criptologia conhecera seu auge graças à elaboração, pelos Rossignol, pai e filho, da "Grande Cifra", um sistema de codificação que impunha incessantes fracassos ao adversário. As missões de espionagem marítima se desenvolveram para favorecer o comércio francês ultramar. Com Charles de Broglie e o nascimento do *Secret du Roi*, a rede havia progredido, passando a ser constituída por conceituados especialistas e agentes devotados.

Isso, infelizmente, não bastara para impedir a catástrofe da Guerra dos Sete Anos ou a perda do Canadá.

E hoje, como o duque d'Aiguillon, Broglie encontrava-se em posição no mínimo delicada.

Ele parecia tenso. Pietro o deixou começar.

— Vim, Viravolta, porque eu também precisava ter uma conversinha com você. Ah, esse exílio me mata! Como bem sabe, a corte nunca gostou da minha família... Pelo menos, no tempo do falecido delfim Luís Ferdinando, contávamos com um poderoso aliado. Meu tio, o abade de Broglie, exercia forte ascendência tanto sobre o delfim quanto sobre a delfina. Se eles não tivessem morrido daquela maldita tuberculose, há muito eu já teria sido anistiado! O abade queria colocar meu irmão Victor-François no ministério da Guerra e a mim no do Exterior.

— Nem tudo está perdido. Mas diga-me: a quantas anda o *Secret*?

Charles de Broglie suspirou e começou a andar de um lado para o outro com ar irritado.

— A quantas anda? Meu Deus, mas de nada sei! Que atitude tomará Luís XVI? Por enquanto d'Aiguillon ocupa o mesmo posto! Por falar nisso...

Parou e franziu os olhos fitando Orquídea Negra.

—...ele o chamou para uma conversa?

— Chamou sim. Também anda inquieto com a situação, o que não deve surpreendê-lo, Broglie. Com a partida da madame du Barry, teme que seus dias estejam contados, assim como você.

— Como eu, de fato! Imagine que d'Aiguillon deixe o governo. Será Choiseul a ocupar seu lugar? Ele conta com a estima do rei e, sobretudo, com a da rainha! *Ele* é a aliança austríaca. Há vinte anos venho repetindo que não sou hostil à aliança. Maria Antonieta recusa-se a me dar ouvidos! Tudo o que pedia, Viravolta, era reciprocidade — e não direitos sem deveres! Em vez disso, a França curvou-se, tudo aceitando de Maria Teresa. Nada fizemos quando ela banqueteou-se com o saque da Polônia! Eis o que se passou! E esse mentor da infelicidade, Mercy-Argenteau, passa os dias a admoestar a rainha. Ele não me permitirá avançar um passo sequer! Ela, muito menos! Qual a natureza de sua ascendência sobre o rei? Eis a questão. Então o que ele fará? O que fará, afinal, o rei?

Pietro escutava as queixas enquanto Charles de Broglie continuava a andar em círculos.

— Tenho duas opções: o conde d'Aiguillon, a quem devo a dissolução do *Secret* e o negócio da Bastilha, e o clã dos Choiseul que prefere ver-me a arder no inferno! D'Aiguillon tudo tem feito para me comprometer. Chego mesmo a me perguntar que papel você desempenhou nesse jogo!

Desconfiado, Broglie acabava de apontar o indicador na direção de Pietro.

— Jamais fiz qualquer revelação ao duque quanto às atividades do *Secret* e você sabe disso — retrucou Pietro em tom sereno. — Sempre fui fiel a você e a Sua Majestade. Sabe bem os serviços que prestei apesar da minha posição que, como convém lembrar, era extremamente delicada. Executei missões oficiais e oficiosas com o mesmo empenho. Enfim, não tire conclusões precipitadas no que diz respeito à decisão do rei quanto ao retorno de uns e outros. Provavelmente não escolherá d'Aiguillon nem Choiseul. Bem, voltemos aos agentes.

— O que lhe disse o duque por ocasião do encontro?

— Ele me confiou outra missão, uma missão especial. Declarou-se disposto a cooperar com você, se preciso for! Seja qual for a nossa decisão, não podemos ficar parados. Trama-se algo. O que sabe sobre o Fabulista?

— Primeiro diga-me o que o conde d'Aiguillon sabe... Então eu lhe contarei.

— O duque tomou conhecimento de vários assassinatos e ficou preocupado. Beccario, vulgo Barão, em Sceaux, morto durante um jantar em um albergue. Fanfreluche, o Rei de Ouros, em Trèves. Madame de Boistémy, a Serpe, à saída de um encontro amoroso, em Epinay. Manergues, o Meteoro, em Londres. O que está acontecendo?

— Infelizmente, tudo isso é verdade, Viravolta. Os assassinatos me levaram até mesmo a suspeitar que d'Aiguillon tivesse passado dos limites.

— Ele também anda preocupado e teme que o perigo seja bem maior do que podemos imaginar. O rei está morto; Luís XVI nada entende de política; estamos fragilizados. O duque também levantou a hipótese de uma manobra estrangeira ou até de um inimigo que faça parte do nosso serviço; por isso precisa de nós dois. De que outra maneira poderia o Fabulista conhecer nossas identidades? Existe uma lista com o nome dos agentes? Teria ele interceptado uma correspondência codificada aqui ou em algum outro lugar, como Londres ou Viena?

Charles franziu o cenho.

— Nesse caso, eu e você também somos suspeitos, Viravolta.

— Isso não escapou ao duque, como pode supor. Por isso espera que interpretemos seu gesto como um sinal de confiança. Devo confessar, entretanto, que, em outras circunstâncias, talvez devêssemos desconfiar dele.

— O *Secret* durou 28 anos, Viravolta. É possível que um de nós tenha, pacientemente, reunido informações com o intuito de usá-las no momento adequado. A rede é segmentada, mas não existe segredo passível de resistir à sagacidade e à determinação, como sabemos. Você mesmo conhece vários de meus agentes.

— Exatamente... E os outros? D'Ogny, Vergennes, d'Eon e Breteuil foram prevenidos? É necessário avisá-los? Eles detêm alguma informação?

Charles encarou Pietro.

— Pode ter certeza de que eu venho investigando.

— Sabemos que três empregados da perfumaria de Fargeon, fornecedor da corte, conheciam a identidade e, talvez, o plano do Fabulista. Todos foram mortos, mas existe um elemento central, um ponto de partida. Baptiste Lansquenet...

— Sim, um de nossos informantes menores, eu sei...

— Evidentemente ele descobriu a verdade. Assim como Rosette e Crapaud. O perfume usado para matar Baptiste era de uma estranha composição. E as fábulas que acompanham cada um dos assassinatos...

Assim dizendo, Pietro mostrou a folha na qual copiara as fábulas anunciadas.

Broglie tomou-a, ergueu a sobrancelha e a devolveu a Pietro com um gesto seco.

—...e a nós cabe o papel dos animais.

— Dez fábulas, sem contar as já utilizadas nos outros assassinatos. Essas dez últimas escolhidas especialmente em minha homenagem, o coroamento final, sem dúvida. Ainda restam sete.

— E o objetivo é atingir você. Por quê?

— Porque, ao que tudo indica, matei seu inspirador, o primeiro Fabulista, o abade Jacques de Marsille.

— Mas quem era ele? O irmão mais velho? O pai?

— Um abade? Bem, tudo é possível — disse Pietro. — Escute, devemos verificar, em nossos arquivos, tudo o que pudermos descobrir acerca do primeiro Fabulista. Examinar os antigos relatórios, reabrir a investigação de Saint-Médard. Talvez a investigação tenha sido encerrada cedo demais. Quanto ao perfume, é incompreensível. Afinal, o que ele pretende? Acabo de interrogar um jardineiro do rei, de origem normanda, e...

De repente, Viravolta interrompeu-se.

Lírio, asfódelo, beladona, copo-de-leite, íris-do-pântano, manjericão.

A rosa e o lírio. Um embate entre duas potências. Duas Coroas. O asfódelo, a flor dos heróis mortos. A beladona, o veneno dedicado à Parca incumbida de cortar o fio da vida. O copo-de-leite como representação da armadilha. O íris-do-pântano utilizado para o grande sabá do Fabulista. Tudo isso salpicado de manjericão — a sua raiva.

Segue o perfume da morte.

— É evidente. Trata-se de uma mensagem — disse Pietro, subitamente pensativo.

— Como assim?

— Alguém... — prosseguiu Pietro — ...alguém quer destruir o rei e a rainha. E não apenas os dois, mas toda a monarquia.

Ficou imóvel, agora finalmente convencido da revelação.

— É o regime que pretendem derrubar. O inimigo pode ser francês ou estrangeiro. A guerra das duas potências.

Olhou para Charles.

— O lírio e a rosa. A França e... a Inglaterra.

— A Inglaterra? — surpreendeu-se Charles. — Meu Deus, de onde tirou essa ideia?

— Uma intuição — afirmou Pietro. — Investigue, por favor. Não se trata de algo impossível. O Fabulista é louco, ninguém duvida que persiga um objetivo pessoal, uma vingança! Mas talvez não esteja só. Pode ser um mero coadjuvante num complô mais amplo. Quem sabe não vem sendo utilizado para fins políticos? E se fosse esse o propósito do primeiro Fabulista?

Após o momento de perplexidade, Charles refletia. Viravolta adivinhou, sob a fronte preocupada do chefe, um intenso encadeamento de reflexões. Como se tentasse ligar as diversas informações, das quais era o centro, o coração e o depositário, a fim de montar um quadro coerente.

— Eis o que faremos, Viravolta. No que me diz respeito, a primeira providência é descobrir se contamos ou não com o apoio do rei. É preciso salvar o *Secret*! Acabo de enviar uma carta a Sua Majestade. Ah, não me estendo sobre os 28 anos de serviços prestados. Não, mas que diabo, bem poderia fazê-lo!

Retomara subitamente o mau humor e a inquietação.

— Eu chamo a atenção do rei para o fato de que essa missão me foi confiada por seu avô, apesar da minha relutância, como bem assinalo! Veja como fui honesto, Viravolta. Eu mesmo propus informar Choiseul, e depois d'Aiguillon, acerca da existência do Gabinete Negro. Foi o rei que se recusou. Ele próprio, o rei!

— Eu sei disso.

— D'Aiguillon e a madame du Barry me perseguiram. Esta é a verdade! Nesse meio-tempo houve o caso da Bastilha e fui mandado para o exílio.

Mas Sua Majestade só pretendia me proteger... Honrou-me com sua confiança e eis-me agora preso numa emboscada! Ele queria a permanência do *Secret*, Viravolta. É deveras embaraçoso, pois preciso informar tudo isso ao novo rei. Os relatórios dos agentes a serviço no estrangeiro continuarão a chegar a Versalhes. O rei não entenderá nada. Aguardo, portanto, suas instruções, sem as quais nem mesmo sei se ainda existimos. Que erro seria renunciar a nossos serviços neste momento!

— Com certeza — concordou Pietro.

— Devemos agir. Para tanto, preciso de bem mais do que simples intuições. Necessito de provas! Escute. Falei com Sartine e convoquei para amanhã uma pequena reunião com dois ou três de seus... companheiros. Todos já serviram em Londres, em diferentes ocasiões. Estão a par da situação, mas nunca se encontraram antes. Enquanto esperamos a decisão do rei, devemos nos ajudar. Marquei o encontro naquele café parisiense... o Procope. Você deve conhecer.

— Já pus meus pés lá.

— Esteja lá amanhã às 5 horas da tarde, Viravolta.

— Você também comparecerá?

— Certamente não. Tenho muito a fazer, sobretudo após o que acaba de me dizer.

Assim dizendo, Charles, olhando à direita e à esquerda com seus olhos vivos, cobriu o rosto com a echarpe. Ao mesmo tempo, enfiou a mão no mantô... e dele tirou um estranho livrinho.

— Os ingleses... Só me faltava essa! A situação talvez seja bem mais grave do que pensamos. Veja só, eu também recebi uma mensagem do Fabulista.

— *Como?*

— Em Ruffec. Entretanto, curiosamente, a mensagem era para você.

Pietro mal podia acreditar no que ouvia. Olhou o livreto cujo título era: *Maneira de mostrar os jardins de Versalhes.*

Viravolta dirigiu a Broglie um olhar curioso.

— Trata-se de um passeio real, Viravolta. Nunca ouviu falar dele? O grande rei Luís XIV redigiu o texto, um convite para percorrer seus jardins. Os mais belos do mundo, evidentemente. É o itinerário que ele propunha para descobrir as encantadoras paisagens. Havia tanto a se ver que, em 1689, ele decidiu preparar um guia. Refez essa caminhada umas quatro ou cinco vezes. Esta é uma versão sem data.

Pietro tomou nas mãos o livreto sem compreender.

— Mas quem? Como? O que eu tenho a ver com...?

— O Fabulista o convida a um passeio!

Pietro abriu o livreto. De fato, sob o título dado pelo rei, *Maneira de mostrar os jardins de Versalhes*, figuravam alguns versos que pareciam redigidos pela mão do inimigo, de acordo com sua natural tendência e irritante propensão a redigir epigramas e outros poemas irônicos.

Eis que estou de volta, Viravolta, meu amigo:
Pois então, ainda queres brincar comigo?
Prossigamos, portanto, o caminho
do perfume com carinho!
A ti dedico este festim.
Segue-me pelos jardins.
No coração de suas alegorias,
une-te a mim.
E nesse grande teatro
me encontrarás, no anfiteatro.

— Passear. Ele me convida a passear — murmurou Viravolta entre os dentes.

— Nada compreendo, mas siga a pista, Viravolta! Continue a se divertir com suas flores, enquanto eu tento salvar o *Secret*!

Pietro não retrucou.

— Veremos aonde ele o conduzirá. E não se esqueça do encontro no Procope amanhã. Quanto a mim, ocupo-me do rei e de nossos negócios. Eu o ajudarei como puder, assim que puder. Manteremos contato por intermédio de Ogny e da Cifra. Até logo, Viravolta. Por favor, seja ele quem for, encontre-o! Se não tiver êxito, será o fim do regime! Do *Secret*! O meu fim!

Num gesto teatral, girou nos calcanhares.

— E o seu fim!

*

* *

Em pouco, Pietro estava novamente diante dos jardins do palácio, folheando o livreto. O Fabulista e o Rei Sol o convidavam a dar início ao passeio, a partir dos terraços onde se encontrava.

Sem dúvida, aqueles jardins eram um universo de ilusões, de sugestões, de analogias, de alegorias. Um Mapa da Ternura. Pietro não saberia dizer o motivo de se pôr subitamente a sonhar. O País da Ternura, fazendo fronteira a oeste com o mar da Inimizade, a leste com o lago da Indiferença, ao norte com o mar Perigoso que o separava da *Terra Incógnita*, dos amores apaixonados. O País da Ternura e suas três cidades, Ternura pela Estima, Ternura pela Simpatia e Ternura pela Inclinação. Podia-se, no célebre mapa das paixões de Madeleine de Scudéry, ir da Nova Amizade à Complacência, à Submissão, aos Pequenos Cuidados, à Sensibilidade, à Afeição, à Obediência e à Amizade Fiel; ou então passar pela Negligência, pela Apatia, pela Leviandade e pelo Esquecimento para alcançar o lago da Indiferença... *Sim, claro*, pensou Pietro, propícios tanto ao esplendor quanto à melancolia, aos prazeres íntimos da sedução como aos recolhimentos sonhadores, os jardins de Versalhes eram uma espécie de Mapa da Ternura! Tudo ali era passível de admiração; tudo controlado, domesticado, visando o prazer do olhar. Gramados baixos e canteiros suaves, alamedas entrelaçadas, buxos delicados pontuados por teixos, imensas platibandas de flores cercando estátuas e chafarizes.

Viravolta levantou os olhos.

Voltou a pensar nas flores do perfume.

Uma conspiração. Uma conspiração contra o rei e a rainha. Contra o reino.

A rosa e o lírio...

Uma orquídea no meio!

O livreto entre as mãos, começou seu combate contra os jardins de Versalhes.

Maneira de mostrar os jardins de Versalhes

PARTERRE DE LATONA, EIXO NORTE-SUL
BOSQUE DO LABIRINTO, CARAMANCHÃO

A partir dos terraços, e atendendo ao convite do Fabulista e de Luís XIV, Pietro concentrou-se no opúsculo.

Maneira de mostrar os jardins de Versalhes.

Abrir-se aos símbolos, tal a chave que o conduziria ao Fabulista. Se este raciocinava em termos de símbolos, o fio das metáforas seria também o da sua investigação — seu fio de ouro, seu fio de Ariadne. Precisava pensar como ele, percorrer o caminho em conjunto, aceitar esta linguagem.

Estou delirando? Ou levar-me ao delírio é a intenção desse narrador louco?

Umedeceu o dedo, baixou os olhos e abriu o livreto para ler a prosa do Rei Sol.

Maneira de mostrar os jardins de Versalhes.

Seu convite à viagem.

Franziu as sobrancelhas; inclinou a cabeça.

1. Ao sair do palácio, pelo vestíbulo do Pátio de Mármore, chegaremos ao terraço. Faz-se necessário parar no alto da escadaria para observar os *parterres*, os lagos e as fontes.

Dos terraços, Pietro podia contemplar o Vaso da Guerra à direita.
À esquerda, o da Paz.
Segue o fantasma do rei.

O olhar correu de um vaso ao outro. Avançou. O leitor, passo vacilante, era convidado a descer os degraus ladeados pelos dois vasos. A tormenta e o abrigo. Assim transcorria a vida, apesar das dúvidas, aflições e incertezas, entre batalhas e armistícios. Pietro presumia, entretanto, não ser esta a única mensagem do Fabulista. Ele também insinuava que, dependendo da natureza de seus atos, seria, talvez, o responsável por afundar o reino na Guerra ou preservar a Paz. *Queres realmente me declarar guerra?* parecia perguntar o inimigo. *Por que não fazer um pacto comigo?* A ele era oferecida a chance de associar-se ou perder o jogo. Não havia outra opção. O Fabulista anunciava seu projeto, como uma ameaça latente: *deves escolher*. Ele desencadearia a tempestade ou a impediria de desabar. Não era um simples passeio, mas uma elevação espiritual e, como pressentia, o campo de batalha.
Desceu os degraus.
O fantasma de Luís XIV continuava:

> 2. Em seguida deves tomar a direita e fazer uma pausa para admirar Latona do alto: os lagartos, as rampas, as estátuas, a Alameda Real, Apolo, o Canal. A seguir, vira-te para observar o *parterre* e o palácio.

A pouca distância, encontrava-se o *parterre* de Latona que abrigava uma das obras-primas do palácio: a mais imponente fonte do jardim, cujas estátuas haviam sido inspiradas nas *Metamorfoses*, de Ovídio. Pietro tentou lembrar-se do antigo mito. Latona, uma das esposas do deus Júpiter, mãe de Diana e de Apolo, havia sido expulsa do Olimpo por Juno que não perdoava ao marido a infidelidade. Errando pela Terra com os filhos, procurou ajuda junto aos camponeses da Lícia... Em vão. Recorreu a Júpiter que, para vingá-la, transformou os egoístas camponeses em sapos e em rãs. Por esse motivo, em torno de Latona e dos filhos, os batráquios, assim como algumas tartarugas, para sempre afastados do Espírito, da Verdade e do Belo, formavam uma espécie de coro desesperado. As bocas escancaradas e voltadas para o céu, gritavam em uníssono: *Transformem seu coração; abram-se ou serão metamorfoseados!*

Então o sentido do mito pareceu claro a Pietro. Esses *parterres* situavam-se na encruzilhada dos caminhos mencionados pelo jardineiro. Nesse cruzamento, percebia algo mais: estava ali como quem está no jardim das Parcas, responsável por tecer o fio dos destinos. Seu próprio destino parecia duvidoso. Lembrou-se do que lhe dissera Le Normand: "Esses jardins são em si uma fábula, monsieur de Lansalt. Eles contam uma história. Têm sua própria moral."

Pietro respirou fundo.

Que caminho tomar?

Ao norte, o caminho do trabalho, das responsabilidades, da criação. Ao sul, o dos prazeres, que podia conduzir às grandes ilusões. À sua frente, a Alameda Real, a Via Reta; aquela que deveria, em definitivo, escolher. Imensa e bela, um pouco triste e severa, exatamente em frente ao palácio. O caminho do homem honesto. Abrindo-se sobre os lagos, a perspectiva grandiosa e retilínea seguia até a linha do horizonte. Não se desviava, não se dissipava, não se perdia. Laoconte, cercado dos filhos, recebia seu castigo e servia de exemplo à alma errante que compreendia a necessidade de repudiar o diabo. Ao ver o gesto de Vênus a secar o cabelo sob as gotas d'água que escorreriam, a alma afirmava sua opção por uma nova vida, feita de amor e de luz. Assim se sucediam as linhas geométricas, plenas de significado, até a formidável fonte de Apolo.

A fonte, hemiciclo aberto para o infinito, cercada de árvores e de estátuas, servia como ponto de convergência de todos os caminhos. No centro, os sublimes cavalos da carruagem divina empinavam e emergiam das águas.

Apolo aparecia, assim, em seu apogeu, entre golfinhos, a imagem da ressurreição, repetida a cada dia pelo curso do sol, imagem também do rei, é evidente! O Rei Sol. Ele surgia nas cascatas ondulantes, sob o signo dos três lírios que designavam o Eleito, a gloriosa epifania, cercado por 28 jatos, entre os quatro pontos cardeais e as quatro trompas erguidas para anunciar ao mundo sua chegada... E seu olhar dirigia-se para bem longe, para a superfície lisa e fria do Grande Canal, rodeado por incontáveis árvores, para essa perspectiva serena, janela aberta para o horizonte.

Pietro pestanejou, pôs-se a refletir sobre o poema do Fabulista, e sobre o passeio real.

Continuou. A areia macia estalava sob os seus pés. Tinha a estranha impressão de estar ligado ao solo por algum mistério a enraizá-lo, a colocá-lo em contato com as entranhas da terra, desses jardins e suas sementes.

Enquanto avançava, passou por um dos guardas suíços. No parque quase deserto, o encontro lhe causou das mais insólitas e estranhas impressões. O soldado parecia desabado sobre a arma, os olhos fechados, o ar semimorto. Confundia-se com uma das estátuas a adornar o jardim, e parecia certo que os ramos de hera viriam enredar-se nele, petrificando-o para sempre.

Pietro passou, em silêncio, a alguns metros dele.

Retomou a caminhada.

> 3. Depois, vire à esquerda e passe entre as Esfinges; ao caminhar detenha-te diante do caramanchão para observar os ramos e cascatas de flores; chegando às Esfinges faremos uma pausa para ver o *parterre* do sul. Depois, viraremos à direta para subir à *Orangerie*, de onde se avista o *parterre* das laranjeiras e o lago dos Suíços.

É isso. Abre-te. Deixa-te conduzir.

Ao virar à esquerda, ao observar de frente a amplidão dos jardins, à saída do palácio, aventurava-se no eixo proibido. O Eixo Norte-Sul, do qual lhe falara o jardineiro. O eixo da negação de Deus. À entrada, duas esfinges estavam frente a frente. Encarapitada sobre a primeira, uma criança alada parecia empurrar Pietro com a mão direita: *Não siga por ali!* Na segunda, outra tentava conduzi-lo à Via Reta. As esfinges estavam diante dele como dois enigmas, ornadas com seus querubins de pedra. *Não se engane de Via.* No entanto, era esta que lhe propunha seguir o Fabulista. O jogo de símbolos, o quebra-cabeça num jardim à francesa; a charada fechava-se a cada passo. Compreendeu que o Fabulista lhe propunha acompanhar não apenas uma história, mas comungar de sua opinião, mergulhar com ele em outro universo. *Entra, vem à minha casa, ao meu teatro, ao meu cenário.* Pietro se deixava levar. Tinha a sensação de avançar rumo a alguma obscura revelação. Sabia, entretanto, que ela estava ali, escondida na sombra — *lá*, ao final do caminho.

Deixa-te conduzir pelos símbolos. Por tua imaginação, a Mágica.

E eu serei teu Mágico.

Aqui, estás em MEU *reino.*

Pietro refletiu se já não estaria louco, cego e desorientado a contemplar assim tais abstrações. Foi invadido por nova preocupação. Avançava no momento pelo *parterre* sul, uma bonita alameda margeada de teixos plantados em grupos de seis, o número do diabo. O próprio teixo, o símbolo da morte. Obstinando-se nessa via, chegaria à *Orangerie*. No doce torpor desse éden geométrico, distante de toda realidade, ele se perderia na alegria dos teoremas e das figuras puras, se afogaria na deliciosa visão das construções intelectuais metafóricas. Ali o Fabulista assumia toda a sua dimensão: não passava de um diretor de cena, de um assassino. O Fabulista era um louco, mas moralista. Além da *Orangerie*, o caminhante exaltado, perdido na ilusão das vãs utopias e dos paraísos artificiais, poria fim à sua vida no lago dos Suíços. A distância, vislumbrou a estátua de Marcus Curtius atirando-se nas chamas. Pietro examinou o caminho já percorrido: os terraços, os vasos, as Esfinges. Do outro lado, a *Orangerie*, o lago, Marcus Curtius, o Eixo Norte-Sul, 666 toesas, o eixo do Mal! Relanceou os olhos para trás; voltou a olhar para a frente.

Havia caminhado lado a lado com Lúcifer, como outrora em Veneza.
Nós estamos chegando.
Deixa-te conduzir pelo Fabulista.

4. Viraremos à direita e caminharemos entre o Apolo de bronze e o Lantin[1] e faremos uma pausa no local de onde avistamos Baco e Saturno.

5. Desceremos pela rampa direita da *Orangerie* e passaremos no jardim das laranjeiras; seguiremos em linha reta até a fonte de onde observaremos a *Orangerie*, passaremos pelas alamedas das grandes laranjeiras e depois pela *Orangerie* coberta...

Aqui o rei o convidava a desviar-se.

O Fabulista deixava o eixo dos prazeres ilusórios e dos sonhos vazios. Tomava o veneziano pela mão para fazê-lo voltar, certamente na direção oeste, para a via do homem honesto — mas não conforme a perspectiva reta e sublime, feita de clareza e de elegância, diante da qual Pietro se encontrara nos terraços. Não, era um caminho transversal. O Fabulista continuava a tecer sua teia, sua obra, e Pietro, a submeter-se a essa iniciação, em parte forçado, noutra consentindo, levado tanto pelo instinto quanto pela razão.

Aonde queres me levar? A que santuário, a qual império senão o teu?

Passando por trás das esfinges, caminhou ao longo dos terraços na direção dos espelhos d'água que prolongavam a extraordinária Galeria dos Espelhos. Lá, as mil profundezas da alma, o limiar da reflexão. Elas evocavam tanto os movimentos do céu e dos astros quanto os do coração. Os espelhos convidavam ao percurso interior, ao retorno a si mesmo. Nesse jardim, murmuravam um convite à eternidade, mas o jorrar das águas lembrava o tempo terrestre, o tempo que corre no labirinto das emoções humanas.

[1]Lantin, abreviação em francês de l'Antinoüs de Belvedere. Cópia de uma estátua grega que se acreditava representar Antinoüs (favorito do imperador Adriano) e hoje é reconhecida como Hermes. (*N. da T.*)

Subitamente, Pietro começou a compreender. Teve medo ao se dar conta do lugar para onde estava sendo conduzido.

... E pelo vestíbulo sairemos ao lado do Labirinto.

Parou diante da entrada.

As árvores que o compunham ultrapassavam 7 metros de altura. Pietro ficou imóvel, em sua camisa branca e seu casaco à moda francesa, os cabelos presos num rabo de cavalo, a espada e a pistola na cinta, como se diante da entrada de um universo de perigo e de simulacros. Ulisses no limiar de um mundo no qual não se podia distinguir trevas e claridade.

Fora ali que, no passado, perseguira o primeiro Fabulista.

O fio de Ariadne... conduzia ao Labirinto!

Orquídea Negra levou a mão ao punho da arma.

Penetrava no inferno ou no paraíso?

Um enorme silêncio reinava nos jardins.

O mundo se calara.

Lentamente, Pietro cruzou o limiar.

Penetrou no Labirinto.

Concluído um século antes, superfície quadrangular, cercada de ramagens espessas e enfeitada de estátuas de chumbo pintadas, perdera seu brilho. Entretanto, sua origem era poética: o labirinto fora concebido por Le Nôtre e por Charles Perrault, controlador-geral da superintendência de Construções, Arte e Manufatura da Casa Real, e também contador de histórias. Outrora narrara como o Amor, após ter felicitado Apolo por todas as belezas dos jardins de Versalhes, pedira-lhe permissão para cuidar desse bosque. O amor, ele próprio, era um labirinto onde as pessoas se perdiam facilmente... Pietro franziu os olhos. A estátua do amor, autor das moralidades, segurando o fio de Ariadne, e a de Esopo, autor das fábulas antigas, ladeavam o por da entrada, um de cada lado. Esse contraste entre o velho Esopo, gago e disforme que, no entanto, encarnava a sabedoria, e o belo jovem, portador de mensagem totalmente distinta, era um enigma que se somava ao mistério do bosque.

No pedestal de Esopo, a seguinte fórmula gravada:

Com meus animais cheios de astúcia
e maestria,
Que de vossa conduta são o vivo retrato,
Tive a intenção de
ensinar a sabedoria.

Em seu pedestal, o Amor responde:

Quero que se ame e que se seja ajuizado.
Só um louco nada ama
Cada animal o diz, em seu próprio enunciado.

Pietro continuou a observá-las.

Havia alguma coisa. Algo diferente...

Mordeu o lábio e adiantou-se.

Soprava uma brisa fria.

O Amor alado apontava com o indicador a entrada do labirinto; com o outro, segurava o fio de Ariadne... assim como um bilhetinho enrolado que balançava suavemente ao vento.

Parecia esperá-lo.

Pietro aproximou-se. Era mesmo um bilhete.

Olhou, por um instante, o rosto silencioso da estátua.

Imobilizado em seu sorriso enigmático.

Depois voltou a olhar o bilhete trêmulo entre os dedos do Amor.

O jogo de adivinhação prossegue.

Pelo menos não me enganei... Cheguei aonde ele queria.
Tomou do bilhete e lentamente o desenrolou.

Sobre ti tenho todo o poder; minha imaginação é sem limite
Eu fantasio e fabulo, eu invento e desfaço.
Nas sombras, urdo minha trama, teço minha teia no espaço.
Sou o autor, Viravolta!
Vou fazer com que te percas, te confundas, te precipites.
Lançar-te-ei num véu de bruma para te assistir,
Para melhor te conduzir.
Sou o Fabulista, o guardião.
Quanto a ti, estás em minhas mãos.

Pietro balançou a cabeça e voltou a observar a entrada do Labirinto.
Para me conduzir, é verdade... Ele me conduz.
Pois bem! Entremos; vejamos aonde nos conduz este caminho.

Quase de imediato deu com o primeiro chafariz. No centro, uma coruja ladeada por duas aves parecidas com cegonhas; uma grande gaiola artificial subia numa espécie de fogos de artifício aquáticos e grades que lembravam um leque de juncos. Era a representação da famosa máquina das fábulas de Esopo, construída no passado por Mercadé e Ballin. O bosque inteiro parecia um livro de fábulas. A boca seca, Pietro avançou.

Caminhava pelo labirinto onde as alamedas se entrecruzavam; em cada uma das interseções, um chafariz. As alamedas arborizadas se reencontravam em 39 encruzilhadas. Cada chafariz possuía uma fonte diferente, enriquecida por cascalhos lisos e conchas raras; todas enfeitadas com vários animais que encarnavam uma situação inspirada num conto de Esopo, na ordem estipulada por Perrault e Le Nôtre.

I. O MOCHO E OS PASSARINHOS
II. OS GALOS E A PERDIZ
III. O GALO E A RAPOSA
IV. O GALO E O DIAMANTE
V. O GATO ENFORCADO E OS RATOS
VI. A ÁGUIA E A RAPOSA

As fábulas não haviam sido escolhidas senão pela graciosidade, pelo desejo dos artistas, e por serem as mais adequadas para servir de ornamento e de pretexto a suas fantasias. Os diferentes chafarizes resumiam uma máxima, versificada pelo poeta Isaac de Benserad, sob a forma de quartetos gravados em letras de ouro que, outrora, serviam à educação do delfim.

Pietro esgueirou-se entre os nichos de treliça. Os representantes do bestiário divertiam-se ao seu redor, brincavam entre as paliçadas da vegetação impenetrável. Pietro passava por peixes, de um lado por macacos e galos de outro, uma galinha e um dragão, um rato e uma raposa, uma grua e um rouxinol. Os animais imitavam os homens para melhor retratar-lhes as características, os vícios e as fraquezas. Não passavam de matéria morta e, no entanto, apesar do tempo, apesar do musgo a devorá-los e dos lagartos a percorrê-los, eram tão perfeitos que pareciam vivos, imobilizados na ação representada. Suas palavras eram manifestadas por jatos d'água que lançavam a determinadas horas, o que dava a impressão de estarem em movimento.

As paredes de folhagens não deixavam nenhum espaço livre.

XXI. O LOBO E A GRUA
XXII. O GAVIÃO E OS PASSARINHOS
XXIII. O MACACO REI
XXIV. A RAPOSA E O BODE
XXV. A ASSEMBLEIA DOS RATOS
XXVI. O MACACO E O GATO
XXVII. A RAPOSA E AS UVAS

À medida que Pietro se encaminhava para o centro do bosque tudo se fazia mais sombrio, mais misterioso. Refletia sobre os versos do Fabulista. Tinha a terrível sensação de estar sendo observado e de que o Fabulista definia o percurso de sua vida. Imaginava-se tal qual uma marionete manipulada por um espírito doente, pela imaginação alucinada de seu inimigo. E, dentre esses animais, quem era ele? Pietro Viravolta, Orquídea Negra, personagem de um conto, de uma fábula? Onde estava seu fio de Ariadne? Que tragédias, que mistérios eram ali representados? Que significavam essas fábulas, essas criaturas? A busca de um sentido verdadeiro e definitivo? A corrupção? A passagem do tempo? O trajeto na direção do nada? O Fabulista observava seu rato prisioneiro e dizia: *Vou fazer com que te percas*. Pietro embrenhava-se no labirinto, nas aleias estreitas ladeadas por carpas... Aleias de sortilégios e de feitiços.

Sim, ele chegava ao fim, ele...

Ficou paralisado.

XXXIV. A RAPOSA E O CORVO
XXXV. DO CISNE E DA GRUA
XXXVI. O LOBO E O BUSTO
XXXVII. A SERPENTE E O PORCO-ESPINHO
XXXVIII. AS PATAS E O FILHOTE DE CÃO DE CAÇA
XXXIX. Saída do Labirinto

Chegara ao centro do labirinto, no local conhecido como Bosque Sem Nome.

Cinco aleias para lá convergiam: um convite a encontrar, em si, a coerência. O bosque parecia a proporção áurea dessa estonteante geometria, a pedra angular, o ponto de gravidade sem o qual desabaria a estrutura em *trompe l'oeil*.

No centro do espaço pentagonal, no chão, novo bilhete, enrolado numa fita vermelha, o aguardava.

Pietro abriu-o nervoso.

Afinal compreendeste, aí está o meu jogo.

Tantas fontes
No Labirinto conservadas,
De fábulas embelezadas
Em cada bosque!
Tantas fontes de fábulas ornadas
Nas quais me inspirei
Para acabar de uma tacada
Com os agentes do rei!
Tantas fontes
E uma rosa
Contra uma orquídea
No labirinto de ideias.

Eis o encontro dos caminhos
Na encruzilhada das intrigas e dos destinos.
Vem, Viravolta, vem assim
Encontrar a morte
Neste jardim.

O Fabulista

Pietro recuou alguns passos. De súbito, compreendeu.

Trinta e nove cruzamentos e 39 chafarizes enfeitados com 39 estátuas de chumbo, espalhados pelo labirinto. O conjunto constituía a cilada e o complexo dispositivo do Fabulista: o bosque de Esopo havia sido concebido para ser visitado em determinada ordem, bastante precisa. Era necessário percorrê-lo na ordem e consultar as máximas, a fim de entender sua moral. "*O lobo e o cordeiro*" encontrado sobre o corpo de Rosette, "*A raposa e a cegonha*", no de Lansquenet e ainda "*A rã que pretendeu ser grande como o boi*"; sem contar, Deus do céu, as que restavam, "*O corvo e a raposa*", "*O leão e o rato*".

O Fabulista divertia-se como o jardineiro ou o criador do jardim, tecendo sua trama e sua teia, ali instalando seus personagens e fazendo-os perambular segundo seus desígnios. Não somente se inspirara nas fábulas de La Fontaine e do velho Esopo, mas também nesse bosque. Graças aos animais, Esopo e La Fontaine zombavam dos percalços dos homens. Por sua vez, o Fabulista, ironicamente, posava de discípulo. Passeando, ao acaso, entre essas fábulas, selecionava as que pretendia usar em sua obra-prima e conduzia Pietro pelo labirinto de suas pilhérias e de seu pensamento.

Confuso, Pietro ergueu os olhos.

Um percurso da sabedoria...

Ele é realmente muito esperto.

Ao perceber aonde havia chegado, bem como o abominável espetáculo, em toda a sua glória fúnebre, no centro do Bosque Sem Nome, achou que o coração pararia de bater.

Que conhecimentos levam à sabedoria?

Visão de pesadelo. Pietro levou a mão à boca, sentindo, no fundo do seu ser, algo se partir.

— Ah! *Não...* — murmurou, a voz estrangulada.

Landretto pendurado no meio de todo esse verde. Pendurado na copa das carpas, no centro do Bosque Sem Nome, os braços pendentes. O corpo rijo oscilava de um lado a outro. Landretto, que o salvara das masmorras de Veneza, com quem havia percorrido todos os bairros da Sereníssima à caça das estriges; Landretto que dele cuidava e o ajudara a reencontrar Anna. Landretto, cuja coragem e fidelidade jamais questionara. Ali estava ele, em seu traje colorido de cavalariço, a peruca arrastando-se no chão. O rosto roxo o fitava com um olhar vazio. Pietro aproximou-se cambaleante. Percebeu que, *na verdade*, os olhos do amigo haviam sido substituídos por duas bolas de vidro, dando-lhes uma assustadora ideia de vazio. Os traços crispavam-se numa máscara grotesca, como se o Fabulista tivesse se deleitado a pintar em seu rosto um sorriso do além-túmulo. Era o corpo de Landretto, mas haviam-lhe enchido de feno a boca, as orelhas, o ventre, misturado a plumas negras untadas de graxa. Fora tratado como um bicho!

O assassino o havia... O assassino o havia empalhado!

Viravolta, venha assim
Encontrar a morte
Neste jardim!

Uma mensagem fora presa com um alfinete no peito do valete, entre os botões dourados da farda. Bastou um segundo para Pietro compreender. Uma grande fatia esmigalhada de queijo fora depositada aos pés de seu amigo e confidente. O título da mensagem, "*O corvo e a raposa*", era bastante claro e se fazia acompanhar de algumas palavras que pareciam extraídas de um manual de taxidermia.

A preparação de um espécime obedece a cinco etapas principais: dissecação do animal, curtimento da pele, preparação do molde ou do manequim, ajuste da pele e acabamento.

1. Montagem e silhueta
2. Pose
3. Início da modelagem
4. Pele
5. Finalização da montagem

A poucos passos, uma *vanité*[1], uma rosa vermelha e uma *Bíblia* perfumada junto a um dos ancinhos usados pelos jardineiros...

Claro... Para arrancar as ervas daninhas.

Pietro recuou. Os pensamentos giravam em sua mente. Não podia acreditar em tal espetáculo. Neste labirinto do amor, neste jardim da morte, seu inimigo matava, matava *in Fabula*!

---

[1]*Vanité* — imagem, em geral pitoresca evocando a vaidade das ocupações humanas e a precariedade da existência, muito em voga no século XVII. (*N. da T.*)

De repente, ouviu uma voz:

— Bem-vindo, Orquídea, ao meu teatro de sombras.

Um golpe atingiu-lhe a cabeça.

A paisagem desvaneceu-se. Vacilou, tentando em vão virar-se para ver o agressor, mas as pernas não o sustentaram.

Seu último olhar repousou no corpo dependurado de Landretto

Então desmaiou.

TERCEIRO ATO

A rosa e o lírio

A monsieur de Barillon

Que de mil lugares da Terra
Surja contra nós a animosidade,
Vá lá; mas que a Inglaterra
Queira que nossos reis abandonem a amizade,
Custa-me digerir tal coisa.
Já não será o tempo de Luís descansar?
Qual Hércules não se acharia lasso
De combater tal hidra? Precisará ela encarniçar
Mais uma cabeça contra o seu vigoroso braço?

JEAN DE LA FONTAINE
O poder das Fábulas

No antro do leão

MÉNAGERIE DE VERSALHES

Ao abrir o olho, deparou-se com um leão.
Jatos d'água cristalina jorravam na noite.
Encontrava-se deitado dentro de... dentro de uma...
...jaula.
Ah, não.
O coração trovejou no peito.
Pietro levantou-se, rapidamente, sufocando um grito.
A 3 metros, um leão roncava.

A *Ménagerie* de Versalhes, o zoológico, construída por Le Vau, na extremidade do Grande Canal, fora a primeira criação de Luís XIV nas proximidades do palácio. Um pátio dava num pequeno castelo, cujo corpo principal conectava-se por uma galeria a um pavilhão, local de descanso e de observatório. Após subir por uma escadaria e atravessar um salão impecável, penetrava-se num recinto octogonal com sete portas e cercado, por fora, por uma sacada gradeada. Sete pátios convergiam para lá, em formato de leque, de modo que do primeiro andar era possível abarcar todos num relance. Cada um dos pátios era habitado por aves e animais raros, trancados apenas por uma balaustrada de ferro circundante. No térreo, havia uma gruta ornada de conchas e de pedras, com água em múltiplos jorros do piso e da arcada, tendo ao centro um repuxo giratório.

Ai, meu Deus... Onde estou?

A visão de Pietro clareou à medida que recobrava a consciência. A pouca distância, as galinhas do Egito avançavam em cadência, com seus penachos brancos, donas de uma graça drolática, ao lado de pelicanos, avestruzes e outras aves pernaltas da África. Animais selvagens e exóticos, provenientes de Vincennes, haviam se juntado à fauna da *ménagerie*, como camelos e dromedários, o elefante trazido de Chandernagor, um caracal pintado como um tigre e um rinoceronte que fazia a alegria dos espectadores. Ali também se encontravam pavões, antílopes, tigres e... um velho leão.

Pietro recuou, escorregando no chão e na poeira.

O nauseante fedor do animal, acompanhado do cheiro de sangue, chegou-lhe às narinas; o ombro esbarrou numa das barras da jaula onde se encontrava.

Ouviu a respiração rouca e, logo depois, um sussurro chamou-lhe a atenção.

Ergueu os olhos.

Deparou-se com o Fabulista.

Sentara-se na trave de ferro, acima da jaula, uma das mãos enluvadas no joelho. A outra segurava uma rosa vermelha. Uma capa cobria-lhe o corpo. Murmurou:

— *Psiu...* Não o acorde.

Pietro julgou ter vislumbrado um sorriso. O Fabulista, tirando um bilhete do casaco, desdobrou-o antes de deixá-lo cair no covil do leão.

— É para você, Orquídea.

Pietro acompanhou com o olhar o papel a oscilar na queda, folha morta ao ar. Prendeu a respiração, achando que cairia no focinho do felino.

O bilhete desviou-se no último momento e pousou exatamente entre ele e a fera.

Por instinto, levou a mão à cintura. Inútil. Seu inimigo lhe retirara a espada, bem como a pistola de Augustin Marienne, as penas, o punhal e até mesmo o baralho. A Pietro nada restara senão as roupas e o cinto.

O Fabulista riu:

— Passemos à fábula seguinte.

O veneziano não divisava o poema no bilhete. Não ousava fazer o menor gesto. Entretanto, discerniu o título. Era o bastante.

O LEÃO E O RATO

O leão grunhiu, como se o sono tivesse sido perturbado pelo voo de um mosquito.

Desta vez... a situação se complicava.

A boca seca, olhou para o poleiro de ferro trabalhado.

O Fabulista, com uma das botas apoiada na trave, não se movia do seu posto.

— Gosta de animais domésticos?

Deitada a pouca distância, a fera, cercada por restos de ossos e de uma posta sangrenta de carne, roncava, o focinho fremia. Na melhor das hipóteses, a esperança de um ratinho. Pietro não ousava se mexer.

— Agradou-lhe o meu passeio pelo mundo das flores? — sussurrou o Fabulista.

— Temia trilhar o caminho errado — respondeu o veneziano.

— Eu poderia ter usado outras flores, é claro. O aloé, por exemplo, que remete à amargura e à dor. A aquileia, à guerra; o narciso, ao artifício! Sabia que era um homem culto e de espírito, meu amigo. Sensível à poesia e às regiões do mistério... Fiquei realmente impressionado. Que buquê, que coroa poderia preparar para você? Que flores usaria? A orquídea, naturalmente. A imortal? A tulipa?

Viravolta trincou os dentes, refreando a um tempo o terror e a cólera. Fechou a cara. Precisou fazer um esforço sobre-humano para não berrar e dar livre curso a suas emoções.

— Você matou Landretto!

A cabeça do Fabulista se ergueu ligeiramente. Pietro tentava em vão discernir-lhe os traços.

— Meu querido Orquídea... Recubra a razão! Seu querido valete, seu velho amigo... o *traiu*, Viravolta!

— A mim?

— Ele trabalhava para o duque d'Aiguillon, meu caro! Abra os olhos! Estava encarregado de espioná-lo.

— Mentira!

Desta vez, Pietro não conseguiu conter-se e levantou a voz. Ato contínuo veio o arrependimento.

O leão rugiu.

— Reflita... Ele gostava de você, disso eu não duvido, mas estava a serviço do rei. Sua posição lhe permitia ouvir muitas coisas! Até mesmo Broglie o procurou. Landretto não gostava nada das pequenas intrigas de espionagem... Acabou cedendo a d'Aiguillon. Você e ele trilharam caminhos diferentes!

O Fabulista escancarou os braços. Pietro recordou o relatório detalhado mostrado pelo duque d'Aiguillon, durante a reunião na ala dos Ministros. O relatório que dizia respeito a ele...

Duas horas da tarde. V deixa Versalhes em direção a Saint-Germain-en-Laye em companhia de Mme. A. S*** e de C. numa carruagem de quatro cavalos. Três horas e 15 minutos. A carruagem alcança a orla da floresta.

— Mentira — repetiu, enfurecido.

— Vamos, Viravolta — disse o Fabulista. — Ouça o seu coração. Você sabe que é verdade. O escudeiro temia por sua vida. Tinha razão. Sem dúvida acreditava que assim cuidava de você. Uma maneira de continuar como seu anjo da guarda... Mas deixe-me usufruir deste momento de felicidade... *Orquídea Negra*! Um dos mais ilustres agentes do *Secret*.

Na voz, lia-se raiva. Raiva mesclada de admiração, até mesmo de... *afeição*. Pietro estremeceu.

— Infelizmente, sou forçado a deixá-lo — comentou o Fabulista. — Outros deveres me chamam.

Desceu do seu poleiro.

— Você foi um adversário magnífico.

— *Quem é você?* — perguntou Viravolta, evitando gritar. — Por que me odeia? O que Jacques de Marsille era para você?

O Fabulista calou-se por um segundo. Impossível adivinhar seus pensamentos ou a natureza das emoções a assaltá-lo. Finalmente, Pietro teve a impressão de que ele voltava a sorrir sob o capuz.

— Ah, quantas perguntas das quais jamais conhecerá as respostas... Frustrante, não acha? Mas chega! Não há mais tempo para conversas. Deixo-o na companhia do monsenhor Leão. Ele simboliza o orgulho. O orgulho que é também uma característica sua...

Inclinou-se e apontou para uma massa escura na superfície da viga de ferro. Pietro não encontrou dificuldade em adivinhar do que se tratava. Sua espada, a pistola, as penas, o punhal, as cartas.

— Faz parte de um antigo costume entregar aos adversários corajosos suas armas, na hora da morte. Sinto-me envaidecido de lhe prestar tal homenagem. Embora, deva confessar, me senti tentado a levar sua estranha pistola.

Seus pertences, infelizmente, encontravam-se fora de alcance. Pietro, assustado, olhou ao redor. As grades subiam e formavam uma redoma a 3 metros de altura. A única saída consistia em uma porta de ferro com uma fechadura enorme, também trancada. O coração do veneziano palpitava acelerado. Continuava a relancear os olhos em todas as direções. O pânico o assaltava. Tentou refreá-lo, com todas as suas forças, e simulou um ar seguro.

— Deixe-me ao menos... algo para me divertir, em meus últimos instantes — disse, forçando uma desesperada ironia.

O Fabulista sorriu.

Hesitou; curvou-se sobre os bens abandonados do Orquídea Negra.

Pegou o estojo de cartas.

— Seu baralho, é claro, com uma orquídea impressa no verso. As cartas que lhe valeram tantos sucessos nos *cassini* de Veneza, na corte, e na casa dos mais ilustres senadores! As cartas do Orquídea Negra!

Voltou a rir.

— Acho que dessa vez você não tem nenhuma carta escondida na manga.

Ergueu o baralho em cima da jaula.

— Concordo... A última partida do Orquídea... Uma batalha, sem dúvida! Bem! Jogue; jogue com a morte.

Deixou cair o estojo.

O baralho caiu no focinho do leão...

Em seguida, rolou para junto da fábula abandonada.

— Eu lhe anunciei dez fábulas...

A fera de repente despertou.

—...por acaso eu disse que assistiria a todas?

O Fabulista voltou-se ondulando a capa.

— Surpreenda-me, Viravolta, e recite "O leão e o rato".

O riso meloso distanciou-se à medida que percorria a sacada gradeada.

Desapareceu sob a luz da lua.

O leão se levantou.

Pietro apossou-se do estojo. A fera olhou em sua direção, as narinas infladas ao farejar o intruso. Nas pupilas cintilantes, o traço de uma ferocidade ancestral. Por um instante, o olhar do leão, cujo sono fora perturbado, cruzou com o do homem. Pietro ficou ensopado de suor.

Recolheu o que restava do pedaço de carne.

— Calma, calma — repetia, incoerentemente.

Abriu o estojo. As cartas, enfeitadas com a orquídea negra, dançaram diante de seus olhos.

Sem esperar um minuto sequer, arrancou um naco da carne sangrenta e enrolou-o em torno de algumas cartas com fio de navalha que lhe confiara Augustin Marienne. A fera urrou, escancarando a bocarra de onde escorria um fio de saliva. Pietro encolheu-se. Bastaria uma patada para matá-lo; uma unhada para arrancar-lhe metade do rosto; uma dentada e a traqueia seria estraçalhada. Pietro lançou o naco de carne no focinho do animal. Algumas cartas emergiram, presas ao músculo como passas num bolo.

— Coma — ordenou com voz entrecortada. — Coma essa carninha gostosa.

O leão agarrou a carne no ar, sem tirar os olhos do intruso. Preparava-se para mastigar e já lambia os beiços. Pietro escorregou; conseguiu levantar-se com um movimento brusco, acreditando ter chegado o seu fim.

Que Deus me perdoe!

De repente, o leão foi tomado por espasmos. A boca escancarada, mexia a mandíbula na tentativa de se livrar da lâmina presa na garganta. Rugia, ainda, mas um rugido estrangulado. Os olhos iluminaram-se de nova selvageria, exacerbada pela dor e pelo terror. Pietro, num movimento ridículo, enroscou os tornozelos nas barras de metal. Subiu o mais alto que pôde, enquanto o animal avançava em sua direção. Num instante, Pietro ficou acima dele; a boca ensanguentada da fera, escorrendo espuma, por pouco lhe alcançou os calcanhares. Começou a escorregar.

Estava *escorregando!*

Chutou o focinho do leão.

Humilhado, ainda louco de dor, o leão recuou.

No momento girava sobre si mesmo, como se estraçalhado por dentro. Pietro voltou a pegar o baralho. No mesmo exato instante, o animal o atacou.

Em torno da sede da *ménagerie*, os sete pátios de aves e de animais exóticos foram tomados por uma excitação frenética. Um retorno à vida selvagem. O caracal pôs-se a andar de um lado para o outro; o rinoceronte arremetia; as galinhas do Egito agitavam os penachos; o elefante de Chandernagor bramiu ferozmente na noite. Era como se todos se aproximassem de Viravolta e cercassem a arena onde homem e animal lutavam.

Os heróis das fábulas presidiam o combate.

Acuado contra as grades da jaula, o veneziano debatia-se sob o atacante. Desesperado, enfiava a mão na juba dourada e negra enquanto o peso da fera ameaçava esmagá-lo. Sentiu o hálito fétido. Chegou a pensar que teria a cabeça arrancada, o rosto prestes a ser devorado pelas mandíbulas escancaradas.

— Vamos, engula! — berrou, enfiando as cartas na boca do animal.

As mandíbulas se fecharam no vazio — o suficiente, entretanto, para que as lâminas cumprissem sua função. O leão soltou novo rugido estrangulado. Por pouco esmigalhou Pietro. Tombou de costas, ergueu as patas e contraiu os músculos. A juba tremeu. Depois, curvou-se sobre si mesmo: parecia tentar recuperar, do interior da goela, as lâminas que o cortavam. Virou-se, num balé assustador, soltando gemidos lancinantes. Homem e fera trocaram um último olhar no qual nada se lia senão sofrimento e terror.

De repente, o leão desabou.

Vertia sangue da boca. Pietro acreditou ver o filete de sangue escorrer ao longo do flanco.

A fera emudecera.

Pietro ouvia tão somente a própria respiração.

Os animais das jaulas vizinhas se acalmaram. O silêncio voltou a reinar. Pietro permanecia encolhido contra as grades.

O coração aos poucos voltava ao ritmo normal. Esforçou-se por controlá-lo. O sangue latejava-lhe nas têmporas. A garganta ressecada, Viravolta murmurou:

A paciência e o tempo podem mais que a força e a raiva.

Esforçou-se para sorrir.

— Orquídea é indigesto, meu querido bichano.

Sufocado pela emoção, só conseguiu se levantar ao cabo de meia hora.

Voltou a ser assaltado pela cólera, mas não lhe restava outra opção senão esperar na jaula o alvorecer, ao lado do cadáver do leão. Aos primeiros raios de sol, não lhe causou grande surpresa ver chegar, na companhia dos empregados da *ménagerie*, o jardineiro-filósofo, Le Normand.

Plácido, aproximou-se e observou Viravolta.

— Monsieur de Lansalt... O que está fazendo?

Pietro voltara a se sentar encostado nas grades.

Fez um gesto desanimado para o jardineiro.

Em seguida, perguntou:

— Importaria-se de buscar a chave?

God Save the King

Herblay

A comuna de Herblay situava-se na margem direita do Sena, a cerca de 30 quilômetros de Paris. Seu nome remontava à época da dominação romana e significava "lugar com plantação de plátanos" ou "os plátanos". O Fabulista parou um instante junto a Saint-Martin d'Herblay. A igrejinha do século XII, em estilo gótico, dominava uma curva do Sena. Dali, descortinava-se a magnífica vista até Paris e Saint-Germain-en-Laye.

A alvorada acabava de surgir. Esporeando a montaria, o Fabulista deu meia-volta e desceu pelo vale para, em seguida, subir na direção dos bairros antigos. Os cascos do animal ressoaram no sinuoso desenho das ruas centrais, ladeando as fachadas das casas de cornijas adornadas, nichos votivos e grandes portões de dois batentes. Passavam diante de belas moradias de portais de pedra, pelos camponeses que surgiam nos campos das redondezas. Herblay contava com cerca de trezentas residências. Dos antigos domínios senhoriais, restara um castelo principal, construído segundo o estilo do século XVI. Tratava-se de uma casa de campo dotada de belas proporções. Visto do parque, o "castelo" mantivera por muito tempo a agradável aparência; entretanto, seu último dono, endividado, o abandonara há quase quarenta anos, deixando-o em ruínas.

Ali o Fabulista apeou do cavalo.

*

Sob a luz da aurora reunia-se um curioso grupo.

Raios de luz infiltravam-se entre as folhas das árvores alongando as sombras dos conspiradores. Todos vestidos como o Fabulista: capuz negro, rosa vermelha no peito. Um verdadeiro miniexército.

No topo dos degraus que levavam à construção, encontrava-se um homem que destoava de todos os demais.

— Você chegou atrasado.

O Fabulista caminhou a passos rápidos entre os seus homens, que se afastaram para lhe dar passagem.

— Viravolta está morto.

Lorde Stevens, conde de Bedford e mestre da Grande Loja de Ferro, vestia-se de modo estranho. Espada na cintura, trajava uma casaca acolchoada, luvas de couro e botas escuras. Tinha 50 anos. Os cabelos emolduravam o rosto e os olhos assustadores, o queixo voluntarioso. Com uma ruga de desdém nos lábios, trazia ele também uma rosa no peito. Como lembrança da Guerra dos Sete Anos, perdera uma orelha e, em seu lugar, restos de carne carcomida desenhavam bordas retorcidas. Tampouco se esquecera de como um francês transpassara com a espada o mais velho de seus três filhos, que servia sob suas ordens. Havia muito lorde Stevens trabalhava nas sombras para Sua Majestade George III e a Coroa. Há um ano, o próprio rei lhe confiara o comando da contraespionagem inglesa.

Stevens conhecia vários agentes franceses alocados em Londres. Encontrara Charles de Broglie inúmeras vezes. Também tomara conhecimento, graças a seus informantes, do plano de invasão da Inglaterra, concebido após o Tratado de Paris. O plano de desembarque e de guerra fora redigido sob as ordens de Luís XV havia uns dez anos. Um dos receios de lorde Stevens era que o projeto um dia se transformasse em realidade. Seu governo o encarregara, em caráter confidencial, de prevenir qualquer iniciativa dessa ordem.

Para tal, dispunha de meios tanto secretos quanto ilimitados. Stevens fora além, propondo, por iniciativa própria, a desestabilização da monarquia francesa. A morte de Luís XV e a subida ao trono de um Luís XVI ainda inexperiente fragilizavam o reino. O momento era ideal. Stevens, usando das redes de informações do rei George III e do ministério do Exterior, chegara ao Fabulista. Desde então, este começara a se livrar de todos os inimigos, dizimando os agentes do *Secret* que pudessem representar algum empecilho à realização do seu projeto. O que George III ignorava, entretanto, era *até onde* pretendia ir o seu zeloso servidor. Nunca tivera a intenção de destruir o equilíbrio europeu, eliminando pura e simplesmente o rei da França e a filha de Maria Teresa; entretanto, era este o secreto propósito de Stevens.

Debilitada pelos filósofos e pelo interminável reinado de Luís XV, a França estava pronta para a revolta, como confirmavam todas as informações obtidas por Stevens. Era histórica a oportunidade de depositar aos pés do rei George os despojos do inimigo hereditário. O tabuleiro de lorde Stevens estava preparado. Também havia elaborado um plano, só conhecido pelo Fabulista. Confiara-lhe um manuscrito ilustrado com 51 croquis a lápis, representando troféus, armas, canhões, pinças, machados, facas e martelos, bem como os emblemas da Grande Loja de Ferro. Não encontrara dificuldade em recrutar seu pequeno exército secreto entre as fileiras da maçonaria. Chegado o momento, proporia seu "grande plano" a George III. A operação, que serviria de pontapé inicial, já recebera seu nome codificado: *Party Time*. Tudo fora previsto, inclusive a contagem dos materiais, dos suprimentos e dos homens necessários para compor o exército invasor definitivo. Um exército que abriria caminho, sem dificuldade, até Paris. Só faltava a autorização do soberano. O rei, sem dúvida, se surpreenderia com iniciativa de tal porte. Contudo, dentro em breve, tudo estaria tão bem organizado que a George III não restaria alternativa senão ceder à razão. Stevens aproveitaria para extinguir uma nação doente que perdera sucessivamente dois reis e uma rainha. Bastaria um piparote. E ele, lorde Stevens, entregaria à Inglaterra a sublime oferenda. A união das duas Coroas. A rosa e o lírio. Lorde Stormont, embaixador inglês na França, tentara por diversas vezes marcar um encontro com ele. Stevens conseguira apagar suas pistas, graças ao cargo que ocupava. Seu retiro nesse quartel-general em Herblay lhe permitira, temporariamente, queimar as pontes e se recolher num silêncio voluntário.

Uma vez a França mergulhada no caos político, necessário se faria impedi-la de preparar um contragolpe com a Espanha e a Áustria e, ao mesmo tempo, usar Gibraltar, a Jamaica e as Grandes Índias para aumentar ainda mais a influência britânica. Independentemente do resultado da empreitada, seria preciso impedir a França de reconquistar qualquer posição na América. Afinal, o conflito planejado encobria outro propósito — e um propósito de vulto. Entre 1739 e 1763, a Grã-Bretanha enfrentara sucessivas guerras, da queda de braço com a Espanha até a Guerra dos Sete Anos, passando pela Guerra de Sucessão Austríaca. Sua superioridade naval lhe permitira derrotar os franceses nas costas de Portugal. A Coroa havia vencido Dupleix nas Índias e Montcalm no Canadá, nas planícies de Abraão, perto dos muros de Quebec. O Tratado de Paris de 1763 consagrou a supremacia inglesa. A França perdia suas colônias na América do Norte e suas feitorias na Índia. A Inglaterra ganhava a Nova França e as feitorias senegaleses e indianas, dentre as quais Pondicherry. Reafirmava seu império sobre os mares. Após a paz entre a Áustria e a Prússia, a aliança de Maria Teresa e de Maria Antonieta com a França desenhava a nova carta do precário equilíbrio continental.

Tendo as contínuas guerras esvaziado os cofres da Coroa, Londres se voltara para as colônias americanas. As novas taxas impostas pelo Parlamento, do *Sugar Act* ao *Tea Act*, haviam provocado o descontentamento das 13 colônias britânicas na América. Não satisfeita em reservar a seus navios o monopólio do tráfego de certas mercadorias, a Inglaterra proibira aos comerciantes a venda dos produtos a outros países. Daí resultou uma progressiva asfixia das colônias. A última crise, em dezembro de 1773, ficou conhecida como *Boston Tea Party*. Opondo-se ao monopólio das companhias britânicas sobre o chá, colonos americanos, disfarçados de índios moicanos, atiraram ao mar, no porto de Boston, cerca de 350 caixas de chá, embarcadas em três navios da Companhia das Índias. A Grã-Bretanha, em represália, decidira fechar o porto. O restante do mundo se mostrara solidário com os habitantes de Boston. Um congresso de colonos fora organizado! Começava-se a sonhar com novas instituições! E George III acabara de tomar a decisão mais delirante do seu reinado: declarar os colonos "rebeldes" — justo eles que, embora traídos, não haviam cessado de reiterar sua fidelidade à Coroa!

O que aconteceria caso a ruptura viesse a ser realmente consumada? Toda a América do Norte estaria em perigo. Caminhava-se para uma divisão entre leais e rebeldes. Estaria em marcha uma guerra de independência? Para Stevens, isto era evidente. E se a guerra estourasse, se os insurgentes não encontrassem aliados... a quem recorreriam senão à França? Considerando tal hipótese, Stevens imaginava que a monarquia francesa aproveitaria a ocasião para apoiar os insurgentes e obter sua revanche sobre o Tratado de Paris. Uma revanche com a qual sonhava havia dez anos. Prova disso é que a França reconstituía sua frota, modernizava equipamentos, aprimorava a formação dos militares e aumentava o efetivo — a tal ponto que as fontes de Stevens apresentavam uma estimativa de 300 mil homens. Se a Grã-Bretanha ainda era a rainha dos mares, a aliança austríaca e o pacto de família França-Espanha, apesar do que se dizia, continuava a dominar a Europa continental. Nesse contexto, caso a revolta das 13 colônias prosseguisse, todas as grandes nações europeias teriam que se posicionar em relação aos britânicos.

O mundo inteiro se envolveria!

Lorde Stevens desceu a escadaria.

— E Orquídea Negra? — perguntou. — Você acabou com o veneziano?

— Sim — respondeu o encapuzado.

— Parabéns! Você matou uma lenda.

— Nunca se consegue arrancar toda a erva daninha.

— Chegou a hora de pôr fim à sua brincadeira de cão e gato. Você já eliminou alguns agentes, mas agora a morte de Viravolta vai causar tumulto.

— Humm. Eles estão desorientados. Bom, não posso permanecer por muito tempo, Stevens. Tenho um encontro no Procope para completar minha obra. Devo também enviar uma correspondência especial a Choisy. Um dos nossos se encarregará da entrega; é uma carta de extrema importância.

O Fabulista voltou-se na direção dos esbirros. Depois prosseguiu:

— Eu tenho me divertido muito, Stevens. Os agentes não tardarão a ser tomados pelo pânico, se é que já não atingi meu objetivo. Bem, ainda preciso conquistar alguns troféus e posso garantir que não são dos menores.

— Termine então. Mas não misture nosso projeto com sua vingança pessoal. Tudo em breve estará em seu devido lugar.

O Fabulista esboçou uma reverência, girou com um movimento de capa e montou em seu cavalo. Fez sinal à tropa encapuzada e vestida como ele que o aguardava nos jardins. Todos se apressaram em subir às montarias, espalhadas pelo parque, e formar sua estranha legião dos infernos.

— Até breve, Stevens.

O Fabulista abriu a boca num ricto.

— *E God save the King.*

Esporeou os flancos do animal, que empinou. Cruzou os portões do castelo, seguido da tropa cujas capas dançavam ao vento.

Stevens acariciou a rosa no peito.

A rosa, o lírio...

E o destino da América.

A presa pela sombra

JARDINS DE VERSALHES
CAFÉ LE PROCOPE, PARIS

Despedira-se de Landretto. Na estrada para Paris, as inacreditáveis imagens vistas continuavam a passar diante de seus olhos.

Na aurora, mãos unidas, encontrara-se diante do corpo de seu antigo valete. Atrás dele, os jardineiros e os responsáveis pela *ménagerie*, alguns com seus ancinhos, outros apoiados nas vassouras, alinhavam-se compondo uma estranha guarda de honra. Em outras circunstâncias, esse último adeus poderia parecer cômico. Contudo, entre Latona e o labirinto, entre as fontes de Apolo e de Encélado, emanava uma gravidade trágica. O silêncio era absoluto.

Landretto... Meu amigo...

Pietro se aproximara, incapaz de conter as lágrimas.

Num banco, Landretto jazia em seu traje de cavalariço, os olhos fechados, o rosto arroxeado numa rigidez cadavérica. A luz da manhã parecia dar-lhe um sopro de vida. Haviam disfarçado a marca da corda que lhe rompera o pescoço e lustrado os galões e os botões. As duas mãos, cruzadas no peito, seguravam o chapéu. Em cruz, sobre o coração, plumas.

Pequeno príncipe... Não terás direito a trompetes nem ao espetáculo das grandes águas.

Pietro beijou-lhe o rosto, perdido em lembranças.

Onde fora parar a juventude deles? E a sua? Observava a poeira de Versalhes escorrer sobre os muros, recordava-se das gôndolas cruzando os canais viscosos, do gesso a se desmanchar nos rostos, nos corações e nas paredes. Tudo não passava de um sonho deliquescente, mas onde fora parar o tempo em que eles cantavam?

Beijou-lhe a fronte.

Landretto...

Finalmente se compôs, antes de recuar lentamente, em seu último adeus, para deixá-lo entrar nas sombras — ou melhor, como gostaria, num paraíso verde.

A eterna primavera do jardim das Hespérides.

Na carruagem que o conduzia a Paris, ergueu a cabeça.

Bem... e agora?

Necessitava recobrar o ânimo. Landretto não morrera em vão, repetia. A seu favor, o fato de que o inimigo o acreditava morto. Pietro, num esforço sobre-humano para dominar a cólera e a tristeza, recapitulou as últimas jogadas do Fabulista.

~~A Raposa e a Cegonha~~ Lansquenet
~~O Lobo e o Cordeiro~~ Rosette
~~A Rã que pretendeu ser grande como o Boi~~ Crapaud
~~O Corvo e a Raposa~~ Landretto
~~O Leão e o Rato~~ Eu
O Cão que pela Sombra Larga a Presa
O Macaco Rei
A Cigarra e a Formiga
A Lebre e a Tartaruga
O Leão Velho

Diante da fachada elegante e florida do Procope, no quarteirão da feira de Saint-German, Pietro desceu da carruagem e, com ar determinado, entrou no café.

*

* *

Empurrou a porta do estabelecimento.

A animação do lugar imediatamente deu-lhe uma injeção de ânimo.

Café, café! Eis algo que poderia aproximar os parisienses dos venezianos. Em Veneza, Viravolta e seu querido valete costumavam frequentar o Florian, ou algum *ridotto*, antes das noitadas excitantes e licenciosas. Mas aqui, o café era uma instituição sacrossanta, o templo e a verdadeira igreja onde se pronunciavam tanto verdades quanto julgamentos profundos, alimentados por mil experiências... Era preciso ouvir as dançarinas e artistas à saída dos espetáculos, os pilares de sabedoria tonitruantes diante do mundo, os jogadores de cartas e de bilhar tomados pela embriaguez, o povo e os aristocratas arruinados em busca de redenção, os harúspices de uma noite a varar a madrugada e a burguesia erguendo a xícara num brinde à saúde do rei. Seiscentos ou setecentos cafés em Paris, nos quais se multiplicavam, os clientes por dois, dez, trinta, cinquenta, ou seja, a cidade contava com várias dezenas de milhares de oráculos, de profetisas e de pitonisas que se arvoravam donos de uma opinião bastante exata, não somente da infinidade de males passados, presentes e futuros da Terra, mas também das mais radicais soluções e, por vezes, das mais absurdas, para remediar todos os males...

A *Comédia Francesa! Fabulistas e comediantes, somos parte desse teatro*, refletiu Pietro, entrando no café, situado diante do hotel que abrigava os "Comediantes do Rei".

Mal atravessara a soleira, foi detido por uma mulher — ou seria um homem? Levou alguns segundos para reconhecê-lo. Finalmente identificou-o, apesar do chapéu negro de abas largas na diagonal, apesar da mosca e do xale sedutores, apesar dos olhos pintados e daquele rebolado sugestivo. Era o cavalheiro de Tonnerre, o travesti, o mais famoso agente do *Secret du Roi*, o homem-mulher de mil faces, a Afrodite hermafrodita. Orquídea Negra encontrava-se diante de outra lenda viva: o cavaleiro d'Eon.

Os dois haviam se encontrado em Londres alguns anos antes, embora não tivessem a menor intimidade. Orquídea Negra sorriu. Admirava o jeito saboroso do colega, tanto na diplomacia quanto na espionagem. Sua história peculiar despertava curiosidade. Também conhecido como mademoiselle d'Eon, ganhara fama graças ao extraordinário talento de se travestir de mulher. Começara a carreira como advogado no Parlamento, antes de ser nomeado "censor real da História e das Belas-Letras" por Luís XV. Em seguida, entrara para a diplomacia secreta do rei. Secretário da embaixada da França na corte da Rússia, procurara obter da tsarina Elizabeth uma aliança com a França. Alegava ter ocupado o cargo de "leitora" da tsarina, sob o pseudônimo de Lya de Beaumont. Descoberto o disfarce do travesti, a tsarina tentou seduzi-lo. Por recusar-se, o cavaleiro foi acusado de loucura. Em 1762 participara da redação do Tratado de Paris e da elaboração do famoso plano de invasão da Grã-Bretanha, antes de ser nomeado ministro plenipotenciário junto ao duque de Nivernois e, tempos depois, secretário do conde de Guerchy, o novo embaixador em Londres, com quem vivia em perpétuo desentendimento. Na Europa corria o boato de que ele era, na verdade, mulher. D'Eon jamais desmentiu. Tinha os traços delicados, o rosto fino, cílios grandes. Pietro se perguntou se d'Eon não buscava cultivar essa ambiguidade, que se transformara numa espécie de marca registrada. Uma marca no mínimo original...

— Ah, é você — disse Viravolta.

— Orquídea! Estava à sua espera. Una-se a nós.

Naquele dia, d'Eon usava um mantô azul comprido, enfeitado com botões dourados. As pessoas voltavam-se ao vê-lo passar, pois debaixo do mantô o travesti usava um estranho vestido preto decotado. Entre os dedos da mão coberta de anéis, um leque de renda carmim. Os cabelos presos num coque baixo. O anel de sinete servia para esconder o veneno no engaste, facilitando que vertesse o pó nas taças. Uma espada na cintura e um punhal na bota completavam os trajes venenosos e encantadores.

Abriram espaço entre os frequentadores do café. Sob os lustres de cristal, os jogos de espelhos refletiam ao infinito a imagem dos clientes; as paredes cobertas de medalhões davam ao local um toque pictórico. De elegância totalmente parisiense, o café era um endereço exclusivo. O Procope tinha a fama de café literário, uma espécie de salão frequentado por intelectuais, artistas e cavalheiros de passagem pela cidade. Rousseau, Voltaire e Diderot o frequentavam, assim como Marmontel e Crébillon. Ali formigavam escritores e, como hoje, espiões. À direita, um grupo de jogadores de xadrez, concentrados em suas estratégias, disputavam torneios improvisados; mais adiante, atrás de uma das mesinhas de mármore que contribuíam para a fama do local, encontravam-se dois desses espiões, na direção dos quais Pietro e "mademoiselle" d'Eon se dirigiam.

Viravolta reconheceu sem dificuldade um deles, pois, afinal, também era assíduo frequentador do estabelecimento. Pierre-Augustin Caron de Beaumarchais, filho de um relojoeiro, não era, exatamente, agente do *Secret*. Entretanto, realizara várias missões para Sartine, o chefe de polícia. Sua vida poderia virar um romance. Em 1756 casara-se com Madeleine-Catherine Aubertin, viúva Francquet, dez anos mais velha, a quem enterrara um ano depois. Suspeitava-se que ele houvesse contribuído para acelerar um pouco a sua morte. E esse era apenas um dos múltiplos escândalos nos quais Beaumarchais se envolvera... Sedutor talentoso e professor de harpa das filhas de Luís XV, associara-se a um financista da corte, Pâris-Duverney, empreendendo significativas especulações comerciais — outro tema no qual exibia seu gênio. Sua imensa fortuna lhe permitira comprar um cargo de secretário do rei e, depois, tornar-se intendente da caça. Protegido do príncipe de Conti, começara a escrever textos curtos para teatros privados e acabara por se aventurar no drama com *Eugénie* (Eugênia) *e Les Deux Amis ou Le Négociant de Lyon* (Os dois amigos ou O negociante de Lion). Sua segunda mulher, também falecida logo depois do casamento, deixara nova mina de ouro ao marido. Desta feita, fora acusado de desvio de herança.

À aproximação de Pietro, disse:

— Ora vejam só! Orquídea Negra.

O veneziano inclinou-se, exibindo um sorriso no canto dos lábios. Assim como ele, Beaumarchais não tinha intenção de evocar as lembranças em comum. Há quatro anos o dramaturgo enfrentava processos, fossem eles relacionados ao caso do conde de La Blache, ao imbróglio da sucessão testamentária de Pâris-Duverney ou, ainda, aos autos contra Goëzman, e tentava se defender da acusação de desvio de fortuna. Carregava a reputação de envenenador e de escroque. Certamente mostrara a força de seu talento na redação de autos judiciais, mas o essencial do seu patrimônio e de seus direitos cívicos acabaram prejudicados. Sartine ainda o tinha como aliado, mas Beaumarchais continuava em desgraça. Voltava de Londres, onde negociara a supressão de um libelo dirigido contra madame du Barry, *Memórias secretas de uma mulher pública*, de Théveneau de Morande. É necessário reconhecer que quando em "missão secreta", Beaumarchais assemelhava-se a um elefante numa loja de cristais. Pietro fora obrigado a ir a Londres concluir a negociação. Conhecia pouco tanto Beaumarchais quanto d'Eon, não apenas por causa de suas respectivas ocupações, mas também por exigência do *Secret*, mas já cruzara com os dois na corte. Corte esta da qual Beaumarchais buscava a qualquer preço recuperar as graças. O cavaleiro-travesti e o dramaturgo encontravam-se hoje pela primeira vez. Um encontro que deveria ser mantido em sigilo.

Uma coisa era certa: ao contrário de Viravolta, Beaumarchais estava convencido de que o cavaleiro era, na verdade, uma mulher. Os olhares cúpidos que lhe lançava fizeram o veneziano compreender... que o dramaturgo não era insensível aos encantos do travesti!

Sem dúvida, isso é um bocado engraçado, disse para si mesmo.

— Já se conhecem, creio eu — disse d'Eon a Viravolta. — Quanto a essa encantadora pessoa...

— Safira — disse a pessoa levantando-se da mesa.

Um último conviva ainda não fora apresentado. O rosto muito maquiado e de cílios postiços, emoldurado por uma peruca excêntrica, era vagamente familiar a Pietro. A dita Safira parecia jovem, mas dona de uma determinação surpreendente. Estendeu-lhe a mão de dedos de harpista e sorriu, cumprimentando-o com uma voz de modulações melodiosas. Sua pele, para falar a verdade, era simplesmente excepcional. Parecera surpresa e chegara a sobressaltar-se ao vê-lo chegar. Trazia no pescoço uma joia azul à qual devia, sem dúvida, o pseudônimo. Uma pulseira enfeitava-lhe o punho. Quanto ao resto, a vestimenta composta de corpete com grande gola armada, saia e anáguas parecia meticulosamente calculada para lhe deixar o mínimo possível de liberdade de movimento.

— Já não nos encontramos antes? — perguntou Pietro.

— Talvez em sonhos, monsieur de Lansalt. Ouço muito falar de suas aventuras.

Fitou-o despudoradamente de alto a baixo.

— O senhor faz jus à sua fama... Mais velho, entretanto, do que nos medalhões... Sabia que alguns deles ainda permanecem nas secretárias de suas antigas conquistas?

— Humm... Safira, que há muito esconde sua verdadeira identidade, trabalhava em Londres, onde a conheci — interrompeu d'Eon. — Seu disfarce era extremamente original: ela cantava na Ópera. Tem uma voz extraordinária. Depois foi nomeada para... Veneza.

Safira abriu um sorriso.

— Entendo — disse Pietro.

— Sentemo-nos — propôs o cavaleiro.

Todos tomaram lugar ao redor da mesa.

Beaumarchais havia pedido uma beberagem turca; Safira, um sorvete.

— Um *cappuccino* — pediu Viravolta, sem alimentar ilusões.

Sorriu.

— Com creme, mas não o misture — explicou.

— Broglie organizou esta reunião, da qual não tomará parte — disse d'Eon. — Não apenas nossos agentes vêm sendo assassinados, mas também informantes sem importância; a rede é o alvo do ataque. Faz-se necessário mudar os códigos e nossos nomes de guerra...

Ele tinha razão. Em Londres, d'Eon usava o pseudônimo de William Wolff; Beaumarchais, o de Ronac — anagrama um tanto ou quanto patético de Caron. Quanto a Safira, continuava Safira.

— ...De qualquer modo, os vienenses conseguiram decifrar a maioria dos criptogramas — prosseguiu o cavaleiro. — Não estamos mais seguros. Como sabem, todas as vítimas receberam uma fábula. Eu tentei montar o quebra-cabeça... Estão brincando conosco e corremos perigo. A questão é saber quem e o porquê.

Beaumarchais continuava a fitar d'Eon com ar interessado.

— Eu também recebi a minha fábula e quase caí vítima dela — disse Pietro. — Ele debocha da gente. Acreditem ou não, esse maníaco se inspira em La Fontaine e nos jardins de Versalhes para orquestrar o extermínio de nossos agentes. Mais exatamente, nos bosques e chafarizes do labirinto. Caímos em sua armadilha. Pelo menos esse é o teor de sua mensagem.

— O problema é que não sabemos o que acontecerá com o *Secret* — interrompeu Beaumarchais. — Acabo de escrever ao rei, explicando a situação em que seu avô me meteu e a missão particular que me confiou em março. Não canso de ir e vir de Londres para Versalhes. No mínimo quatro vezes em seis semanas! E eis que assim que chego, encontro Luís XV à morte e nem pude comunicar-lhe o êxito da missão. Esse negócio londrino pode vir a ter consequências. Enquanto aguardo, termino uma comédia de cinco atos. É a história de um conde enamorado da pupila de um médico e que trama a conquista com seu valete. Eu a chamarei talvez de *A Precaução Inútil* ou *O Barbeiro de Sevilha*, ou os dois. O que acham?

Todos se entreolharam.

— Humm, devo recordá-lo que há assuntos mais urgentes a serem discutidos.

O cavaleiro d'Eon abriu o leque com um gesto seco do punho.

— Acho que tentam acelerar a dissolução do *Secret* visando um objetivo maior — disse ele. — Mas qual? Vergennes ainda está em Estocolmo. Quem sabe ele pode obter mais explicações, ativando sua rede de informantes?

— Comentam que ele será convocado pelo rei para o ministério dos Assuntos Estrangeiros — disse Beaumarchais.

— Já imaginaram uma coisa dessas? — extasiou-se Safira. — Um dos nossos no governo. Talvez isso pudesse resolver nossa situação!

— De qualquer maneira, duvido que o rei escolha nosso bem-amado conde de Broglie ou que mantenha o conde d'Aiguillon no cargo.

Pietro, inquieto, inclinou-se.

— Veremos. Luís XVI deve ser informado ainda hoje sobre a nossa existência. As decisões serão tomadas a seu tempo. A situação, no entanto, é mais grave do que os senhores possam imaginar. E não será em Estocolmo, Viena ou na Prússia que precisaremos investigar. O Fabulista matou Landretto, meu antigo valete e, a esta hora, acredita que eu também esteja morto. Receio que ele vise objetivo maior, bem maior do que nós.

— Como assim? — perguntou d'Eon.

— O... o rei? — perguntou Safira.

— O casal real. O regime. Acho que os ingleses estão por trás da trama. A razão exata desconheço; não passa de intuição. Faltam-me provas. Entretanto, temo o pior.

— Os ingleses? Ainda? Mas por quê? — perguntou d'Eon. — As perdas que sofremos com o Tratado de Paris não lhes bastam? Eu andei conversando com Wilkes;[1] nenhum de meus correspondentes alertou-me sobre nada parecido. Se existe um plano de tal envergadura para desestabilizar a rede, duvido que seja obra de algum membro do governo inglês ou do Parlamento.

— Talvez um mercenário recrutado para esse caso específico — conjeturou Beaumarchais. — Alguém agindo à margem de seus serviços...

— Um membro da contraespionagem? — perguntou Pietro.

— Autorizado para tal ou não. Tudo é possível — disse o cavaleiro.

— Mas isso tudo é um delírio! — exclamou Safira. — George III não chegaria a ponto de... querer derrubar a monarquia e indispor-se com Maria Teresa, a Espanha, a Prússia; em resumo, pôr fim às alianças!

— Sim, mas e a América? — perguntou Pietro.

— Como assim a América? Pouco ligamos para a América.

— Não é assim tão simples — disse Beaumarchais, subitamente apreensivo.

Estalou a língua.

— Continuaremos pescando informações, Viravolta — continuou. — Pode ter certeza. No que me diz respeito, não faço a menor ideia da identidade do Fabulista.

— Enquanto aguardamos, temos sobre nossas cabeças uma espada de Dâmocles da qual tudo ignoramos — disse Pietro.

— Em resumo, ninguém sabe de nada — disse d'Eon fazendo um biquinho.

— Nesse caso, qual o motivo de nossa reunião? — perguntou Beaumarchais.

— Isso mesmo. Gostaria de saber o motivo de nos expormos juntos, desprezando as mais elementares regras de segurança. Eu me per...

Fez-se um longo silêncio. D'Eon pestanejou.

— Broglie teria... — prosseguiu Safira.

---

[1]*John Wilkes* — jornalista e político inglês. Sofreu perseguição política por causa das críticas ao governo de seu país, logo após o Tratado de Paris, e exilou-se na França. (*N. da T.*)

Todos se calaram e se entreolharam.

— Quatro de uma só tacada — disse Beaumarchais, franzindo os olhos.

— E se isso fosse... — continuou Safira.

— ...Uma *armadilha*? — concluiu d'Eon.

Mal havia pronunciado a palavra e ouviram um assobio. Sobressaltaram-se. Um objeto acabava de pregar na moldura de um dos espelhos, bem próximo da mesa.

Um punhal.

Atravessada pela lâmina, uma folha.

D'Eon arrancou-a e mostrou-a imediatamente:

O CÃO QUE PELA SOMBRA LARGA A PRESA
Livro VI — Fábula 17

Cada qual aqui se ilude;
Atrás da própria sombra vemos correr
Tantos tolos que amiúde
Seu número já não se pode ao certo saber.
É preciso lembrá-los do cachorro de que fala Esopo.

Um cão passando ia a um rio a nado,
E levava de carne um bom bocado;
Via n'água a sua sombra, e, presumindo
Que era outro cão, que dele ia fugindo,
E que presa maior inda levava,
Com fim de lha tirar se arreganhava.
Naquele abrir de boca lhe caía
A carne, e nem mais sombra dela via.

(Tradução de Couto Guerreiro)

— A presa e a sombra — murmurou o cavaleiro.

Ali, na superfície do espelho, diante do qual se encontravam sentados, viram o seu reflexo.

Imponente, o mantô aberto sobre a calça preta e as botas de couro, as mãos nos quadris, tal um comandante. Uma rosa vermelha enfeitava-lhe o peito e uma fivela de prata luzia no cinto. O pomo da espada cintilava-lhe na cintura.

— O Fabulista — murmurou Viravolta.

Novamente fez-se silêncio. Os quatro agentes ao redor da mesa haviam girado a cabeça na mesma direção. Permaneceram boquiabertos diante da aparição.

— Isso é uma provocação — exclamou Beaumarchais.

— E ele se apresenta sozinho — disse Safira.

Viravolta estava prestes a avançar.

— Vou matá-lo com as minhas próprias mãos.

Levantou-se, derrubando a cadeira.

— Então está vivo — disse o Fabulista. — Muito bem, você conseguiu, Viravolta. Sempre me surpreende. Una-se a nós para o conto seguinte...

A voz havia mudado. Estava ainda mais grave que normalmente.

— "*A presa e a sombra*", meu amigo.

Pietro ia atirar-se sobre ele, mas mudou de ideia. O Fabulista acabava de se afastar para dar passagem a cerca de uma dezena de homens. Todos vestidos exatamente da mesma maneira que ele, usando mantô com capuz preto. Espalharam-se pelo recinto. Os clientes haviam se levantado; dentre eles, outros Fabulistas, disfarçados, se ergueram num farfalhar de capas e vestimentas. Os jogadores de xadrez se levantaram, os rostos marcados revelando serem bandoleiros contratados para a ocasião e não estrategistas. Inquietos, os empregados do Procope recuaram abafando os gritos.

O dono do local, um siciliano bigodudo, assim como seu progenitor, fizeram uma careta patética.

— *Madre mia*...

— Cometemos mais um erro — disse Beaumarchais cerrando os dentes.

— Tem razão — disse Safira. — E nem percebemos.

Na soleira do Procope, o Comandante ergueu o braço.

O tempo parecia novamente se expandir. Beaumarchais se aprumou.

— Bem, meus amigos, creio que será preciso nos defendermos.

Tirou a espada.

— E como sempre...

Colocou-se em guarda, a espada descrevendo um gracioso arco no espaço.

— Com distinção.

Por sua vez, d'Eon puxou da espada.

— Elegância.

Safira puxou dois punhais que girou nas mãos.

— Refinamento...

— E fervor — disse Viravolta, colocando-se ao lado deles.

Os quatro estavam no centro da trupe dos Fabulistas e dos mercenários. O grupo estava prestes a se atirar sobre eles. Pietro sorriu com ar perverso.

— Vamos barbeá-los! — disse Beaumarchais.

E fez sibilar a lâmina.

O Comandante abaixou o braço.

Num mesmo impulso, Fabulistas e mercenários avançaram. D'Eon, com a mão esquerda, fechou o leque de renda carmim e, com o polegar, apertou uma pequena mola na base do objeto. De cada extremidade surgiu então um dardo cintilante. Voltou a abrir o leque, com um gesto seco do punho, na direção dos atacantes. Uma chuva de pontas envenenadas atingiu três ou quatro dos personagens fantasiados. Logo vacilaram, sob o efeito violento do veneno. D'Eon afastou uma mecha do cabelo agitando o leque diante do rosto, enquanto Pietro o fitava abismado.

— Seria você também cliente de monsieur Marienne?

O travesti contentou-se em sorrir. Entre seus adversários, alguns sacaram as armas, prontos a disparar. Pietro tirou da cintura a pistola que recebera do funcionário da Casa Real. Puxou o gatilho repetidamente. Em meio a silvos e rangidos metálicos, os canos giraram em torno do eixo, atirando seis vezes, tiro após outro, e causando estrago entre os inimigos. Um deles, que acabara de pular por cima de uma mesa, girou um instante no ar antes de desabar diante de Viravolta, quebrando duas cadeiras no caminho.

— Eu também tenho umas cartas na manga.

— Ah, o Iluminismo! — exclamou d'Eon.

Em seguida atirou para longe o leque, e Pietro, a pistola de pólvora. Avançaram juntos em meio à disputa, espada em punho. A poucos passos, Safira havia aberto o vestido, deixando-o cair e revelando um corpo esbelto num traje azul-rei, mais adequado aos exercícios. Manuseava os punhais com maestria assombrosa. Beaumarchais não ficava atrás. Com um salto, pulara de uma cadeira a uma mesa de mármore. Abria espaço ao seu redor, hábil esgrimista que era. Dedicava-se à atividade com alegria. Pietro uniu-se a ele e salvou-o de uma enrascada, batendo-se com dois outros atacantes e saltando de uma a outra mesa.

— À direta! — gritava Pietro.

— À esquerda! — lançava Beaumarchais.

Enquanto isso, do portal, o Comandante observava o combate como quem assiste a um espetáculo. O rosto sempre escondido pelo capuz, por pouco não aplaudiu ao ver Orquídea Negra agarrar-se a um lustre e lançar-se ao outro lado do café, pousando em meio a três Fabulistas que punham Safira em perigo. O pessoal do café e os poucos clientes que não participavam da disputa tinham se atirado ao chão, a cabeça entre as mãos. Ouviam-se quebrarem copos, taças e garrafas; as estantes se reduziam a pedaços; os espelhos começaram a explodir num estilhaçar de estrelas; as cadeiras desfaziam-se.

De repente, o silêncio.

Viravolta e Beaumarchais, despenteados, olharam ao redor.

O cavaleiro d'Eon arrumou-se.

Safira fez o mesmo, ajeitando a peruca enviesada e procurando o vestido na confusão.

Cerca de vinte corpos jaziam, alguns estirados no chão, outros ainda sobre mesas e cadeiras com o braço formando ângulos bizarros. Escutavam-se gemidos. Rastros de sangue manchavam quase por completo o chão, em meio a cacos de vidro e pedaços de madeira. Um tornado havia passado ali.

Lentamente, os clientes, ou melhor, os raros sobreviventes, se erguiam.

Pietro lançou-se na direção da saída.

O Comandante sumira.

Dele só restavam a capa preta e a rosa vermelha, como se tivesse evaporado.

Pietro ajoelhou-se, as sobrancelhas franzidas, observando atentamente a rosa que tomou entre os dedos.

A presa e a sombra...

Atirou longe a rosa, arrumou-se e aproximou-se dos Fabulistas agonizantes. Enquanto isso, Beaumarchais limpava com ar enojado o sangue do fio da espada, Safira se arrumava e d'Eon dobrava o leque antes de enfiá-lo no decote, entre os seios postiços.

— Que aborrecimento! Sinto minhas pernas fracas — disse d'Eon.

— Por sinal, bastante graciosas — disse Beaumarchais.

— Sedutor...

— Não por minha culpa.

— Em todo caso, sua investida é admirável.

— Não é mesmo?

— Adoro esses cafés literários — sussurrou Pietro entre os dentes.

Agarrou o Fabulista de araque e tirou-lhe o capuz. O homem, atingido no estômago, ainda vivia, mas os olhos começavam a revirar. Pietro fez sinal a Safira pedindo um de seus punhais. Agarrou o moribundo pelos cabelos e o ameaçou com a ponta da arma, aproximando-a do olho apavorado.

— Quem é o Fabulista?

O homem tentou dizer alguma coisa. Um filete de sangue escorreu-lhe da boca.

— Onde ele se esconde? Responda.

O outro soltou um gemido. Pietro curvou-se.

— Como?

— Her... *Herblay*.... O ca... o castelo...

A seguir fechou definitivamente os olhos.

Herblay.

— Safira? Wolff? Ronac?

Todos se aprumaram e giraram a cabeça em sua direção.

— A cavalo. Temos trabalho.

Recuperou o tricórnio derrubado durante a luta e se penteou.

Ajeitou a orquídea no peito.

Nos lábios, um sorriso perverso.

— Desta vez, cabe a nós surpreendê-los — disse.

O macaco rei

Residência real de Choisy
Estrada de Marly

Enquanto a chuva fustigava as vidraças de Choisy, o rei refletia sobre as revelações.

Com olhar fixo, observava, como estupefato, as chamas tremeluzirem na lareira.

A carta de Charles de Broglie lhe informava da existência do *Secret*. Custava-lhe compreender a situação. Ou melhor, começava a entender, pouco a pouco, a necessidade de estar preparado para qualquer coisa. Então o avô, durante vinte anos, recorrera a agentes que constituíam um Gabinete Negro... *Um serviço fantasma! No mais alto escalão do Estado.*

Luís, assim como ocorrera ao duque d'Aiguillon, sentiu-se desamparado ao descobrir, de repente, a existência de uma diplomacia paralela. Agora no comando do reino, era preciso assumir o controle dessa máquina ainda mais complexa que as dos espetáculos dos tempos de Lully! Não era somente o contato com todos os outros negócios políticos que deixava Luís perplexo: encontrava-se diante de um abismo. Tomava conhecimento do modo como o serviço operara nas sombras para tentar colocar um príncipe francês no trono da Polônia, tendo como único resultado o aniquilamento do país. Tentara conter a potência inglesa, também com parcos resultados. Apenas na Suécia obtivera sucesso. A pergunta que se impunha era: salvo a Suécia, de que adiantara esse serviço?

O conde de Broglie aguardava suas instruções. E agora? Luís devia decretar a dissolução da rede de uma vez por todas ou reativar essa "agência" subterrânea e dar continuação à obra do avô? Para coroar tudo, fora informado de que os vienenses haviam decodificado as mensagens trocadas pelos agentes do *Secret*. Luís mal entendia os tais códigos. As práticas da rede davam o que pensar. Os nomes dos agentes haviam conseguido mergulhá-lo em inquietantes reflexões. Dumouriez, Breteuil, d'Eon, Beaumarchais, sem falar daquele agente veneziano, Viravolta, servo de dois senhores! Todas essas personalidades, se um dia se reunissem às claras, podiam causar grandes danos ao reino — tendo como pedra angular o conde de Broglie, o inimigo jurado do duque d'Aiguillon, exímio conspirador, mas um estrategista de segunda linha!

O conde Charles de Broglie se defendia: não, jamais conspirara contra o reino; sempre cumprira as ordens diretas do soberano. Repetia que seu exílio devia-se a um conluio arquitetado pelo duque d'Aiguillon e pela condessa du Barry, afirmando não passar de mero bode expiatório. Explicava os fundamentos da organização do *Secret* e revelava a identidade de alguns agentes: d'Ogny, o intendente dos Correios; Guimard, encarregado da transmissão de ordens no palácio; Dubois-Maring, responsável por decifrar as instruções e pela codificação das respostas endereçadas ao rei. Tudo era bastante técnico. Luís não recebera a lista dos agentes da rede propriamente dita, que, sem dúvida nenhuma, não existia senão na cabeça do conde... A menos que...

Guimard lhe entregara a correspondência de Broglie; d'Ogny, as cartas em linguagem cifrada. O rei as abrira para ver como era a cifra. No maço entregue por d'Ogny, duas cartas usavam linguagem normal: uma do cavaleiro d'Eon, assinando como William Wolff, e a outra de Desrivaux, cônsul-geral de Ragusa. Tanto um quanto outro o interpelavam acerca dos negócios em curso. O rei se preparava para responder a Charles e enviar as missivas pelo mesmo portador, com o pagamento, a todos os agentes, correspondente ao mês de maio. Deixaria Broglie manter seu "escritório" até julho, antes de lhe endereçar ordens mais claras. Até lá permaneceria mudo como um túmulo, enquanto tomava a sua decisão. Averiguaria as exatas razões que motivaram o exílio do conde a fim de avaliar com mais justeza a situação. Até julho, pelo menos, ele formaria uma opinião...

Que fazer do Secret?

Tudo acontecia rápido demais.

Esticou as pernas diante da lareira e passou a mão nos olhos.

Depois retomou o trabalho. Para sua grande surpresa, recebera no mesmo dia outra correspondência inesperada, também cifrada, mas de maneira distinta. Endereçada a ele, fora entregue nos portões de Choisy a um soldado da guarda que seguira os trâmites normais, obedecendo à hierarquia. D'Ogny e Guimard afirmavam não ter tido conhecimento dela. Examinaram o envelope e o sinete impresso a cera no qual constava apenas um estranho F. Chegaram a suspeitar que a carta pudesse estar envenenada, como era moda em Versalhes; contudo, não havia nenhum indício de veneno. A correspondência não chegara pela via habitual utilizada pelo *Secret* e parecia... ter sido concebida especialmente para o rei. Entregaram-na ao monarca após a leitura, com seu consentimento, e usando de mil precauções. D'Ogny sabia por Charles de Broglie, a quem comunicara de imediato a chegada da carta, o significado do F. Coisa absurda e extraordinária, a *chave* do código era fornecida, como um jogo destinado ao rei em pessoa. Agora, curvado diante da lareira, os olhos franzidos, Luís ocupava-se em decifrar o código, uma pena sobre os joelhos. D'Ogny copiaria o conteúdo para transmiti-lo a Broglie e a Dubois-Martin, para que este tomasse as devidas providências.

Mas o rei não precisava esforçar-se. O código era primário. Estava prestes a decifrá-lo.

8♣4♥♣24♥5♦♠3♥326 ♠524♥3 178○3♥243
■3 1153173 2♦♣ ♠5♦♥3♥24 93♥24♣143...

...Assim, Majestade, tereis encontrado
O poema que tenho a vós destinado,
Para o dia seguinte
ao que entrardes na dança;
É de Esopo, de fato,
A fábula que me deixa estupefato:

O MACACO REI

Falecendo o rei dos bichos,
Que era um célebre leão,
Reúnem-se os seus vassalos
Para uma nova eleição.

Tiram do estojo a coroa,
Que um dragão guardado havia.
Por todos experimentada,
A nenhum deles servia;

Era grande para muitos;
Para alguns pequena fica,
E nos que têm fronte armada
Sobre os chavelhos embica.

Rindo e fazendo caretas,
Também o momo ensaiou,
E cortejando-a, — mil sortes,
Mil momices praticou;

Como por arco de circo
Por dentro dela pulando,
Foi do povo circunstante
Aplausos angariando,

E tanto disso gostaram,
Que o macaco foi eleito;
E a maioria dos bichos
Acudiu a dar-lhe preito.

Pesou somente à raposa
O voto que havia dado;
Mas esse arrependimento
Ficou no peito guardado.

Prestada sua homenagem,
O matreiro diz ao rei:
"Há, senhor, dinheiro oculto
Em sítio, que vos direi.

Pertence ao rei, por direito,
Todo o tesouro escondido."
E, revelando o segredo,
Fala ao macaco no ouvido.

O novo rei que o dinheiro
Ambicioso almejava,
Foi ao lugar, em pessoa,
Pois em ninguém confiava.
Cai num laço. E da raposa
Ouve em nome dos vassalos:
"Se não sabes governar-te,
Como queres governá-los?"

Foi demitido o macaco
E demonstrado também
Que a muito poucas pessoas
O diadema convém.

Em breve morrerás,
Assinado:
O Fabulista.

(Tradução: Barão de Parapiacaba)

Refletido no espelho, o rei viu seu rosto confuso.
Nada compreendia.

*
* *

Anna Santamaria retornava, de carruagem, da loja de Rose Bertin, modista da rainha.

Jamais Rose Bertin poderia imaginar ter sido predestinada a alçar esse firmamento de glória. Nascera em Abbeville, filha de um cavaleiro do *maréchaussée*[1] e diziam — enfim, ela dizia — que uma cigana lhe previra um futuro excepcional. Jovem provinciana, desembarcou em Paris com 16 anos sonhando em um dia se apresentar na corte. Encontrou emprego como funcionária na loja *Trait-Gallant* de madame Pagelle. Rose chamava-se na verdade, Marie-Jeanne, mas julgou que um nome de flor seria mais apropriado e facilitaria sua apresentação aos círculos da corte, medida que se provou inteligente. Como abelha trabalhadora, começou por percorrer Paris oferecendo às damas da sociedade caixas de fanfreluches e de frivolidades. Conheceu a duquesa de Chartres, a princesa de Conti e a princesa de

[1]*Maréchaussée* — Este serviço passou a se chamar, em 1791, "Gendarmerie nationale". No Antigo Regime, era constituído por um corpo de cavaleiros, sob as ordens de um grupo de marechais, e encarregado das funções da atual polícia. (*N. da T.*)

Lamballe. Logo julgaram que a essa jovem não faltava mordacidade. O duque de Chartres, que a considerava formosa, propôs-lhe ser sua amante. Rejeitado, argumentou que poderia promovê-la e cobri-la de diamantes. Um dia quando ela conversava com a condessa d'Usson, o duque foi anunciado. A jovem não se levantou. Madame d'Usson, surpresa com sua atitude, a reprovou severamente, ao que Rose respondeu tranquila: "É que a senhora condessa não sabe que, se eu quisesse, hoje à noite seria a duquesa de Chartres... Desde que o duque não se esqueça da posição que ocupa, eu me recordarei da enorme distância que existe entre nós." Após o que fez uma profunda reverência e se foi.

O rasgo de ironia rendeu-lhe a fortuna. Rose Bertin abriu sua própria loja, *Au Grand Mogol*, na rue Saint-Honoré e, em pouquíssimo tempo, não dava conta de tantos pedidos. A própria Maria Antonieta afeiçoou-se a ela. Anna Santamaria também, de vez em quando, frequentava sua loja, embora Rose, em geral, fosse à corte. A jovem fizera bem em acreditar na profecia da cigana; obtivera êxito. Assim como Anna; pois grande dose de habilidade fora necessária para não se indispor com a madame du Barry, quando esta ainda habitava Versalhes, e, ao mesmo tempo, merecer a confiança de Maria Antonieta e da princesa de Lamballe, inimigas juradas da condessa. Ana aprendera tais expedientes quando ainda era esposa do astuto Ottavio, na Sereníssima. Além disso, pertencente a uma família aristocrata, os Santamaria de Veneza, habituara-se de longa data às intrigas da corte. A família do pai contava com vários diplomatas, dos quais dois haviam sido embaixadores na França.

Anna voltava carregada de caixas. Comprara um chapéu de palha muito sofisticado, guarnecido de fitas de tafetá, outro adornado de cetim e, para amarrar sob o casaco, um *fichu* de organdi e uma boina de linho. Pensava em suas compras, um sorriso nos lábios, quando o coche estancou bruscamente. Surpresa, afastou as cortinas cor de violeta e olhou para fora.

O homem curvado que se aproximava lhe pareceu vagamente familiar. Era de uma feiura inacreditável. O rosto trazia três cicatrizes, o lábio superior repuxado num ricto. Parecia fugido de um conto de terror infantil. De imediato, Etienne viu que não lhe haviam mentido. A boneca italiana era esplêndida. Olhou cobiçosamente o magnífico pescoço e os seios fartos como melões; ela trajava um vestido de corpete cinturado e decote profundo, fechado por colchetes e mais comprido atrás para acentuar-lhe os quadris; o vestido de veludo ameixa desenhava nitidamente a silhueta em formato de ampulheta. A cabeleira dourada de Anna Santamaria estava presa em cachos. Uma joia incrustada, em formato de borboleta, parecia ter pousado em seus cabelos por acaso.

O facão de caça empunhado pelo servo do Fabulista dissipou qualquer dúvida da italiana quanto a suas intenções. Logo o fedor exalado pelo homem invadiu o coche.

Anna também notou que ele não estava sozinho. O coche havia sido parado e cercado por seis outros personagens, na estrada pavimentada que conduzia a Marly. Ela não podia ver o cocheiro que, coagido, tinha uma faca apontada para sua garganta.

— E-eu nada pude fazer, madame! — exclamou.

Anna acreditou ser capaz de talvez persuadir o raptor.

Quando ele enfiou a cabeça pela portinhola, ela ergueu lentamente o vestido.

— Pois não, meu amigo. O que quer de mim?

— Desça e siga-me — disse Etienne com voz melosa.

Ele abriu um sorriso radiante, revelando os cacos de dentes, sem o menor pudor.

A mão de dedos delicados de Anna subia pela coxa; o vestido revelou um pedaço de pele... e uma fração da liga de renda preta.

Um anel cintilou.

Etienne não perdia um único gesto.

— Mas, senhor... Sabe quem eu sou e como era conhecida em Veneza?

Ele não viu o pequeno punhal veneziano de cabo nacarado que ela tirou de súbito da liga presa na coxa; o braço descreveu um pequeno arco.

O homem mal teve tempo de desviar a cabeça. O punhal acabava de produzir um profundo talho em seu queixo. Mais um!

— Eu era conhecida como A Viúva Negra.

— VAGABUNDA! — berrou.

Os outros vilões se precipitaram exibindo adagas e pistolas em punho.

Ao ver-se cercada, Anna saiu do coche em atitude desafiante.

Parou diante deles, em toda sua altivez.

Etienne havia recuado alguns passos e passava a mão no queixo ensanguentado.

— Agora você me paga.

Um dos comparsas o deteve.

— Não! É preciso entregá-la intacta. Não se esqueça.

— Eu sei e quando tivermos terminado, minha belezura... Você também sentirá o gosto do meu punhal.

Contentou-se em apertar-lhe a bochecha. Ela afastou o rosto enquanto a cercavam.

— Não me toque, seu miserável.

— Vamos. Cubra-lhe os olhos.

Levaram-na.

Batalha campestre

CASTELO DE HERBLAY

— E agora?

Viravolta escondeu-se na sombra.

D'Eon e Beaumarchais o acompanharam e se esconderam atrás de um arbusto de buxo. Quanto a Safira, ela seguia ao encontro de Charles de Broglie em Ruffec. Tinham estranhado o fato de o chefe reunir seus agentes no Procope para o que acabara se transformando em emboscada. Ou a informação vazara de algum modo... ou Broglie estava envolvido. Nem Pietro nem os colegas ousavam conceber esta última hipótese. Entretanto, era preciso manter a lucidez. Safira se oferecera para desempenhar a perigosa missão. A missão agora enfrentada por Viravolta, o dramaturgo e mademoiselle d'Eon não era menos perigosa.

— Já contei uns dez deles espalhados em torno do castelo.

A noite caíra. A lua, manchada por suas crateras, brilhava encoberta pelas nuvens. A silhueta do castelo abandonado evocava uma mansão gótica, cercada de mochos e de morcegos. Luzes tremeluziam no interior. Na extremidade sudoeste do casarão, uma torre finalizada em um teto pontudo formava um torreão. De ambos os lados dos degraus da escadaria entreviam-se os antigos fossos. Mais adiante, entreouviam-se coaxares vindos de um lago.

— Eu vou até lá explorar o local — propôs Pietro.

— Ir até lá? Lá onde? — sussurrou Beaumarchais.

— Vou subir pela torre.

— Pela torre? — perguntou d'Eon, atônito.

Pietro sorriu, passando o dedo na borda do tricórnio.

— Darei um sinal para vocês.

Adiantou-se.

— Mas... Viravolta!

Ele já não os escutava.

— Incorrigível — disse Beaumarchais.

— Italiano — completou d'Eon.

A silhueta de Pietro desapareceu na noite. Esgueirou-se entre dois sentinelas que, lanternas na mão, trilhavam o caminho dos antigos fossos localizados na ala sul. Escondido atrás do torreão, Pietro ergueu os olhos. Na mansarda, cerca de 9 metros acima, uma janela suficientemente grande para permitir a entrada de um homem estava aberta; uma das folhas da janela batia. Pietro procurou no cinto a pistola de Augustin Marienne. Divisou o gancho localizado na parte superior do cano e verificou o mecanismo de propulsão. Agora precisaria desembaraçar o fio de metal, semelhante a uma serpente e travado por anéis inextrincáveis. Ora! Essas travas... Que absurdo! Tentou várias vezes. Levantava e descia a trava lançando olhares ao redor. Corria o risco de ser descoberto a qualquer momento. Instalou o arpéu no fundo do tubo até ouvir o estalido salvador... Em seguida, apontou a arma para a janela.

Clic.

Nada.

Clic clic clic.

Pietro observou o cano.

Enquanto isso, Beaumarchais distraía-se como podia, preocupado em não desperdiçar por completo seu tempo.

— Sabe, mademoiselle d'Eon... Nós dois, aqui... Na escuridão da noite, nessas moitas...

Abraçara-a pela cintura. D'Eon desvencilhou-se.

— Pare com isso. Nem pensar!

Rejeitado, Beaumarchais não insistiu. Abriu um sorriso.

D'Eon encolheu os ombros.

O dramaturgo suspirou e voltou o olhar na direção de Pietro.

— Ai — gemeu baixinho.

— O que houve?

— *Vem gente ali* — disse Beaumarchais apontando com o queixo o local onde se encontrava Viravolta.

Um dos sentinelas aproximava-se perigosamente, a poucos metros do torreão onde o veneziano estava escondido. Preocupado, Beaumarchais franziu o cenho. Ele e d'Eon continuavam protegidos no esconderijo.

— Precisamos fazer alguma coisa — sussurrou d'Eon.

— Sim, mas o quê?

— Sei lá. Assovie!

— Assoviar? Como assim, assoviar?

Ele balançou a cabeça, assumiu expressão desdenhosa e se abaixou.

— Rápido! *Rápido!*

Beaumarchais acabara de pegar uma pedrinha. Deixando o esconderijo, atirou-a com força e voltou a esconder-se atrás dos arbustos.

— Não encontrou solução melhor?

Beaumarchais fez uma careta.

— Por vezes seu estilo é bem negligente — resmungou d'Eon.

A pedra ricocheteou com um ruído seco contra a muralha do castelo. A lanterna mudou imediatamente de direção; vigilante, o guardião se voltara.

Parou a alguns metros, em posição de alerta. Beaumarchais e d'Eon prenderam a respiração. A lanterna oscilava de um lado para o outro. O homem sondava a escuridão. A brisa fria agitava a folhagem das castanheiras.

Clic clic clic.

Pietro extenuava-se, o arpéu sempre apontado na direção da janela.

O sentinela retomou a marcha, caminhando na direção de Pietro.

Desta vez ele escutou os passos.

Anda! ANDA!

Apertou novamente o gatilho.

O sentinela estava quase ao lado de Viravolta quando o arpéu disparou num zunido.

O fio se estendeu imediatamente e o gancho de metal passou pelos batentes da janela aberta. Pietro o puxou e o gancho prendeu no parapeito. O veneziano se curvou; bastou-lhe deslizar a alavanca na direção oposta e o fio começou a se enrolar no mecanismo de propulsão, erguendo Pietro sem esforço na direção da janela. O sentinela surgiu na curva do torreão. A luz da lanterna por pouco alcançou os pés de Viravolta, desaparecendo, e voltou a oscilar um breve instante, como se o homem pressentisse algo. Beaumarchais, escondido nas moitas, estremeceu; d'Eon segurou-lhe o braço. Pietro estava a salvo. Uma nuvem passou, a lua voltou a surgir: mal tiveram tempo de ver a perna do colega desaparecer no interior do castelo.

— Ele conseguiu! — exclamou d'Eon.

— Façamos como ele sugeriu. Esperemos seu sinal.

Viravolta aterrissou com presteza no piso de pedra do castelo.

Pronto. Foi fá...

Parou.

Apontadas para ele, três pistolas de pólvora.

Deu um sorriso pesaroso.

Uma silhueta encapuzada cumprimentou-o em tom irônico:
— Boa-noite.

Levada até o castelo em seu coche, Anna Santamaria encontrava-se no momento num imenso salão do último andar. Stevens em pessoa viera recepcioná-la. O Fabulista a eles se reunira. Cercada pelos raptores, o nariz atrevido levantado, permanecia diante deles, as mãos ainda amarradas, uma venda branca a cobrir-lhe os olhos. Uma mecha caíra-lhe na testa. O busto subia e descia a cada respiração. Stevens havia se apossado do punhal da prisioneira e o deixara na mesa localizada no centro do aposento.
— E então? Onde estou? — perguntou ela de modo insolente. — E quem se rebaixa a sequestrar mulheres indefesas?
Stevens sorriu.
— Bastante indefesa, como pudemos constatar.

O Fabulista, sentado a certa distância, junto a uma imponente lareira, apoiava o queixo numa das mãos enluvadas e mexia, de quando em vez, a bota com indiferença, afastando as cinzas e a poeira do chão. Perto da lareira, fole e tenazes penduradas em ganchos de ferro. O teto alto era decorado com vigas de carvalho maciço. Um lustre antigo, preso a um gancho na parede do lado norte, estava aceso. Uma tapeçaria rasgada, retratando uma cena de caça na floresta de Saint-Germain, cobria a parede do lado sul. A leste, as cortinas carmesins ocultavam outra ala da construção. Sobre o tapete empoeirado, no centro do aposento, uma mesa de pés curvos e seis cadeiras. Pelas janelas, vislumbrava-se a lua e as copas das árvores fustigadas pelo vento; ao longe, os tetos e o sino de Herblay.

Stevens aproximou-se de Ana e acariciou-lhe o rosto. Ela desviou a cabeça.
— Ora, minha querida, minha furiosa... Calma.
Ele voltou-se na direção do Fabulista.
— Você conseguiu colocar as mãos no valete, mas não no patrão. Vai se contentar com a mulher?

— O valete? O patrão? Do que estão falando? — perguntou Anna.

— Talvez eu tenha outros planos. Com ela em nosso poder, Viravolta fará o que quisermos. Será capaz de se entregar para o próprio sacrifício; ou então servirá a nossos interesses. Não se preocupe. Deixe que eu cuide de tudo. O terreno ficará livre e juntos aplicaremos o golpe final.

— Quem são vocês? — gritou Anna. — Onde está Pietro? E meu filho?

Stevens a examinava de alto a baixo. A mulher era de uma beleza de tirar o fôlego. O rosto em brasa e a fúria quase animalesca a tornavam ainda mais bela.

— Eu lhes imploro. Vamos conversar.

Stevens acariciou a rosa que trazia no peito.

Red for Lancaster, white for the York.

Retirou a venda dos olhos de Anna.

Ela conteve um grito quando Stevens, um sorriso no rosto, descansou a mão em seu ombro.

— Minha querida, decididamente você tem olhos magníficos... Apaixonantes, bela marquesa... São verdes, azuis ou cor de avelã? Um pouco de todas os matizes, conforme a luz... Surpreendente... E se não bastassem os olhos...

— Stevens! — interveio o Fabulista. — Não misture as coisas.

Stevens sorriu e disse com ar malicioso:

— Aposto que você não a usaria da maneira como eu pretendo.

O Fabulista permaneceu mudo, o rosto escondido pelo capuz.

Stevens voltou a fitar Anna:

— Minha querida, providenciarei para que sua estada no castelo seja das mais confortáveis. Caso se mostre sensata, poderei até mesmo soltar seus...

Interrompeu-se. Golpes surdos e repetidos na porta.

Stevens perguntou irado:

— Posso saber o que está acontecendo?

A porta se abriu e Etienne apareceu. Numa reverência irônica, passou a língua nos lábios e finalmente respondeu:

— Orquídea Negra está aqui.

Stevens e o Fabulista se entreolharam.

O coração de Anna acelerou.

— Ainda é tempo de fugir — disse ela em tom zombeteiro.

— Vi-Viravolta? — repetiu Stevens, incrédulo.

— Está bem guardado — afirmou Etienne, orgulhoso. — Ele tentou entrar no castelo... Nós o prendemos numa cela.

— Tem certeza? — voltou a perguntar Stevens.

Etienne meneou afirmativamente a cabeça. Anna encolheu-se.

— Ele foi ainda mais rápido do que imaginamos — disse o Fabulista.

— Inútil se vangloriar — retrucou Stevens. — Bastaram dois ou três homens para pegá-lo, enquanto vinte outros fracassaram no Procope. Não há motivos para comemorações.

— Sou obrigado a concordar — disse o Fabulista, franzindo o cenho.

Fez-se silêncio. A seguir, Stevens voltou-se para Anna.

— Bem, está feliz? Mas isso não é o mais interessante. Acho... Acho que ele ignora sua presença aqui.

Voltou-se na direção do Fabulista.

— Meu amigo, preparemos o reencontro, se estiver de acordo... Cabe a você encontrar a fábula mais conveniente. Nosso convidado será cão, asno ou mocho? E quanto a *ela*? Rata, tigresa?

O Fabulista tirou lentamente as luvas.

Anna baixou os olhos na direção das mãos... Pestanejou.

Ele exibiu os dedos cobertos de anéis cintilantes.

Stevens voltou-se na direção de Etienne.

— Pode trazê-lo... assim que estivermos prontos.

Onde a loucura guia o amor

CASTELO DE HERBLAY

Ainda escondidos atrás dos arbustos, Beaumarchais e d'Eon impacientavam-se.

— O que ele estará fazendo?

— Ele disse que nos daria um sinal — disse o cavaleiro.

— Está demorando demais.

— É preciso confiar nele.

— E se ele teve algum problema? — perguntou, aflito, Beaumarchais.

— Ele? Por favor... Nada poderá impedi-lo.

O olhar de Pietro percorria a pedra úmida ao ser conduzido, as mãos amarradas, pela escadaria em espiral na direção da mansarda. Uma porta com fechadura de ferro se abriu. Foi empurrado para dentro do salão. O lustre, as velas e os candelabros, a lareira, a tapeçaria. Na cabeceira da mesa reinava Stevens. Pietro observou o rosto comprido, o cabelo grisalho, os olhos profundos, a ausência da orelha, a prega nos lábios. Notou a rosa no peito. Stevens sentava-se em uma das cadeiras entalhadas; atrás dele, a mão sobre o encosto, a silhueta encapuzada. O Fabulista inclinou ligeiramente a cabeça sem nada dizer.

Stevens tomou a palavra.

— Então é verdade. É você! A que devemos a honra da sua visita?

— Você é irritante, Viravolta! — exclamou o Fabulista sem lhe dar tempo para responder à pergunta de Stevens. — Eu me pergunto como conseguiu sobreviver no covil do leão e depois no Procope... E como nos encontrou aqui.

Pietro percebeu que ele disfarçava a voz.

— Hummm... Ele simplesmente conseguiu seguir vocês.

O sotaque não deixava dúvidas. Esse homem era inglês. Sem perder um instante, Pietro continuava a analisar a situação. Sentiu um leve odor. Um perfume, um perfume que...

Franziu as sobrancelhas.

Stevens se levantou, apontando para uma folha de velino acompanhada de uma pena e de um tinteiro, na comprida mesa de madeira. Havia também um punhal e Etienne colocou as armas que tirara de Pietro junto ao punhal. Stevens deu uma gargalhada ao avistar a pistola de Augustin Marienne e seu arpão.

— Formidável — exclamou tomando-a nas mãos. — Coloque a arma em local seguro.

Voltou a encarar o veneziano.

— Tivemos uma ideia deliciosa. Um jogo, antes de acabarmos com você. Vamos soltar-lhe as mãos, caro amigo. Não se aproveite para tentar nada, pois seria pura perda de tempo.

Fez novo sinal e, imediatamente, um grande grupo atravessou a porta de madeira e cercou Viravolta. Um deles soltou as cordas. Pietro esfregou os punhos doloridos. Dois outros se postaram nas laterais das grandes cortinas.

— Quem são vocês? — perguntou Pietro.

Stevens sorriu e o convidou a sentar-se numa das cadeiras esculpidas. Pietro obedeceu. Diante dele, a folha vazia, a pena e o tinteiro. Mas o que mais lhe chamava a atenção era aquele perfume... O odor no aposento tornava-se cada vez mais presente, mais forte.

Stevens estalou a língua.

— Precisamos escrever uma última fábula, caro amigo. E, juntos, uma nova página da história. Aliás, julgo bem a propósito que ela seja escrita por você. Assim, Orquídea Negra terá contribuído para nossa obra-prima. O que acha da nossa proposta?

— Acho que perderam o juízo — respondeu Pietro. — Vocês me lembram um renegado com quem cruzei em Veneza...

Stevens deu um sorrisinho.

— Vamos, meu amigo. Ao ditado! A fábula que vamos escrever juntos é destinada a um alto personagem. Para ser sincero, um dos mais altos personagens do reino. Um personagem de quem você é bastante próximo. Por isso, o fato de usarmos sua letra em nossa declaração é, pode acreditar, um verdadeiro presente dos céus.

Pietro parecia uma criança diante da folha.

— Você está louco.

— Ah... é que você ainda não entendeu toda a situação... Deixe-me esclarecê-lo. Farei um pequeno preâmbulo, se me permite. Os antigos nos ensinam que nada como um pouco de teatralidade para desestabilizar o inimigo em tempos de guerra. Compreende? Trata-se do valor da encenação. Do dramático. Dar a impressão de que se é invisível. Aparecer e desaparecer tal uma sombra, um mito. Usar de artifícios e sumir em meio a uma nuvem de fumaça. Nosso Fabulista é muito habilidoso, não é? Verdadeiramente habilidoso. Quanto a mim, faço o que posso. Uso as minhas próprias armas. Eis, portanto, o que tenho a lhe oferecer...

Esse perfume... Mas claro, é o cheiro de...

E esse punhal veneziano sobre a mesa...

Então lorde Stevens fez um sinal ao Fabulista que, num gesto teatral, abriu as cortinas.

— Anna Santamaria, de Veneza!

Pietro achou que o coração ia parar de bater.

Quanto ao Fabulista, começou a recitar:

O Amor e a Loucura
Livro XII — Fábula 14

No amor tudo é mistério, como eu dizia:
suas flechas, sua aljava, seu archote, sua infância.
Não é obra de um dia
Esgotar esta ciência.
Não pretendo, portanto, tudo aqui explicar.
Meu objetivo é tão somente dizer
Como o cego que aqui está a nos escutar
(É um deus), como, dizia eu, deixou de ver;
Que consequências teve esse mal, que talvez seja um bem
Deixo a critério dos amantes e nada decido; não me convém.

Atrás das cortinas, Anna, os olhos novamente cobertos com uma venda e uma mordaça a tapar-lhe a boca, equilibrava-se em uma prancha de madeira estendida sobre um grande vão. Com as mãos atadas e os pés ocultos pelo vestido, mantinha-se ereta, imóvel, a respiração contida. Pranchas instáveis, algumas cobertas de líquen e de aparência apodrecida, encimavam o poço e permitiam a passagem de uma extremidade a outra. Pietro compreendeu que, na verdade, o poço nada mais era que vestígios de uma escada de pedra em ruínas. Outrora, devia subir numa espiral pelo interior do castelo. Fora visivelmente abandonada há muito, como testemunhavam as grandes portas de carvalho sob as cortinas abertas, que, no passado, barricavam a ala oeste do edifício. Essa escadaria de pedra e madeira mofada, invadida pela hera, permanecia como o fantasma de uma antiga habitação. Nas paredes junto aos degraus que conduziam a parte alguma, mergulhados na sombra, Pietro podia distinguir retratos amarelecidos pelo tempo, olhos perdidos numa obscuridade fúnebre. Uma corda, presa numa estranha polia no teto, oscilava lentamente no vazio, de um lado a outro, descendo pelas profundezas. As correntes de ar frio zuniam de uma extremidade a outra da abertura; embaixo, nada se distinguia senão uma boca escura como que mergulhada nas entranhas da terra, de onde subiam espirais de bruma...

Ao menor passo em falso, Anna cairia e partiria o pescoço.

Um homem mantinha-se atrás dela, punhal na mão, pronto a fazê-la avançar.

E o Fabulista declamava:

Um dia, ambos brincando,
O Amor com a Loucura,
Tinha inda o Amor seus olhos,
Travam-se de disputa.
O Amor quer que sobre ela
Se ouçam os numes todos.
Loucura, que é insofrida,
Tão desmarcado golpe
Lhe desanda, que o priva
De ver, nem céu nem terra.
Vênus, que é mãe, que é dama,
Que motins não faria?
Pede vingança aos brados,
Aos aturdidos numes.
E Júpiter, e Nêmesis,
E do inferno os juízes,
E enfim toda a caterva...
Vendo a enormidade
Que, sem bordão, seu filho
Não possa dar um passo,
Mostrou desse mau feito;
Que a tal crime, nenhuma
Pena seria grande;
E que às perdas e danos
Reparo se devia.
Quando bem considerado
Foi o interesse público,

E o da parte, — por cabo
Resultou o Supremo
Tribunal, que a Loucura
Servisse a Amor de guia.

(Tradução de Filinto Elísio)

— Desculpe — comentou Stevens. — Isso não estava previsto, não é? Você devia estar morto. Sua sobrevivência e inesperada incursão obrigaram nosso amigo a modificar nossos planos. É uma improvisação! O suspense da cena, você sabe a que me refiro.

Ele riu e abriu os braços.

— *Madness leading Love*, a Loucura e o Amor! Ah! Esses versos seriam dignos de nossos melhores poetas ingleses! Sabe que comentam que essa poesia inspirou-se em uma longa alegoria de Luise Labé em *Le Débat de Folie et d'Amour* e recuperado mais tarde, creio eu, pelo padre jesuíta Comire em *Carmina*? Esse texto contém um poema latino de incrível beleza, que La Fontaine reinventou. Um poema unanimemente elogiado... Mas eu me disperso.

Stevens, as mãos enluvadas unidas nas costas, caminhava pelo salão. Fez sinal ao homem atrás de Anna que portava um punhal e este retirou a mordaça.

— Pietro!

— Você está ferida?

— Eis então, Viravolta, os termos do jogo. A cada verso que escrever, de modo legível, por gentileza, terá direito a dar a sua querida esposa uma indicação quanto ao próximo passo. Mas atenção: algumas das pranchas já estão podres... elas não aguentariam seu peso. Admita que nisso reside, de alguma forma, uma metáfora do casal. O que acrescenta um pouco de tempero à nossa aventura. Vamos, Viravolta! Você representa a Loucura e ela, o Amor. Conseguirá conduzi-la ao outro lado do precipício?

— Tudo vai dar certo — disse Anna com voz tensa, uma voz que traía sua angústia.

— O que tenho a ganhar? — perguntou Pietro.

— E ainda me pergunta? Mas Orquídea... Você ganhará a vida da sua amada. Não compreende? Se escrever nossa Fábula e ela conseguir atravessar o precipício, ela viverá... Quanto a você... Bem, aí é uma outra história...

A boca de Pietro estava ressecada.

Não! Ela não! Tudo, menos isso.

A imagem de Landretto pendurado na árvore veio-lhe à memória. A morte naquele jardim... E agora, era com ela que eles brincavam, com ela!

Sangue frio. Eu imploro. Não o perca agora.

A *Loucura cega conduzia o Amor.*

— Solte-a — pediu Pietro. — Ela nada tem a ver com tudo isso.

O suor escorria-lhe no rosto. Stevens pigarreou.

— Não diga bobagens. Comecemos. Tenho certeza de que conhece nossa fábula. Ela é, lhe dirá nosso especialista aqui presente...

O Fabulista inclinou-se, a mão no coração.

— Ela é, como dizia, a primeira do primeiro livro de La Fontaine. Nenhuma outra suscitou tantos comentários. Seu querido Rousseau a usou como exemplo do que não convinha ler para as crianças. Mais uma vez consideramos a primeira versão de Esopo.

Pietro balançou a cabeça.

— A cigarra só aparece, por assim dizer, uma única vez nas fábulas. Ela simboliza a negligência, a despreocupação, a imprevidência. Outro defeito humano... Mas essa fábula é recheada de erros! Por exemplo, a cigarra se queixa de não lhe restar migalhas, como mencionado no texto. Além disso, ela morre no final do verão. Ela não pode, portanto, falar da fome "na tormentosa estação" sem contar que a formiga, que dorme no inverno, não pode escutá-la. Para terminar, as formigas são carnívoras e não têm interesse em grãos. Aos Fabulistas é permitida toda sorte de fantasia. Licença poética, dirão...

Mas do que ele está falando?, perguntava-se Pietro.

— Comecemos! — repetiu Stevens.

Deteve-se.

— Livro I. Fábula 1: "A cigarra e a formiga". Pegue a pena, Viravolta.

A mão trêmula, Viravolta pegou o artefato.

— Você tem sorte — sorriu Stevens. — Vai redigir com a própria pena a sentença de morte do reino da França.

Pietro reprimiu um sorriso. A *pena!*

Era a pena que lhe tinham tomado. E o tinteiro também.

Lembrou-se do gracejo de Augustin Marienne. A *pena é mais forte que a espada.*

Augustin! Que Deus o abençoe.

Abriu lentamente a tampa do tinteiro, nele mergulhando a pena seca.

A ponta do punhal foi encostada na cintura de Anna para incitá-la a dar um passo à frente sobre o poço. Ela tremeu. A prancha fremiu.

Stevens começava o ditado:

— Escreva.

Tendo a cigarra em cantigas
Folgado todo o verão,
Achou-se em penúria extrema
Na tormentosa estação.

(Tradução de Bocage)

A pena permaneceu em suspenso sobre a folha.

Pietro inspirou.

— Você tinha razão — disse com um sorriso maldoso.

— A respeito de quê? — surpreendeu-se Stevens.

— *Da teatralidade. E das nuvens de fumaça.*

Tudo aconteceu com surpreendente velocidade.

A pena explosiva

CASTELO DE HERBLAY

Quando a explosão derrubou batentes e vidros do andar, houve um sobressalto nas moitas.

Atônito, Beaumarchais voltou-se para o cavaleiro.

— Será este o sinal?

D'Eon fuzilou-o com um olhar de censura.

— O que faremos?

Sobressaltados, uma dezena de homens que patrulhavam os arredores do castelo correram na direção da escadaria. De repente, surgindo do parque a toda velocidade, chegou um novo intruso. Seu tricórnio tombou às suas costas. A fita do rabo de cavalo começava a se desfazer. Envergava um casaco marrom, sem ornamentos, gola redonda, mangas compridas e bolsos com aba triangular sobre uma casaca de pele de pêssego, calças brancas e botas reluzentes. No rosto, exibia a juventude, a intrepidez — e, sobretudo, um raio de loucura. Desembainhou a espada sem interromper a cavalgada e a apontou com orgulho na direção das silhuetas inimigas. Os homens largaram as tochas. Cosimo Viravolta, cabelos ao vento, gritava para ganhar coragem.

— Quem é esse?

— Não sei, mas é valente e parece estar do nosso lado.

O rapaz chegou ao centro do círculo inimigo desferindo golpes a torto e a direito.

Beaumarchais, por sua vez, desembainhou a espada.

— Humm... dez contra três — disse d'Eon.

— Que dia! *Avanti*!

Lançaram-se à luta.

A pena explosiva de Augustin Marienne cumprira sua função. Girando o tronco, Pietro a lançara ao chão, atrás dele, com um gesto seco de punho; a detonação fez tanto Stevens quanto o Fabulista saltarem. Em meio a uma nuvem de pólvora, três dos homens caíram diante dos comparsas atônitos. Sem demora, Viravolta apossou-se do punhal de Anna abandonado sobre a mesa. Atirou-o com uma rapidez vertiginosa na direção do homem que mantinha sua mulher prisioneira. A arma zumbiu antes de transpassar-lhe a garganta. Ele vacilou inclinando-se para trás, levando as mãos ao pescoço, de onde o sangue jorrava. Desequilibrando-se, Anna achou ter chegado o momento em que cairia no fundo do poço. Esbarrou na antiga balaustrada de pedra da escadaria e quase quebrou o queixo. Por sorte, não caiu no abismo. Ao seu lado, o homem se retorcia de dor soltando gritos estrangulados. A prancha sobre a qual se encontrava um momento antes balançou e foi sugada pelo abismo, arrastando outras consigo. Uma nuvem de poeira subiu das profundezas.

Aproveitando-se do caos, Pietro atirou-se sobre o inimigo mais próximo. Apontou-lhe a pistola de pólvora; o tiro atingiu-o no coração. Em seguida o veneziano retomou a posse da sua espada; a lâmina veneziana que lhe havia sido tirada na chegada.

— Já me sinto melhor.

Ao girar sobre si, deparou-se com os dois adversários restantes. Outros quatro entravam. Com um pontapé, derrubou a cadeira e pulou na mesa de madeira escura.

Cercado.

Os seis homens o rodearam.

Stevens e o Fabulista se entreolharam e Stevens sorriu.

— Sempre surpreendente. Mas tudo que é bom chega ao fim. Senhores! Matem-no.

Muito bem — e agora? perguntou-se Pietro, ofegante.

A porta abriu-se com estrondo.

Cosimo, casaca e camisa ensanguentadas, fez sua aparição.

Pietro ergueu um olhar atônito.

— Isso sim é uma entrada triunfal. O que faz aqui?

Cosimo sorriu.

Fez girar a espada na mão.

— Vim inspecionar.

Adiantou-se. Pietro fez o mesmo, evitando as espadas que cruzavam sob as botas e agarrando-se ao lustre. Parou alguns metros distante, o filho ao lado. Anna livrava-se das amarras usando o punhal largado pelo homem que acabava de expirar. Embaixo, ruídos de espada e de pólvora se faziam ouvir; sem dúvida Beaumarchais e o cavaleiro d'Eon haviam decidido intervir. Pai e filho apontaram a espada na mesma direção; novamente cercados pela corja. Pietro fez sibilar a lâmina.

— Bem, comecemos. *Quarte*, mão à esquerda, braço estendido, guarda-mão da espada na horizontal...

— Eu sei. Contra-ataque na aproximação, pé direito avançando para pressionar o adversário.

Atacaram. O primeiro homem foi retalhado de uma orelha a outra.

— ...espada na ofensiva e a finalização.

Não era uma luta, mas um balé.

— Finta.

— Dupla finta.

— Nada extraordinário...

— Estocada...

Etienne foi o último a atacar. Lançou-se à frente, rugindo, uma lâmina cintilante na mão. Cosimo teve tempo de sentir as emanações terríveis das roupas e de ver uma massa escura abater-se sobre ele. Os olhos da besta iluminados de furor, os lábios retorcidos num esgar, o rosto desfigurado que parecia saído do inferno. Por um breve instante, Cosimo acreditou estar sendo atacado por um javali. A sombra claudicante abateu-se sobre ele com todo o peso — mas o jovem foi mais ágil.

A ponta da espada atingiu-lhe o rosto.

Etienne vacilou um instante e em seguida uma cortina de sangue desceu diante de seus olhos.

Soltou uma golfada de sangue.

— Finalização com os joelhos dobrados — concluiu Cosimo, aprumando-se para recuperar o fôlego.

Etienne tombou.

Os cadáveres cobriam o chão.

— Nossa, isso funciona mesmo! — exclamou Cosimo.

— Eu não disse? — exclamou Pietro.

O Fabulista soltou um uivo ao perceber que haviam aniquilado seu seguidor. A situação tornava-se crítica. Precipitou-se na direção da porta, a capa esvoaçante, e desapareceu. Enquanto Viravolta e Cosimo terminavam, Stevens aproximou-se de Anna. O rosto desfigurado pela raiva, ele quis erguê-la agarrando-a pelos cabelos. Percebeu tarde demais que as mãos estavam soltas. Ela arrancou a venda, abrindo um sorriso radiante e vingativo. Stevens não compreendeu de imediato... Em seguida, a dor lancinante explodiu em seu cérebro. Anna acabava de enfiar-lhe na panturrilha o punhal de Viravolta. A mão crispada sobre o cabo ainda revirava a lâmina.

— A *Viúva Negra!* — gritou ela. — Compreende agora?

Viravolta e o filho se precipitaram.

Desvencilhando-se de Anna, o punhal ainda cravado na perna, Stevens, cego de dor, rugiu antes de se pendurar na corda próxima à polia. Foi tragado pelas profundezas. Ouviu-se o ruído do metal. Do outro lado da corda, um balde cheio de cascalho subiu, indo chocar-se contra o arco de metal no teto. Pietro chegou tão rápido à beira do vão que por pouco não tombou. Olhou para baixo, mas nada viu senão a escuridão. Stevens havia escapado. Cosimo pousou a mão no ombro do pai.

— Vamos!

— E o Fabulista?

Pietro ergueu Anna.

— Ele também fugiu — disse ela. — Talvez ainda haja tempo.

— Espero que o peguem lá embaixo.

— Lá embaixo?

— Depois eu explico.

Ela sorriu, ajeitando o vestido como podia, enquanto ele a apertava contra si.

— Já me perguntava por onde você andava. Haverá uma recepção hoje à noite em Versalhes, seguida de um baile. Eu ficaria muito chateada se faltasse.

— Não acha que já dançou o suficiente? — perguntou Pietro.

— E você, meu amor?

Permaneceram abraçados.

Em seguida, viraram-se para Cosimo.

— Como chegou aqui?

— Segui meu pai quando ele saiu do Procope. Não é muito difícil seguir-lhe o rastro. Basta procurar pelos cadáveres.

Pietro cerrou o filho nos braços.

— Cosimo... Obrigado por ter escutado seu pai. E que progresso!

Pietro recuou e o fitou. Cosimo riu:

— O senhor também não é nada mal para um velho.

Beaumarchais e d'Eon finalmente apareceram.

— Depois da batalha — disse Pietro com ironia.

— Espero que esteja brincando.

— E o Fabulista?

— Não o vi — respondeu d'Eon.

— E eles? Quem são? — perguntou Cosimo.

Pietro os fitou e com a mão no coração adiantou-se com um sorriso nos lábios.

— Meus amigos.

Todos se dirigiram para as janelas que haviam explodido sob a ação da pena fatal de Augustin Marienne. O chão e os muros de pedra estavam chamuscados. Pela janela viram a silhueta encapuzada do Fabulista e a de Stevens, a cavalo, fugindo pelo parque. Atravessavam os portões sob a luz da aurora.

Pietro os observava se afastarem quando Anna o chamou.

— Pietro!

Ele voltou-se. Ela apontava com o dedo as plantas desdobradas sobre a escrivaninha, num canto do aposento, entre dois candelabros cujas velas deixavam um rastro de cera. Pietro trocou um olhar com o filho e aproximou-se.

Mas... o que é isso?

Deparou-se com duas espécies de desenhos. Danificados pela pólvora e pelos combates, pareciam incompletos. Nos primeiros documentos distinguia-se algo semelhante a fórmulas químicas; o próprio aspecto era inquietante. Referências técnicas e anotações também obscuras se confundiam, misturadas a expressões latinas e gregas, números, cálculos de ângulo e indicações de distância. A segunda categoria era também das mais insólitas: uma espécie de rede ou de estrutura inextrincável perdia-se em linhas interrompidas feitas de horizontais e verticais. Tais ramificações, atravessadas por figuras geométricas, propagavam-se sobre uma vasta superfície. Impossível compreendê-las. Rabiscada ali e acolá, uma expressão: *PARTY TIME*.

Pietro acabou descobrindo um estranho estojo em miniatura, de cor verde e ouro. Abriu-o.

Surpreendeu-se ao descobrir uma mecha de cabelos. Dentro do estojo, num medalhão, o retrato do falecido rei, Luís XV.

— O que quer dizer isso? — perguntou Anna.

O veneziano fechou o estojo na mão, murmurando:

— Não faço a menor ideia.

O preço dos pufes

SALA DO DUQUE D'AIGUILLON
SALÃO DA PAZ
GRANDES APOSENTOS E QUARTO DA RAINHA
VERSALHES

Era inverno. Estavam de volta a Versalhes.

— Então, livrei-me da Bastilha? — perguntou Pietro.

O duque d'Aiguillon voltou-se. Como na última entrevista, ele permanecera muito tempo diante da janela, o ar ministerial, trajando casaca azul e dourada, os olhos perdidos no vazio. Parecia exausto. Disfarçava mal a amargura, mas tomara sua decisão.

— Livrou-se, Viravolta. Decidi abandonar o poder. As manobras que eu mais temia estão em curso. A rainha fracassou em seu projeto de trazer Choiseul de volta, mas insiste em pedir minha cabeça. O rei já fez sua escolha. Não esperei que me demitisse.

Pietro cruzou as pernas, deixando as mãos repousadas nos braços da poltrona. De fato, o escritório do duque no ministério da Guerra estava em total desordem e em nada lembrava a mania de arrumação de seu ocupante. Pilhas de pastas cobriam a escrivaninha. Caixas espalhavam-se por todo lado e, vez por outra, os ajudantes entravam em silêncio para recolher enfeites e livros da biblioteca. Com a sobrancelha levantada, Pietro olhou um busto de bronze passando diante dele.

— Meu tempo terminou, Viravolta. Pelo menos por enquanto. Quem sabe para sempre.

Ruminou um instante as últimas palavras, pronunciadas com ar sombrio e bastante patético.

Depois, voltou-se para Orquídea Negra.

— Minha única satisfação é saber que Charles de Broglie não está em melhor situação do que eu. Continua no exílio e não terá meu ministério... Muito menos a chancelaria.

O ambiente fúnebre que reinava no escritório contrastava com os dias felizes que se vivia em Versalhes. Uma nova esperança nascera. O povo queria acreditar na mudança. Na ausência de transbordante confiança, Luís despertava simpatia. Após os excessos e o doloroso fim do seu falecido avô, o povo louvava o desejo do novo soberano de agir de acordo com a virtude. Apreciava-se a dedicação que ele devotava à rainha, pois há anos o país não se rejubilava em ver no trono a presença de um casal real, não obstante a dificuldade de gerarem um herdeiro... Luís e sua esposa nada haviam avançado nesse setor — a boa novidade, entretanto, é que o rei esforçava-se. As dores do prepúcio real quando da penetração haviam sido superadas. O mundo inteiro ficara a par do fato de os lençóis trazerem manchas, pois disso dependia o futuro do trono. Toda intervenção cirúrgica era desnecessária; o dia chegaria em que ele lograria êxito.

A composição do governo também era conhecida. O rei consumira-se em dúvidas. Maurepas acabara irritando-se. Ministro de Estado sem pasta, tinha precedência no Conselho. Sua influência era única. Apesar de dispensado, no passado, por um comentário contra madame Pompadour que lhe fora erroneamente atribuído, o mentor continuava a receber seus fiéis no exílio, a princípio em Bourges e depois em Pontchartrain. Para surpresa geral, e do alto de seus 73 anos, ele retornava à vida pública. Em Versalhes ocupava os apartamentos havia pouco pertencentes à condessa du Barry, situados acima dos aposentos do rei. Um símbolo da mudança: o sábio e astuto sucedia a meretriz na tarefa de zelar pelos interesses do reino. D'Aiguillon, por ser sobrinho de Maurepas, acalentara a ilusão de vir a ser beneficiado. O tio havia pleiteado junto a Luís XVI a conservação do posto do sobrinho, mas o rei não se esquecera dos laços entre o duque e madame du Barry. Maurepas não insistira.

Retomando a tradicional separação entre as funções ministeriais da Guerra e do Exterior, o rei nomeara, para a pasta da Guerra, o conde du Muy, antigo amigo de seu pai e governador de Flandres. Para a do Exterior, Vergennes, até então embaixador na Suécia. A equipe estava, portanto, montada, e d'Aiguillon retirava-se, deixando os gabinetes livres. Fim do triunvirato e das decisões impopulares. Maupeou e o abade Terray também foram demitidos. Turgot assumiu as Finanças; Miromesnil, a Chancelaria; Sartine, a Marinha. O júbilo era geral. Maurepas, admirador de Montesquieu e favorável à monarquia moderada, buscava ressuscitar o antigo Parlamento, para grande satisfação dos magistrados. Celebrava-se o novo vigor e queimava-se em praça pública espantalhos com as figuras dos antigos ministros. O casal real fora aplaudido alguns dias antes, à saída de uma sessão do Parlamento presidida pelo rei. Luís XVI queria ser amado! Na Pont-Neuf, sobre a base da estátua que representava o bom rei Henrique IV, alguém rabiscara a palavra: *Ressurrexit*.

D'Aiguillon suspirou demoradamente. Em seguida, voltou-se para Viravolta.

— Hesitei muito quanto à atitude a tomar. Finalmente...

Caminhou na direção da escrivaninha.

— Decidi permitir que continue no comando da investigação. Se o rei pensa em divertir-se com o *Secret*, que o faça. Ele já deve estar a par de tudo.

Acho que dissolverá o serviço. Quanto a você, Viravolta, sirva a quem bem lhe aprouver. Conhece meus sentimentos em relação a Broglie, mas isso não me diz mais respeito. Deixarei você em paz.

Pela primeira vez encarou Pietro com expressão sincera.

— Li seus relatórios. Pelo menos aqueles que decidiu me confiar — disse, sempre mordaz. — A ameaça não desapareceu. Os interesses da França vêm em primeiro lugar, não é mesmo?

Pietro curvou-se.

— De fato.

E acrescentou:

— Sua dignidade o enobrece, excelência.

O duque contentou-se com um muxoxo que valia por um agradecimento.

Tudo fora dito.

D'Aiguillon voltou a caminhar na direção da janela.

Deixava Versalhes como uma sombra.

Ao sair do gabinete, Pietro se sentiu animado, apesar de tudo.

A decisão do duque e o rumo que as coisas tomavam o aliviavam. Terminara o espectro da Bastilha. Tinha as mãos livres.

Um valete o saudou fazendo uma reverência.

— Monsieur de Lansalt?

— Pois não.

— A rainha o convoca a seus aposentos.

*

* *

No palácio, a vida retomara seu curso normal. As cortinas estavam galantemente afastadas e, naquele oceano de refinamento e de perfeição, um ruído cristalino, tal o de uma pequenina fonte se fazia ouvir: Pietro Viravolta de Lansalt, agente do *Secret* e antigo espião do Conselho dos Dez da

Sereníssima, urinava. Do outro lado da galeria, mal escondida pelas cortinas, agachada discretamente, também urinava Yolande de Polignac, a nova favorita da rainha da França. Pietro se recompôs. Yolande se levantou deixando cair a saia-balão de anquinhas para unir-se aos valetes do seu séquito, munidos do pote salvador. Os dois se encontraram sobre o piso de parquê, sob os reflexos dos espelhos, e se saudaram inclinando-se numa reverência. Pietro a observou afastar-se. Diziam que seu passo trazia a marca de um sedutor abandono. De fato, era dona de uma graça negligente e excitante, pensou Pietro, considerando os voluptuosos quadris. Morena de rosto oval e carnação perfeita, indolente e preguiçosa, Gabrielle Yolande de Polastron, mais tarde condessa Jules de Polignac, passava a maior parte do tempo em suas terras em Claye e, vez por outra, vinha a Versalhes obter os favores da rainha. Pietro deixou os valetes encarregados dos vasos se dispersarem e, logo em seguida, dirigiu-se aos apartamentos de Maria Antonieta.

Após os acontecimentos de Herblay, Pietro transmitira as informações a Broglie. Este, como era evidente, negara ser o responsável pelo vazamento do encontro no Procope, mostrando-se ofendido por ter de repente se tornado suspeito para os próprios agentes. Sem dúvida Landretto esteve a par da reunião. Talvez, antes de matá-lo, o Fabulista o tivesse torturado para obter a informação. Tal ideia, assim como a da traição do antigo valete, eram insuportáveis para Viravolta. Talvez simplesmente tivessem mandado seguir Pietro ou um dos outros espiões, após sua chegada a Paris. Quanto ao resto, a paisagem clareava. Anna ouvira um nome ser pronunciado: *Stevens*. Não era um nome desconhecido a Charles de Broglie. O conde sabia que ele pertencera ao serviço de contraespionagem inglês. Era membro de uma sociedade maçônica obscura de Sussex, a Grande Loja de Ferro. Broglie tinha a intenção de descobrir mais detalhes, por intermédio de seus agentes londrinos. Beaumarchais e d'Eon haviam voltado para o outro lado do canal da Mancha — um, enviado por Sartine; o outro, pelo *Secret*. Charles havia igualmente obtido informes por meio de lorde Stormont, embaixador inglês na França. Segundo Stormont, Stevens, inicialmente contratado por

George III, se aventurara bem além de suas prerrogativas e, aparentemente, sem autorização. O próprio governo inglês inquietava-se com suas atitudes. Lorde Stormont preparava-se para mandar alguns emissários pedirem explicações a Stevens — e, se preciso, demiti-lo de suas funções. O caso transformara-se em questão diplomática.

Entretanto, quando Broglie tomara conhecimento das plantas encontradas por Anna e Pietro em Herblay, sentira reforçar seus temores. A ideia de que pudessem tratar-se de uma prova definitiva de retaliação e da preparação de um desembarque inglês na França começava a assustá-lo. A evolução da situação americana igualmente lhe atormentava. Os acontecimentos se precipitavam e Pietro não baixava a guarda. As plantas encontradas em Herblay haviam sido confiadas a Augustin Marienne. Por enquanto, as respostas quanto ao seu exato significado permaneciam insolúveis. De volta ao castelo de Herblay, dragões e mosqueteiros do rei encontraram o local deserto. Naturalmente, o inimigo se entrincheirara em algum outro lugar. Era preciso recomeçar do zero. Um outro elemento, enfim, era bastante perturbador. No estojo em miniatura que Pietro encontrara em Herblay, Charles se deparara com um bilhete escondido atrás do medalhão com a figura do rei. Para o chefe do *Secret*, que conhecia a letra do antigo monarca, não havia dúvida: a dedicatória fora escrita de próprio punho por Luís XV. Dirigido a certa Marie, dizia o seguinte:

O odor de teus buquês me fez acreditar por um momento
Serem eles compostos de mil flores desconhecidas.
Abri teu cesto com empressamento,
Deparei-me com imortais e mais nada.
A Marie.

Quanto à mecha de cabelo encontrada no estojo, Broglie era incapaz de dizer a quem poderia pertencer. Pietro lhe rogara mais uma vez que pesquisasse nos arquivos do *Secret* e recuperasse os relatórios referentes ao primeiro

Fabulista, o abade Jacques de Marsille, e à sua famosa paróquia de Saint-Médard. Ele permanecia de sobreaviso.

Viravolta chegou à entrada do grande apartamento da rainha pelo Salão da Paz, repleto de mármores, afrescos e troféus de bronze. Um suíço bateu a alabarda no parquê. Foi anunciar Viravolta e voltou. O veneziano foi instruído a aguardar um momento.

Insigne honraria! Seria recebido no quarto da rainha.

De braços cruzados, parou diante das amplas janelas, a perna levemente dobrada sobre o sapato de fivela. O Salão da Paz se transformara no Salão de Jogos de Maria Antonieta que nele mandara instalar mesas, assentos dobráveis e cômodas. Pietro olhou pela janela. Fazia um frio dos diabos. O inverno se anunciava rigoroso e o palácio de Versalhes continuava mal aquecido. A neve caía em grossos flocos. Pietro deixou os olhos se perderem nesse oceano macio e fofo que formava uma película de cristal sobre os bosques dos arredores. O cadáver de Landretto passou-lhe pela mente. Curvou a cabeça. Tinha a impressão de ver o corpo do antigo valete a deslizar diante de seus olhos, na bruma, como uma gôndola na laguna. Esforçou-se por pensar em outra coisa, pousando o olhar na superfície gelada e luminescente do Grande Canal. Divisava, ao longe, um trenó abandonado.

Deus, como o palácio ficava lindo nesta estação.

Conteve um arrepio. De repente, uma voz clara o fez voltar-se.

— Vamos! Vamos!

Ruídos de passos ressoaram no salão. Um exército de jovens usando perucas e carregando caixas de todos os tamanhos saiu dos aposentos da rainha. Marchavam em cadência diante de Pietro, logo seguidas por uma mulher baixinha, empertigada, perfumada e maquiada em excesso. Ela avançava num passo rápido, ainda a disparar ordens, suspendendo o vestido de tafetá verde e laranja. Um chapéu de plumas agitava-se sobre os cachos. Havia tirado uma das luvas de renda. Uma mosca na bochecha, olhos vivos e curiosos, a boca de lábios minúsculos pintada de vermelho... Parou um instante diante do veneziano examinando-o de alto a baixo. Em seguida, esboçou uma reverência. Divertido, Viravolta a reconheceu de imediato: Rose Bertin, a modista da rainha. Ela sorriu e bateu palmas, "Andem! Andem!", antes de desaparecer com sua tropa.

Em sua loja, *Au Grand Mogol*, Rose empregava quase trinta costureiras. Penhoares, toucas, mantilhas e peles, lenços e laçarotes, leques e luvas, chinelos e outras maravilhas juntavam-se às extravagâncias dos vestidos e chapéus. Atarantada mas trabalhadora sem igual, orgulhosa como ninguém, Rose estava a um passo de conquistar todas as cortes da Europa. Desde a morte de Luís XV lançara a moda dos pufes, imensos chapéus de vários andares, repletos de enfeites inusitados. Por ocasião do luto da França, mas também da animação suscitada pelo novo reinado, ela concebera um pufe particularmente fantástico. Do lado esquerdo, um cipreste guarnecido de borboletas brotava de um tecido de crepe simulando um emaranhado de raízes; à direita, um ramo de trigo repousava sobre uma cornucópia perdida em meio a plumas brancas. Este chapéu rapidamente cedera lugar ao "pufe da inoculação", em homenagem à coragem do rei que, em junho, decidira vacinar-se contra a varíola — operação sempre temida pelos efeitos colaterais. A modista aproveitara-se do fato para colocar no pufe uma oliveira em torno da qual se enroscava Esculápio, a serpente, que sustentava um cetro ornado de flores para esmagar a pequena varíola. Ao fundo da paisagem, o pôr do sol. A esses primeiros ensaios seguiram-se outras extravagâncias como o *Quès aco*, ou o "pufe dos sentimentos" cuja arrumação dependia do humor do dia — um traço genial, com certeza...

A partir de então, os pufes viraram coqueluche em Versalhes. Por vezes se excediam. Podiam ser vistos de longe. Não se imaginava mais o séquito da rainha com menos de 50 centímetros de plumas...

Rose se foi e Pietro foi conduzido ao quarto de Maria Antonieta.

*

* *

Na vasta peça onde normalmente tinha lugar a toalete pública da rainha, duas soberanas haviam vivido e morrido e quase umas vinte crianças haviam nascido. Tudo oscilava entre a intimidade e a magnificência: os tremós decorados por palmeiras em volta da lareira, as pinturas barrocas acima das portas, e as virtudes, das quais deveria a rainha ser dotada, pintadas nas abóbadas. Esculturas com as armas da França e da Áustria figuravam nos cantos. Acima dos espelhos, Maria Antonieta mandara colocar retratos da mãe, do irmão José e de Luís XVI. Uma tapeçaria de Tours e o suntuoso leito imperial completavam a decoração.

Quanto ao resto, reinava a desordem.

— Formidável, não acha? Formidável!

A primeira coisa que Pietro viu não foi nem os afrescos nem os tremós, mas uma tesoura. Um possesso desgrenhado manuseava a tesoura abrindo-a e fechando-a repetidas vezes para, em seguida, pousar o instrumento a fim de ajeitar a gaze em uma peruca de demonstração. Era Leonardo, o extraordinário Leonardo dos pentes voadores, primeiro cabelereiro-peruqueiro da rainha, exímio esgrimista das tesouras de prata, especialista no arranjo dos pufes de gaze, Don Quixote dos cachos, destruidor dos redemoinhos de cabelos rebeldes e príncipe da pantalonada capilar.

Este Leonardo, apesar de não ser Da Vinci, possuía um espantoso talento na arrumação das perucas e pós de todos os gêneros. Outrora o Rei Sol não tivera como únicos problemas sua célebre fístula anal, extraída a bisturi em 1685, ou aquela parte do céu da boca que lhe haviam retirado em 1686, o que o obrigou a constantemente chupar pastilhas contra o mau hálito. Aos 35 anos ficara careca. As perucas então invadiram a corte. Após as imensas perucas à *in-folio*, tranças e rabos de cavalo, dos quais Viravolta era admirador, haviam dado o tom da moda. As damas com seus toucados e seus famosos pufes não ficavam atrás. Aos cuidados com o cabelo somava-se o cuidado com a maquiagem que ia do branco de cerussita ao azul para sobressair as veias e a palidez da pele, do negro nos olhos ao vermelho na boca e nas bochechas; sem esquecer as moscas de tafetá. Há algum tempo, dois cúmplices haviam se unido às fantasias de Rose Bertin: o cabeleireiro Leonardo e o perfumista Jean-Louis Fargeon que, após o exílio da madame du Barry ganhara a simpatia da soberana graças às luvas perfumadas que ela usava para seus passeios a cavalo e ao *bain de modestie*, um preparado transmitido à dama encarregada dos banhos, para a higiene pessoal de Maria Antonieta.

Em torno da rainha, o triângulo Leonardo-Rose-Fargeon causava sensação.

Ali, diante de Pietro, fresca como uma rosa, rodeada de chapéus, caixas e sapatos, de uma fonte de *macarons* e docinhos semidevorados, encontrava-se Maria Antonieta. Ergueu os olhos claros na direção do veneziano tão logo o viu entrar.

— Ah! — disse ela com voz clara — Ei-lo, monsieur de Lansalt.

Pietro inclinou-se numa reverência.

— Majestade.

— Fico muito contente em vê-lo. Desculpe a desordem. Mademoiselle Bertin acaba de nos deixar. Aquela mulher tem uma imaginação prodigiosa.

— Certamente — concordou Pietro.

— Então, monsieur de Lansalt, como tem passado? Sempre ocupado com os assuntos estrangeiros e de polícia? Eu sinto certa raiva deles, por me privarem de sua companhia. Já faz um tempo que não o vejo por perto, a cuidar de mim. O senhor bem sabe o quanto isso me tranquiliza. Nunca esqueci que o senhor foi meu anjo da guarda por ocasião da minha chegada à corte, quando eu ainda era a delfina.

— Majestade, peço que me perdoe, mas acredite quando lhe digo que não se passa um dia sequer sem que eu me esforce por retornar a frequentar seu círculo.

— Pelo menos tenho a chance de ver sua esposa quando oferecemos recepções. Ela sempre ri ao me contar que o senhor não para de correr de um lado para o outro. O senhor anda um bocado agitado, monsieur de Lansalt.

Anna. Ela não perdia uma.

— É muita gentileza sua, Majestade.

Maria Antonieta sorriu e o sorriso era sincero. Pietro sabia que ela gostava dele. Pareceu-lhe que ela havia ganhado peso, mas conservava a extraordinária graça no porte da cabeça e nos modos afetuosos, a pele tão diáfana que podia ser comparada à porcelana. Um doce perfume de íris, obra de Fargeon sem dúvida, emanava dela. Trajava um vestido muito bonito de saia-balão com anquinhas, de reflexos prateados, preso na cintura por um simples laço de seda azul. Já colocara o ruge, estava maquiada, empoada, o penteado quase pronto. Pietro sorriu.

Ora, afinal ele estava diante da rainha da França.

— Perdão — disse ela, dessa vez dirigindo-se a Leonardo. — Preciso conversar um segundo com monsieur de Lansalt. Pode ficar. Gosto muito do que me sugeriu, mas o laço não ficaria mais bonito em azul-celeste? É preciso também ver com monsieur Fargeon se ele pode preparar algum perfume que combine com esse lenço.

— Claro, claro, Majestade. Que excelente ideia!

— Monsieur de Lansalt, venha, aproxime-se.

Ela rodopiou diante dele e remexeu nas caixas; enquanto isso, o veneziano continuava a examinar a extensão do caos. Em cima de um aparador, avistou uma batelada de frascos de perfume enfeitados com frutas e miniaturas de temas mitológicos e pastorais, debruadas com máximas como *O amor passa, a amizade permanece* ou *Sou fiel*; algumas maliciosas, como a de uma mulher suspendendo as saias para procurar uma pulga em sua liga, acompanhada de um comentário um tantinho atrevido: *Invejo sua sorte*. Ao alcance da mão encontravam-se frascos decorados com camafeus, *nécessaires* em pele de tubarão e o famoso enxoval da rainha. As vestimentas obedeciam à mesma superabundância, 12 vestidos de gala de inverno, o mesmo número de vestidos para bailes à fantasia, vestidos com sobressaias e armações, sem contar os percais e as musselinas. Esse exagero começava a render à rainha a reputação de perdulária e a ganhar um viés político. Não se via com bons olhos o comportamento da austríaca que posava como ícone da moda e não como rainha preocupada com o povo francês. Sua frivolidade era considerada um perigo para os cofres do reino. Turgot havia confiado a Viravolta que a Casa da Rainha já tinha um déficit de 300 mil *livres* embora tivessem duplicado o valor de sua renda há poucos meses — o que os obrigava a recorrerem aos fundos da Casa do Rei.

Esses esbanjamentos eram uma realidade, mas a rainha não era a única culpada. Desde a sua chegada, Turgot havia decidido cortar despesas no orçamento, começando pelo *Extraordinaire de la Bouche*, responsável por centenas de pratos preparados inutilmente para as refeições reais. Os desperdícios da corte eram criticados há quinquênios, e a imagem de um caprichoso Luís XV que sustentava, no Parc-aux-Cerfs, prostitutas e, depois, madame du Barry, em nada contribuíra para mudá-la. Se as contas do Estado não eram públicas, a imaginação do povo multiplicava os gastos; supunham, sempre equivocadamente, despesas delirantes, que alimentavam os sonhos mais loucos. Provavelmente a situação não melhoraria, pois Maria Antonieta acabava de receber de presente do marido o bonito palácio do Trianon, e cismara em arrumar seu pequeno jardim anglo-chinês.

— Olhe, monsieur de Lansalt — disse a rainha. Entre esses tesouros há algo que deve lhe interessar.

Da baderna tirou uma caixa de papelão.

Pietro ficou imediatamente tenso.

Uma inicial chamou-lhe a atenção. Um F dourado em relevo.

Pietro cerrou os dentes.

— Quando a recebeu?

Maria Antonieta abriu um sorriso radiante.

— Ontem à noite. Estava convencida de ser um presente de mademoiselle Bertin, mas ela me garantiu não ter sido a responsável pela confecção. Na verdade, ficou muito aborrecida ao constatar que alguém se divertia em imitá-la.

— E o que há nesta caixa? — perguntou Pietro, fazendo menção de abri-la.

— Abra, por favor.

Ele a abriu. Outro pufe.

É bem sua maneira de agir.

O pufe exibia flores de natureza bem particular: à direita, uma lareira rudimentar representada com tal riqueza de detalhes que uma faixa de gaze simulava a fumaça saindo da lareira da casa de teto de sapê, em meio a três penachos de plumas. Na soleira da porta, um inseto com um ridículo avental de xadrez parecia envolvido numa conversa com outro inseto, que segurava um violão em miniatura. Coisa curiosa, acima do inseto com o violão, exatamente na aba do chapéu, haviam propositadamente espalhado algumas gotas de mercúrio escuro semelhantes a sangue.

— Um bilhete acompanhava o presente — disse Maria Antonieta. — Como assinatura apenas essa inicial, F. Eu a mostrei a monsieur Sartine e a monsieur Vergennes que imediatamente me sugeriram levar o fato ao seu conhecimento.

— Fizeram muito bem — disse Pietro, preocupado. — Mas deixe-me ver...

O bilhete estava no chapéu, escondido no meio das flores, tal um aviso de mau auguro.

Pietro o pegou, tentando dominar a cólera.

Abriu-o.

— Então, ele acabou escrevendo — murmurou.

Acrescentou:

— De fato, só faltava que fosse com a minha letra.

Balançou a cabeça.

A Cigarra e a Formiga
Livro I — Fábula 1

Tendo a cigarra em cantigas
Folgado todo o verão,
Achou-se em penúria extrema
Na tormentosa estação.
Não lhe restando migalha
Que trincasse, a tagarela
Foi valer-se da formiga,
Que morava perto dela.
Rogou-lhe que lhe emprestasse,
Pois tinha riqueza e brio,
Algum grão com que manter-se
'Té voltar o aceso estio.
"Amiga — diz a cigarra —,
Prometo, à fé d'animal,
Pagar-vos antes de agosto
Os juros e o principal."
A formiga nunca empresta,
Nunca dá, por isso junta:
"No verão em que lidavas?"
À pedinte ela pergunta.
Responde a outra: "Eu cantava
Noite e dia, a toda hora."
— Oh! Bravo! torna a formiga:
Cantavas? Pois dança agora.

*

E assim, minha rainha de ouro,
Quando perto do solstício, o sol encontrar a aurora,
Sua Majestade também dançará

F.

Era publicamente notório que Maria Antonieta adorava flores, sobretudo junquilhos, violetas, lírios e lilases — sem falar das rosas, é claro. Pietro não precisaria recorrer aos serviços de Le Normand, o jardineiro-filósofo, para adivinhar o sentido dessa nova mensagem; novamente a utilização da rosa e do lírio; o cítiso remetendo à dissimulação. A aquileia, à guerra; a imortal, aos eternos arrependimentos. E dois ou três crisântemos.

Era o sinal.

Mas e essa história de solstício, de sol e de aurora? Mais uma das metáforas!

O Fabulista persiste em assassinar usando fábulas e poesia!

É uma indicação... quanto à hora. Mas quando?

A rainha voltou a se aproximar, erguendo em sua direção os grandes olhos de corça.

— Só Deus sabe quantos epigramas e poemas, acusando-me de toda sorte de caprichos e histórias, por vezes das mais obscenas, já li. Conhecemos uma verdadeira epidemia de canções satíricas e, como sempre, meus detratores me acusam de todo o mal! Mas isso...

Colocou as mãos nos quadris.

— ...O senhor compreendeu alguma coisa? — perguntou a rainha.

Pietro suspirou.

Murmurou para si mesmo alguns palavrões inaudíveis.

— Eu me encarrego disso, Majestade.

The last of England

Floresta de Saint-Germain-en-Laye

Os emissários do rei George encontraram lorde Stevens na orla da floresta de Saint-Germain, como combinado. Após a fuga precipitada de Herblay, Stevens e o Fabulista precisaram procurar novo abrigo. Não demoraram a reunir suas tropas e preparar a partida para Reims. Entretanto, Stevens não pudera recusar o encontro com os dois espiões enviados por lorde Stormont, que andava inquieto quanto à evolução da situação, desde que ele próprio tivera uma conversa com Charles de Broglie.

— *Ei-los* — murmurou um dos homens de Stevens.

Apenas uma lua pálida aparecia de quando em quando. Dois dos soldados de Stevens carregavam tochas. Sob a borrasca lúgubre, a folhagem das árvores escuras e frondosas agitava-se. A neve a cair traçava, em meio ao turbilhão, riscos de brancura que, por causa da escuridão, assumiam coloração acinzentada. Um roedor assustado passou correndo por Stevens, suspendendo o focinho inquieto antes de sumir.

Duas silhuetas encapuzadas surgiram a cavalo.

Os agentes ingleses apearam de suas montarias.

— *Good evening, Sir. Secret service.*

Todos se cumprimentaram.

— Como bem sabe, lorde Stormont anda preocupado com as decisões que o senhor vem tomando. Ele age em nome do rei, que foi informado da dificuldade que encontramos em avaliar sua estratégia. Pensa em chamá-lo de volta à Inglaterra. Devo informá-lo de que tudo depende do nosso relatório.

Stevens sentia a boca pastosa. Sem desmontar, afirmou:

— Não tenha receio. Eu voltarei à Inglaterra dentro em breve e em tais condições que ao rei não restará outra opção senão ficar satisfeito, tanto comigo quanto com o resultado da missão a mim confiada.

O segundo emissário deu um passo à frente.

— Isso se deu em outra época e sob outras condições, Sir. *Well*, acho que devemos lhe falar com franqueza. Temos ordens de examinar minuciosamente a natureza exata de seus projetos, sobretudo da operação a que deu o nome de *Party Time*. Gostaríamos de saber o motivo de ter decidido recolher-se em um castelo afastado de Versalhes, e as circunstâncias que o forçaram a abandonar seu esconderijo. Temos autoridade para demiti-lo de seu cargo.

Stevens havia erguido a sobrancelha ao ouvir a menção à *Party Time*. Visivelmente ninguém compreendera. Não conseguiu conter o riso.

— *Vocês?* Vocês têm tal poder? Adoraria ver isso. Não tenho contas a lhes prestar, tampouco a lorde Stormont. Quanto ao nosso bom rei George, não se preocupem. Vou preparar uma correspondência na qual explicarei à Sua Majestade toda a situação em detalhes.

O espião balançou a cabeça encapuzada.

— Não é o bastante. Permita-nos verificar os documentos ou serei obrigado a pedir que nos acompanhe. E o senhor será destituído de todas as suas atribuições.

Foi a vez de Stevens menear a cabeça.

— Neste caso, temo que estejamos diante de um impasse.

O primeiro espião levou a mão ao punho da espada. O segundo, à pistola na cintura.

— Se é o que o senhor deseja...

Os soldados carregando tochas que cercavam lorde Stevens fizeram menção de desembainhar a espada. O espião com a arma foi mais rápido e apontou a arma para eles.

— *Don't move.*

Por um instante todos ficaram imóveis.

Os dois espiões, Stevens e seus homens formavam um estranho círculo na orla do bosque. Em seguida o apóstolo da Grande Loja Maçônica de Ferro juntou as mãos e olhou a fivela dos sapatos com ar preocupado.

— Meus amigos... Apesar de tudo permanecerei fiel, mesmo que me caiba ser o último. *The last of England.*

Era o sinal. Atrás da cortina das árvores vizinhas, soaram duas detonações.

Os dois agentes tombaram.

O primeiro morreu imediatamente; o outro foi tomado por espasmos, antes de ficar imóvel.

Então, saindo dos bosques, o atirador avançou.

— Obrigado — disse Stevens.

Repetiu:

— Obrigado, *Safira.*

Ela caminhava em sua direção. Blusa, calças e botas negras, abandonara a peruca e prendera o cabelo num rabo de cavalo. Em contrapartida, continuava maquiada. Uma capelina recobria-lhe os ombros. Trazia o leque preso à cintura. A safira cintilava-lhe no pescoço. Os adornos do corpete azul profundo imitavam as asas de um inseto. Parecia uma borboleta saindo da crisálida. Soprou o cano interminável das duas pistolas que trazia nas mãos enluvadas, ao mesmo tempo que avançava na direção de Stevens, as botas arranhando a neve.

— *You're welcome* — disse, parando diante dele.

Stevens apontou os cadáveres estirados na neve. Uma mancha escura escorria lentamente dos crânios.

— Não se preocupe por causa deles. Eu mesmo entrarei em contato com lorde Stormont e atribuiremos o feito aos agentes de Broglie. Ou então fingiremos não tê-los jamais encontrado.

Safira fez um biquinho.

— Duvido que suas manobras se sustentem por muito tempo, mas pouco me importa, desde que me pague a quantia devida.

— Suas manobras no Procope tampouco foram um grande sucesso.

— Seu amigo estava seguro de ter acabado com a vida de Viravolta. Acabar com os outros teria sido mera brincadeira de criança. Fui forçada a agir de modo a não me desmascarar.

Stevens deu um sorriso cruel.

— Não era obrigada a matar uma dúzia de nossos homens. Mas você me agrada, Safira. É o tipo de mercenária que eu aprecio.

— O *Secret* em breve será dissolvido. Nada mais tenho a perder. Penso em me aposentar em seu país. Ainda tenho vários amigos em Londres.

Outra voz fez-se ouvir das sombras.

— Terminemos primeiro com os negócios em curso.

Stevens e a agente dupla viraram a cabeça.

O Fabulista, por sua vez, atravessou a cortina de árvores montado em seu cavalo de batalha negro.

A essa hora tardia, ele havia deixado a estranha indumentária das trevas.

Avançou, o rosto descoberto.

— Embarcamos no jogo. Atingimos o ponto onde não há mais retorno. Não se perca em conjecturas inúteis... Vamos nos concentrar no que temos a enfrentar.

Stevens observou o aliado com aquela admiração mesclada de ironia que sempre havia experimentado por ele. O Fabulista devia ter 40 anos. A voz era clara ou sombria, conforme as emoções que transpareciam em seu rosto. Um olhar que, mesmo com a aparente calma, traía as tormentas interiores. A cabeleira encaracolada negra. A boca parecia permanentemente contraída num esgar de cólera, o que acentuava os sulcos das faces. A sombra formada pelos sulcos, as rugas na testa e as olheiras disfarçadas pelo pó de arroz pareciam vestígios da dureza da infância, mas também dos anos passados a analisar o poder, a estudar os recônditos de Versalhes e a tecer suas relações com os desertores do *Secret* ou com os espiões ingleses, à medida que amadurecia sua vingança. Não era nem belo nem feio; mas, assim montado em seu cavalo, a ampla capa flutuando às costas, majestoso, inspirava ao mesmo tempo reverência e surdo terror. Era totalmente incontrolável.

Stevens jamais conseguira desvendar o mistério a envolver aquele homem. A investigação perdera-se nos meandros dos círculos jansenistas da paróquia de Saint-Médard, frequentada por seu mentor, o primeiro Fabulista, o abade Jacques de Marsille. Stevens nada mais lograra descobrir. Ainda se perguntava o motivo da raiva tenaz que o Fabulista alimentava por todos — a começar por Viravolta. Contudo, esta ao menos tinha uma explicação: fora ele o assassino do abade. Pouco importa, se dizia Stevens, o Fabulista servia a seus objetivos. Ao firmarem o pacto, em Londres, nele reconhecera aquela inteligência fulgurante que, desde então, apenas comprovara; era, no entanto, igualmente fonte de perigo. Stevens tivera ocasião de avaliar sua loucura: o cuidado meticuloso com o qual dissecava os animais para empalhá-los; a bestialidade de seu antigo servidor, o corcunda Etienne; aquele amor, refinado e perverso, pelas fábulas destinadas à educação das crianças, amor este que Stevens sempre achara sofisticado e desconcertante.

Juntos recrutaram Safira, agente do *Secret*, contato ideal para obter informações acerca do conde de Broglie e da sua rede, mas também para ter acesso a certos relatórios confidenciais. Aquela conversa no bosque não se destinava apenas a receber os emissários ingleses.

— Assumi muitos riscos — disse Safira. — Acho que chegou a hora de receber o que mereço.

Avançava na direção do Fabulista, as mãos nos quadris. Havia guardado as pistolas.

Stevens e o Fabulista se fitaram.

— Com certeza — disse o Fabulista.

Puxou a arma sem hesitação.

Uma fagulha, uma detonação, uma nuvem de pólvora.

— Pronto.

Safira permaneceu de pé um instante, a boca escancarada de estupor, os olhos assustados. Do furo na testa escorria sangue.

— Afinal de contas — disse o Fabulista —, você se esqueceu de um detalhe.

Abriu um sorriso.

— *Você também é uma agente do Secret.*

Safira vacilou e tombou.

Stevens e o Fabulista, montados a cavalo, e seus homens permaneceram ao redor dos três cadáveres, trindade maldita.

— Ela vinha se tornando perigosa demais... E exigente demais — afirmou Stevens.

— Ela cumpriu sua função.

— Não o suficiente para meu gosto.

Stevens fitou o aliado. O Fabulista trazia o semblante preocupado.

— Isso é irritante...

— O quê?

— Não previ uma fábula para ela.

Coçou o queixo.

— É que eu não tinha certeza se iria matá-la.

Stevens o considerou sem nada replicar.

— *Nobody's perfect*.

Stevens girou nos calcanhares.

Apontou com o queixo os cadáveres a seus escudeiros.

— Revistem os três e os enterrem.

Depois sorriu e voltou-se para o aliado.

— Meu caro, encontro você no castelo de Herblay. Partimos para Reims amanhã.

E se foi.

O Fabulista dirigiu-se para a floresta. Deu um último olhar na direção de Safira que, os olhos revirados, a boca entreaberta, fitava um céu sem lua.

Tentou interpretar os desenhos formados na neve pelo sangue. Refletiu como ficaria o cadáver se o empalhasse.

Os homens de Stevens levaram os despojos.

Um vento glacial açoitou a fronte do Fabulista; uma lágrima de frio escorreu sobre a pálpebra. *Você também, Stevens,* refletiu. *Quando tudo terminar... será necessário livrar-me de você. É ainda mais louco do que eu.*

A única diferença é que não o sabe.

Em seguida cerrou os dentes, os traços deformados por uma nova cólera...

Retomou as rédeas da montaria.

A Mártir de Saint-Médard

ARQUIVOS SECRETOS, SUBSOLO DA ALA DOS MINISTROS
PARÓQUIA E CEMITÉRIO DE SAINT-MÉDARD, PARIS
SALÃO DA PAZ E GALERIA DOS ESPELHOS, VERSALHES

Ah, não, não é possível...
A revelação lhe veio durante a insônia.

Charles de Broglie chegara tão perto da glória... Seu arqui-inimigo, o duque d'Aiguillon, tinha sido despachado para seus caros estudos. Com Vergennes no ministério dos Assuntos Estrangeiros, o serviço contava finalmente com um de seus agentes no primeiro escalão do poder. Broglie acalentara a esperança de ser nomeado para o cargo; portanto, o invejava. Bom, pelo menos agora tinha a certeza de contar com um aliado no comando da política externa francesa. Du Muy, novo ocupante da pasta da Guerra, era seu amigo de longa data. Sartine também. A maioria dos agentes do *Secret* se saíra bem: Breteuil estava em Viena, Durant havia sido nomeado ministro plenipotenciário em São Petersburgo; Saint-Priest, embaixador em Constantinopla, o que era uma vergonha. Enquanto isso, ele, Charles de Broglie, devia continuar a se justificar! Ainda se calava, em prol do casal real, a respeito da investigação que conduzia contra o Fabulista e seus epigramas caluniosos, tendo encarregado Viravolta de fazer o mesmo. Tudo pelo bem da Coroa. Até onde ia sua devoção! Apesar das novidades acerca das nomeações, os negócios do serviço não tinham sido definidos. O rei acabara por recuperar as famosas correspondências do *Secret*. Julgava as cartas perigosas. Duas vezes pedira a Broglie, sem êxito, que restituísse os códigos — a Cifra. Propunha acertar o pagamento referente ao mês de junho e, depois, o Gabinete Negro seria dissolvido. Assim, tudo estaria consumado!

Luís XVI queria enterrar o *Secret*.

Exigia agora a destruição de todas as provas referentes às atividades do serviço e, em troca, concederia o perdão a Charles de Broglie. Para este, a destruição dos arquivos era impensável. A documentação era a prova de que agira com o aval do próprio Luís XV e constituía, portanto, sua melhor proteção — bem como a de todos os seus agentes. Os arquivos continham, em resumo, informações preciosas para o Estado. Broglie havia proposto a Vergennes reunir os documentos e despachá-los. Também deveria avisar pessoalmente seus agentes do fim das atividades e resolver o problema das pensões e remunerações.

Todos os códigos, enfim, seriam enviados a Vergennes a fim de serem destruídos.

Nesse meio-tempo, Luís XVI tomara conhecimento de novos relatórios comprobatórios da fidelidade de Broglie ao reino e se mostrava mais conciliador. Fora nomeada uma comissão para a análise dos arquivos, composta de Vergennes e du Muy, o que favorecia Charles. A questão da remuneração dos agentes não podia esperar; haviam finalmente preparado para a ocasião a lista dos nomes — pelo menos daqueles ainda em atividade. O rei havia assinado a lista no dia 10 de setembro para confirmar o pagamento das recompensas. Mokronowski, patriota polonês, receberia 20 mil *livres* por ano. Durant, La Rozière e Dubois-Martin, 6 mil. Saint-Priest, os Chrétien — pai e filho —, Favier, Drouet e alguns outros também receberiam pensões satisfatórias. Menção especial para Viravolta, conhecido como Orquídea Negra: dez mil *livres*. D'Eon fora privilegiado com 12 mil; no entanto, este começava a reclamar e dava sinais de querer abandonar o serviço. Safira ocupava um dos últimos lugares na lista. Quanto àquele *sieur* de Beaumarchais, que partira para Londres, este...

O detalhe decisivo lhe veio à mente naquele instante.

Volte a examinar os antigos relatórios, havia lhe pedido Viravolta por ocasião da conversa nos jardins. *Reabra a investigação de Saint-Médard.* Charles não o atendera de imediato, embora Orquídea Negra tivesse motivos para insistir. Quem sabe Broglie deixara passar alguma informação...? Uma vaga e distante lembrança que remontava ao tempo em que Viravolta havia afastado a ameaça do primeiro Fabulista... À noite de núpcias de Maria Antonieta.

Charles abriu de repente os olhos e tirou a camisa de dormir branca.

Em seguida, vestiu-se às pressas e partiu para Versalhes.

Beneficiando-se da amizade que Augustin Marienne nutria por ele, antes da aurora já examinava os arquivos da Casa Real.

Chegando suado a uma das salas dos arquivos, no subsolo, Charles tirou a echarpe e arrumou diante de si os relatórios selecionados. Pegou um, abriu-o, folheou-o, afastou-o. Pegou um segundo, um terceiro.

O odor de teus buquês me fez acreditar por um momento
Serem eles compostos de mil flores desconhecidas.
Abri o cesto com empressamento,
Deparei-me com imortais e mais nada.
A *Marie*

Seria possível que...

Acabava de encontrá-lo. Dentro de uma pasta de capa marrom fechada por uma tira de couro, entre centenas de folhas amareladas pelo tempo. O pormenor, a frase que o acordara em sobressalto, como se seu cérebro não houvesse jamais cessado de pensar nisso, embora inconscientemente. Essa frase perdida num oceano de burocracia...

É isso. Só pode ser.

Seu dedo deteve-se numa menção.

> Ao que tudo indica, o abade Jacques de Marsille, que se faz chamar de Fabulista, frequentava os círculos dos jansenistas convulsionários da paróquia de Saint-Médard. Conhecido por dedicar-se ativamente aos pobres, órfãos e prostitutas de sua paróquia, com todas as ambiguidades que possam sugerir sua confusa situação. Embora nenhuma prova confirme as calúnias que lhe são dirigidas, é possível que tenha mantido relações com uma mulher chamada Marie Desarneaux, prostituta de Saint-Médard...

Charles estava com a garganta seca. Levou a mão aos lábios. Os olhos arregalaram-se horrorizados, à medida que tomava consciência da extensão da catástrofe.

Ai, meu Deus. Ai, meu Deus...

*

* *

Apressado, chegou à paróquia de Saint-Médard debaixo de uma chuva torrencial. Fizera-se anunciar por um de seus informantes que entrara, sem dificuldade, em contato com o cura que, por sua vez, identificara a pessoa que procurava. Broglie desceu do coche antes mesmo de o veículo parar. Passou pelo campanário. A sombra da pequena igreja o cobria. Admirou o perfil das gárgulas que, bocas escancaradas, garras de fora, pareciam prestes a atacá-lo. Um alpendre repleto de apóstolos e de livros sagrados desenhava, em arcos sucessivos, as frias circunvoluções de um Purgatório.

A paróquia da qual o abade de Marsille se encarregara durante pouco tempo era célebre por uma razão bem particular. No primeiro terço do século, ali haviam se passado terríveis acontecimentos. Curas milagrosas e crises de devoção, manifestadas por convulsões corporais, desenrolaram-se no cemitério contíguo à igreja, perto do túmulo de um diácono. Esse homem, François de Pâris, morrera em 1727. Venerado pelos pobres, tinha o defeito de ser jansenista, membro ativo do partido dos "apelantes". Desde a bula papal *Unigenitus*, os jansenistas passaram a ser considerados heréticos pela fé católica, em virtude de suas teses sobre a graça e a predestinação. A controvérsia deixara de ser apenas discutida pela elite e chegara aos pobres, que reverenciavam o clero jansenista por sua probidade e caridade. Sob a Regência, um partido de bispos, monges e padres, apoiados por vários laicos, "apelou" contra o texto do *Unigenitus*, daí o nome de apelantes dado aos rebeldes. Vários apelos foram lançados em dez anos, dando lugar a múltiplas excomunhões. François de Pâris foi um dos excomungados. Ao morrer, deixou, em testamento, todos os seus bens para os pobres de Saint-Médard.

Logo em seguida, teve início uma onda de acontecimentos insólitos em torno do seu túmulo. Falava-se de milagres. O cemitério se tornou local de romaria de uma multidão de escrofulosos e de paralíticos que se deitavam sobre o túmulo ou recolhiam a terra ao redor para preparar emplastros. O arcebispo de Paris condenou tais visitações e exigiu o fim do culto às relíquias. Vinte e três párocos parisienses endereçaram-lhe então uma petição na qual provavam quatro milagres e afirmavam disporem de testemunhas idôneas. A Igreja não reagiu. A devoção então se radicalizou. Os relatórios da polícia do rei se tornaram alarmantes. Diziam que os doentes eram possuídos por uma força sobrenatural. As curas se operavam sob a forma de convulsões, acompanhadas de gritos e de rangidos de ossos. Jovens moças entregavam-se a homens dispostos a abusar delas. Os médicos do rei afirmavam tratar-se de fingimento. As autoridades obrigaram o fechamento do cemitério, mas as "cerimônias" prosseguiam na clandestinidade. De transes passaram a suplícios. A dor dos convulsionários visava representar a Paixão de Cristo. Os participantes pisoteavam, esmagavam e estiravam os membros das vítimas, em nome da graça divina. Barras de ferro, espadas e lâminas afiadas eram utilizadas para criar novos estigmas. Os próprios jansenistas rejeitaram esses horrores. Em breve só restaram as comunidades secretas.

A indiferença e a raiva do clero e das autoridades levaram os membros das seitas ao último dos excessos: a identificação com Cristo pela reconstituição de calvários e crucificações.

Não se falava mais disso hoje em dia, mas a polícia sabia que, cerca de meio século depois, nem todos os convulsionários haviam sido extintos. O abade de Marsille, sucessor de François de Pâris, talvez tivesse feito parte de um dos grupos. Após as investigações, Charles sabia que o novo pároco de Saint-Médard chamava-se Jean Morois, abade Jean Morois.

Bateu na porta da sacristia. O padre abriu-a de pronto. Septuagenário, magro, os olhos enrugados, Jean Morois sumia em suas vestimentas negras. Charles apresentou-lhe o selo real que utilizava desde a época do Bem-Amado.

Morois convidou o chefe do *Secret* a entrar.

— Ela está aqui? — perguntou Charles com ar indagativo.

— Ela o aguarda.

As alvas estavam presas na parede. Sobre a escrivaninha iluminada por uma vela, papéis espalhados e a *Bíblia*. O abade abriu uma porta, no fundo da sacristia, que se comunicava com uma construção situada atrás da igreja. Debaixo da escada, o padre afastou uma tapeçaria para revelar outra porta e uma série de degraus que desciam para as profundezas. Chegaram a uma gruta cujo teto era formado por pedras em cruz. O lugar estava arrumado como um salão: havia um divã, bem como uma biblioteca apinhada de livros religiosos e tratados de mística. Em outra sala, várias cadeiras em torno de uma mesa tendo em cima uma louça barata, duas taças, e um cântaro de tisana ainda fumegante. Mais velas acesas. Não muito longe, como se os aguardasse, uma mulher de idade indefinida ergueu a cabeça tão logo os ouviu entrar.

Charles logo percebeu que ela era cega.

— É você, Jean?
— Sou eu, Marie. Temos uma visita.

Charles examinou a mulher idosa. Os olhos haviam sido queimados. As pálpebras pareciam costuradas no fundo das órbitas, atravessadas por excrescências de carne violeta. Era tão descarnada quanto o abade. O xale a cobrir-lhe a cabeça e os ombros acentuava a aparência de bruxa de história para crianças. Entretanto, o rosto, emoldurado por algumas mechas grisalhas, era doce e luminoso. Tinha braços muito compridos e escondia as mãos dobradas sob as axilas. Mantinha-se sentada tal uma Parca em seu santuário.

— Um enviado de Versalhes, encarregado de investigar a respeito do abade de Marsille — prosseguiu Morois.

— O abade? Mas ele morreu faz muito tempo — disse a idosa.

— A senhora o conheceu, não foi? — perguntou Charles.

Devagar, ela soltou as mãos. Broglie observou as mãos destruídas de forma atroz, com um buraco no centro de cada palma. *Estigmas*, pensou Charles. Voltou-se para Morois.

— Marie mora aqui há anos — confiou-lhe o padre. — No passado sofreu perseguições das autoridades. Mas hoje, como no passado, ela sofre. Toda sua família morreu. Nunca buscou senão a serenidade de sua alma. Outrora acreditava poder encontrá-la atravessando o pior dos tormentos. Ela vivia com *eles*. É uma convulsionária. Conheceu Jacques de Marsille e também François de Pâris.

Dela emanava uma aura de sofrimento quase mística e algo de funesto, como se parte dela já pertencesse ao Além. Então aquela mulher havia participado das cerimônias clandestinas, dos suplícios infligidos à carne para melhor oferecer-se a Cristo e Dele se aproximar pela via do sofrimento. Fora até o fundo do poço.

— Bela descrição — disse Marie Desarneaux com um sorriso. — Não esqueça, Jean, que ainda tenho boa audição. Mas o silêncio de seu convidado é eloquente. Terá o senhor visto Deus ou o diabo? Nós nos enganamos, meu amigo. Ah, sim, e como! Mas veja, dessa evocação à dor, desse gosto pelo sofrimento e pela morte, guardo *isso*.

Afastou os braços diante dele mostrando, na extremidade dos braços compridos, as palmas perfuradas.

— As marcas de nossa loucura. Nós, os possuídos de Deus. Sim, fui uma das que eram espancadas até a morte e se erguiam, se retorciam em espasmos e convulsões. Fui mártir voluntária. Fui crucificada.

Voltou a rir.

— Não *completamente*, é claro.

O riso prolongou-se. Charles, a boca seca, repetiu:

— A senhora conheceu o abade de Marsille?

Pegou uma cadeira e sentou-se diante dela.

— Ah, sim... E também o diácono que servia antes dele. Todos dois eram homens santos. Eles se tinham conhecido, espere... Deve ter sido por volta de 1730. Já faz quarenta anos!

Ergueu o rosto.

— Na época, Marsille ainda estudava no seminário. Ele e o diácono apoiavam os apelantes. Era mais difícil para Jacques. Ele era jovem... Ainda tinha um longo caminho a trilhar na Igreja... Sua posição era mantida em segredo, mas a situação tornou-se difícil após o *Unigenitus*. Não podia ser despedido ou excomungado pelo seu bispo, o senhor compreende... Mas ele e François comungavam das mesmas ideias. E da mesma caridade. A injustiça enojava Jacques. Quando digo enojar estou falando exatamente disso. Era uma manifestação física. O diácono tinha o costume de lhe confiar segredos.

— Segredos? Que segredos?

Os lábios enrugados da velha se abriram. Faltavam-lhe vários dentes.

— Que sei eu? Segredos de confissão. De alquimia, talvez. É isso que gostaria de ouvir? Não, meu amigo, nada de magia negra, nada de sabá esotérico. Eram verdadeiros homens de Deus, homens que até mesmo a própria Igreja quis eliminar...

Charles se curvou.

— Sabia que Jacques de Marsille tinha a intenção de atentar contra a vida da delfina quando esta chegou à França?

Ela fez um gesto de negação.

— Ridículo. Meu amigo, isso foi o que quiseram fazer crer. Foi acusado de ter criticado Maria Teresa, no púlpito, durante a invasão da Polônia. Na verdade, ele só pretendia falar... Falar com o rei. Ele sonhava com isso. Tudo o que queria era uma *audiência*. Ser ouvido. Queriam matá-lo porque ele conhecia a verdade.

— *Que verdade?*

O sorriso retorcido permanecia, mas a velha hesitou.

— Que verdade? — insistiu Broglie. — A senhora e o abade mantinham... relações?

Ela riu ainda de modo curioso, quase um cacarejo.

— Com Jacques? Não... Com *ele* não.

A velha fez uma pausa, fechando-se em si mesma como se mergulhasse no passado. Retomou, sonhadora:

— Assim como ele nunca participou de nossas cerimônias. Na verdade, Jacques assistiu apenas a um dos ritos clandestinos. Ele nos viu um dia quando nos retorcíamos de dor. Ele era jansenista, é verdade. Mas não comungava de nossas ideias. O que fazíamos, meus amigos e eu, o apavorava... Ele foi embora, pálido e perturbado. Eu me lembro. Foi na noite em que queimaram meus olhos.

Desde o início da conversa, Charles se sentia terrivelmente constrangido.

— Os olhos... Mas por quê?

— Quando eu lhe disse que por vezes nos excedíamos... Ora, porque eu não era *digna* de ver o rosto do Todo-Poderoso!

Pronunciara a confissão com uma ponta de arrependimento e com o que devia ser um resquício da loucura de outrora. Charles passou a mão no rosto.

Já havia compreendido; já o *sabia*. Mas queria escutar da boca daquela mulher ensandecida. Queria a prova.

— Por quê?

Os lábios tremiam. Ainda hesitava.

— Porque...

— Marie, por quê? Por que não era digna de ver o Senhor?

— *Porque eu abandonei meu filho!*

Broglie deixou-a continuar. Era agora uma verborreia. A voz da mulher saía entrecortada.

— Eles me *obrigaram* a abandoná-lo. Queriam tirá-lo de mim, matá-lo. Então eu o mandei para longe. Eu o confiei... a uma ignorante, uma estúpida que criava outras crianças, a cerca de 60 quilômetros de Paris... A ama o maltratava, eu bem sabia. As outras crianças também lhe batiam. A ama debochava, chamava-o de "pequeno príncipe"... E debochava de mim! Jacques nos salvou. Foi ele quem pegou meu filho para criá-lo. Eu estava sendo perseguida. Fugi...

— Mas sabe onde está seu filho? Sabe o que ele faz hoje?

Ela voltou a erguer o rosto, mostrando a expressão contraída. Demorou alguns segundos antes de responder.

— Ele está *vivo*?

Charles levou a mão aos lábios.

Ah, meu Deus... Ah, meu Deus...

Sentiu um imenso nó na garganta.

— Não... Não, Marie... Mas...

Inclinou-se e tomou-lhe as mãos com doçura.

— Diga, Marie... O que fazia *antes*? Antes de unir-se às fileiras dos convulsionários?

— O que eu fazia? Eu me vendia! — disse numa exclamação estrangulada.

Ela se inclinou. Broglie achou que, de tão frágeis, os ossos se quebrariam. As mãos de Charles estavam quentes e úmidas; as da convulsionária, congeladas.

— Uma meretriz, era isso que eu era! Eu morava com a minha mãe, moribunda, e minhas duas irmãs... Várias vezes um homem foi à minha casa. Eu era bela e desejável naquele tempo... Ele me levava.

— Aonde? Aonde a levava?

— Ao Parc-aux-Cerfs — disse ainda rindo, desta vez um riso de loucura. — Ao *Parc-aux-Cerfs*!

Charles calou-se, lívido. As palavras da velha o perseguiam, ressoavam em sua cabeça. Ela ria convulsivamente.

Lentamente o chefe do Secret tirou do bolso o pequeno objeto que trazia consigo.

Colocou o estojo na mão furada e descarnada da velha.

— O que é isso? — perguntou Marie.

— Uma lembrança.

Ela o abriu. A mão tocou o cacho de cabelo e o bilhete que não mais era capaz de decifrar. Durante alguns instantes, as rugas da testa se acentuaram; franziu as sobrancelhas, sem cessar de acariciar o bilhete, como se revirasse a memória...

O rosto clareou para, em seguida, ensombrear-se.

Então, chorou. Mas os soluços eram secos, as lágrimas consumidas no abismo das órbitas mumificadas, no fundo de crateras desativadas.

Antes de partir, tão rápido quanto chegara, Charles foi parado pelo abade.

O pároco o fitou com expressão séria.

— O senhor devia meditar.

— Não tenho tempo a perder, abade.

Morois reteve Broglie pelo braço, com firmeza.

— Não, não. *O senhor deve meditar.*

Charles ergueu um olhar surpreso para o abade.

— Onde? — perguntou.

Morois contentou-se em apontar o indicador trêmulo.

Charles encontrava-se no coração do cemitério de Saint-Médard.

Uma chuva forte voltara a cair.

As estelas se projetavam em manchas esmaecidas sobre a terra úmida. Cruzes inclinadas à direita e à esquerda pareciam marcar a passagem do tempo no além-túmulo. Aqui e acolá, a boca de um jazigo, fechado a grade e cadeado, rangia e gemia de desolação. Escadas de pedra desapareciam no fundo dos mausoléus dando — quem sabe? — em alguma catacumba parisiense. O vento uivava entre os túmulos. Não era preciso forçar a imaginação para adivinhar, em meio aos epitáfios, os cortejos de danças macabras na Idade Média e a sombra dos esqueletos, dos enforcados, dos fantasmas e dos esfolados vivos a agitarem seus ostensórios.

É espantoso, disse Charles a si mesmo. *Espantoso*.

Diante de Charles encontrava-se o túmulo do abade de Marsille. Após a morte, o corpo fora restituído à sua paróquia para ser enterrado. Bem ali, a dois passos do local onde também repousava o diácono François de Pâris. Ali, onde tiveram início os milagres, as curas milagrosas e outras manifestações. Charles olhou a estela oscilante.

AQUI JAZ
JACQUES DE MARSILLE
1715 — 1770
DE SEUS RECONHECIDOS PAROQUIANOS

Gotas de chuva escorriam-lhe pelas pálpebras.

De repente apercebeu-se que o túmulo estava florido.

Florido, com flores frescas.

Entre as flores, um pássaro, imóvel.

Charles pestanejou e se curvou. O passarinho não se moveu. O passarinho estava... empalhado.

Charles pegou-o, examinou-o longamente para depois recolocá-lo no lugar.

O passarinho havia sido deposto ali como uma oferenda.

Ele vem aqui de vez em quando, disse para si mesmo.
É ele quem vem aqui colocar flores no túmulo.

*
* *

Nos porões da ala dos Ministros, Augustin Marienne havia aberto em sua escrivaninha as plantas encontradas por Viravolta durante a expedição a Herblay.

Há meses esforçava-se por montar o quebra-cabeça. Comparava as duas plantas e tentava compreendê-las. Teriam ou não ligação? E essa expressão enigmática — PARTY TIME — que significava? O conde de Broglie supunha tratar-se de um plano de invasão à costa francesa, espécie de réplica do projeto do Secret para o desembarque na Inglaterra. Se o projeto existia em alguma parte, não era a ele que esses diagramas se referiam. Não, definitivamente não, mas sim a outra coisa bem distinta. Mas tais fórmulas, distâncias, ângulos, cálculos... Que podiam representar? Numa das plantas, Augustin se perdia como um camundongo no labirinto de linhas horizontais e verticais, chegando a círculos e outras figuras geométricas; os outros documentos, manchados de tinta, continham fórmulas químicas secretas. Augustin conseguira recompor certos elementos. Encontrara alusões a antigos trabalhos de Anaxágoras de Clazômenas e pedira ajuda a alguns membros da Academia de Ciências, sem revelar a urgência que guiava sua averiguação.

Entrara em contato com um amigo, Antoine Lavoisier, químico que servia à Administração Real das Pólvoras. Seus trabalhos sobre o aperfeiçoamento da produção de pólvora já haviam sido úteis a Viravolta, aos agentes da diplomacia secreta e aos membros da guarda, sem que estes tivessem conhecimento das inovações. Mas os pontos de interesse do químico o aproximavam fatalmente do responsável pelo departamento de Invenções da Casa Real. Por seu lado, Augustin mantinha-se informado acerca de qualquer novidade nas pesquisas modernas. Sabia que Lavoisier também se interessava pelo fenômeno de combustão e não escondia o ceticismo em relação à teoria tradicional segundo a qual a matéria, ao queimar, soltava uma substância chamada flogisto. Não sem audácia, ele se aventurava a construir uma teoria alternativa.

Foi Lavoisier quem, considerando certos elementos que Augustin destacara nas plantas, o colocara no caminho certo.

— Aqui e aqui... Se completar os símbolos... Trata-se do enxofre — dissera sem hesitação.

Mas tudo ainda permanecia um mistério.

Augustin traçou um círculo a pena na menção que acabava de reconstituir.

Colocou os óculos sobre o nariz.

Enxofre. Aqui, nafta.

Ajeitou-se, a boca entreaberta, a expressão inquieta.

E isso... O "Liber ignium ad comburendos hoste".

Senhor, a que se refere tudo isso?

*

* *

No exato momento em que Augustin Marienne debruçava-se sobre as fórmulas, Charles de Broglie confiava a um mensageiro a missão de transmitir sua descoberta a Viravolta. Broglie havia encontrado Marie. Quanto a Pietro, acabava de se despedir da rainha e voltava ao Salão da Paz.

Também estava a par do fim do *Secret*. Recebera, pouco antes, uma carta de Charles com a informação, em código, das últimas manobras, como em homenagem aos bons e velhos tempos. *O novo advogado-geral* — nas correspondências da diplomacia secreta referiam-se ao falecido rei Luís XV como "advogado-geral" — *me informou que não gostaria que as atividades do serviço prosseguissem. Tendo em vista as disposições tomadas e os processos dos quais você se encarregou em nossa causa, o montante da pensão que lhe cabe foi fixado em 10 mil* livres *anuais*. Viravolta esperava por isso; mas, assim como os outros, não suportava a ideia de deixar para trás tantos anos de serviço. A diplomacia secreta fora extinta? Fechava-se a loja? Seria necessário voltar à Itália? Não tinha certeza. Pietro também lia nas entrelinhas. Talvez o *Secret* não fosse extinto por completo. Os negócios da França não parariam por isso e a espionagem tinha muito trabalho pela frente... Charles acrescentara um *post-scriptum*: *Você sabe que nos resta uma última missão a cumprir para o bem da casa. Com o intuito de não alarmar o novo advogado-geral, decidi não comunicar-lhe detalhes do nosso caso. Contudo, ele nos incumbiu de não perder de vista a ameaça que pesa sobre nós. Salve o serviço e nossos grandes magistrados.*

Considere este como o seu último processo.

A mensagem era perfeitamente clara.

Pietro recebeu a visita do valete trazendo uma segunda mensagem do conde de Broglie quando, na Galeria dos Espelhos, tinha início novo cerimonial.

Após a toalete, as homenagens e a missa matinal, o casal real costumava atravessar a Grande Galeria, entre as alas de cortesãos. Nessa ocasião, cada um aguardava um olhar, um sorriso, uma palavra que testemunhasse que gozavam dos favores do casal real. Pietro escondeu-se atrás das portas que Luís XVI e Maria Antonieta acabavam de cruzar. Caminhavam com graça. Ao longe, Pietro reconheceu o rosto do perfumista Jean-Louis Fargeon que sorria, inclinando-se numa reverência diante da soberana.

Um valete, munido de uma bandeja de prata, esgueirou-se entre os membros da corte até alcançar Viravolta.

— Da parte do chefe.

Pietro apossou-se da mensagem. Ao abrir, descobriu a letra miúda e nervosa do conde de Broglie.

Apenas uma frase:

Tome cuidado. O Fabulista é filho do advogado-geral.

— O quê? — exclamou Viravolta.

A voz ressoara clara e forte. Logo tudo passou a fazer sentido.

Pietro, admirado, voltou-se na direção de Luís XVI e de Maria Antonieta. Observou o casal passar sob os lustres, entre os espelhos e os lambris dourados dessa Galeria dos Espelhos de mil reflexos e grandes janelas atravessadas pela luz do sol dourado.

O filho de um rei... Uma ameaça ao trono...

Num lampejo, compreendeu.

Por toda Versalhes avistava-se o símbolo do Sol; o emblema do qual o Grande Rei se servira num carrossel outrora magnífico e galante; a insígnia que tornara sua, pois este príncipe só poderia ser a luz do mundo e à França se entregava para cumulá-la de glória. Luís XVI ocupava-se dos preparativos da coroação desde a ascensão ao trono. Já em maio do ano anterior havia encomendado vários projetos para a cerimônia ao *intendente de Menus-Plaisirs*[1] e aos primeiros camareiros. Finalmente, em dezembro, autorizara a preparação da festa, a um custo de 760 mil *livres*. A coroação seria realizada em Reims, segundo a tradição da monarquia francesa. A data escolhida foi 11 de junho de 1775, perto do solstício do verão, o dia mais longo do ano.

Pietro pegou o bilhete endereçado a Maria Antonieta no qual, além de "*A cigarra e a formiga*", constava o aviso enigmático do Fabulista.

---

[1]O *Menus-Plausirs duroi* era o órgão governamental responsável por toda organização do entretenimento da corte francesa durante o Antigo Regime. O órgão era encarregado de todos os preparativos para os cerimoniais, eventos e festas da família real. (*N. do E.*)

Quando perto do solstício, o sol encontrar a aurora,
Sua Majestade também dançará

Claro.
O Rei descendente do Sol. O solstício. A nova aurora.
A coroação.
Um golpe espetacular.
O Fabulista atacaria nesse dia.

*
* *

Charles de Broglie não perdeu tempo: necessário era tomar providências. Tentava-se, de todas as maneiras, explorar as novas pistas. Convocou informantes e espias e os espalhou pelas redondezas de Saint-Médard com a incumbência de tentar descobrir os antigos círculos dos convulsionários e jansenistas fanáticos. Reviraram o submundo de Paris — uma vasta batida preparada por Broglie e pelo tenente-geral da polícia. Nas ruelas e avenidas, nos albergues e nos bordéis, prenderam agitadores e prostitutas, duas marquesas envenenadoras e até mesmo um cozinheiro e um empregado do departamento de fontes que trabalhavam em Versalhes. Viravolta fechava o cerco; surgia de surpresa, cercado de oficiais de polícia despachados por Sartine, em cafés e estalagens, sob os tetos de velhas casas e nos porões de todos aqueles que podiam ter contas a acertar com a monarquia — e eles eram muito, muito numerosos. Por baixo, revirava-se o lodo, tudo o que Paris podia ter de nojento e miserável; por cima, visavam-se as conexões inglesas. Broglie sacudia os galhos do ramo britânico, incitando Vergennes a convocar lorde Stormont e exigir explicações. O conde se lançava ao encalço de Stevens. Trouxeram para interrogatório gente de George III, pretensamente de férias na França; bisbilhotaram salas de armas e mesas de jogo, examinaram todos os relatórios e fichas, prenderam fugitivos, foram no encalço de contatos e de antigas amantes de Luís XV

— até mesmo de madame du Barry, que estava num convento. Nas alcovas e nos jardins de Versalhes, circulavam espiões em busca de informações e rumores. Agonizante, o *Secret* desdobrava-se, usando de todo o prestígio e poder conquistados em trinta anos de atividade clandestina — talvez pela última vez, como se a fera, ferida de morte, lançasse nessa última missão todo o peso de sua história e de sua autoridade.

Aproximava-se o dia da coroação.

QUARTO ATO

Party Time

Ensinamos as fábulas às crianças, mas por que não lembramos sua existência a nossos ministros? Aplicam-se à conduta dos Estados, à gestão das finanças públicas bem como à condução da vida. Quantos erros, por vezes fatais, seriam evitados caso seus conselhos fossem seguidos!... Os golpes baixos aplicados pelo lobo e pela raposa, sem falar do macaco e do gato, são prática corrente entre os Estados: sua linguagem, seus procedimentos, suas intrigas, seus argumentos têm hoje não sei qual vestígio dos tempos merovíngios. O homem não vale mais que os animais das fábulas; na verdade, vale menos, pois fala mais.

ANDRÉ SIEGFRIED,
La Fontaine, Maquiavel francês.

No coche real

ESTRADA DE REIMS

A pompa que, naquele mês de junho, precedia os preparativos da coroação, lembrava ao pobre Luís o fausto de seu casamento, trazendo o presságio dos excessivos rigores protocolares.

O país se preparava havia seis meses. A cada uma das etapas da viagem do monarca, a população se exaltava. Luís XVI, entrincheirado em sua berlinda, não conseguia contemplar a multidão à sua passagem sem esconder a inquietação por trás de sorrisos forçados. Retorcia nervosamente as mãos. Até então governara sem a sagrada unção, mas em breve seria objeto de um milagre. Deus o distinguiria com sua marca sagrada, como a seus ancestrais, desde Clóvis. Caberia a ele envergar o manto do poder absoluto, reunir em sua pessoa a magnificência do céu e a alma da Nação, assumir o leme do Estado! Haveria de renascer a partir dessa transfiguração. A espera, contudo, se fazia provação das mais terríveis. O ritmo do cortejo não lhe deixava tempo para se abandonar às emoções. Ali, era preciso receber a homenagem preparada por alguém inspirado; mais adiante, admirar um arco de triunfo; o restante do tempo, conter os bocejos. Dormia mal. A miopia o incomodava e, na dança das cores, impedia-o de apreciar as manifestações de afeto.

— Extasiado, estou extasiado — contentava-se em repetir incansavelmente.

A seu lado, Maria Antonieta, as mãos nos joelhos, mantinha o olhar fixo à frente.

Há alguns meses, as grandes esperanças marcavam passo. Na primavera estourara a Guerra das Farinhas, ferida que ainda não cicatrizara. Turgot quisera assegurar a livre circulação do trigo em todo o território, obstruída pelas múltiplas taxas e pedágios entre as províncias. Procurara regular o comércio do grão e, portanto, o do pão, que consumia, em média, três quartos do orçamento familiar. Mas as colheitas, naquele ano, haviam sido medíocres. O controlador-geral preferiu fazer passar à força as novas medidas. Os preços subiram às alturas; revoltas explodiram em Dijon, Metz, Reims, Tours, Montauban, Pontoise, Saint-Germain; o movimento se propagara até Versalhes. O rei fora forçado a mandar a guarda conter os revoltosos. No dia seguinte, os camponeses invadiam Paris, carregando cestas de aspargos e de legumes enquanto os revoltosos, armados de pedaços de pau guarnecidos de ferro, começavam a quebrar as insígnias da *porte* Saint-Martin em Vaugirar. Como o mercado central de trigo estivesse bem protegido pela Guarda Nacional, pelos guardas suíços e pelos dragões da Casa Real, os revoltosos contentaram-se em saquear empórios e padarias. O próprio Pietro fora enviado ao local com um regimento de dragões e uma companhia de mosqueteiros. Luís XVI, tomando decisões rápidas para proteger mercados e moinhos, acabou por finalmente mostrar sangue-frio e iniciativa dignos de um rei. O conselho criara tribunais de exceção para julgar os insurgentes e havia anunciado medidas que permaneceriam em vigor até o final do ano. Era iminente o estado de sítio. Lenoir, tenente-geral da polícia e sucessor de Sartine, havia sido destituído. Mas os acusados estavam longe de serem agitadores. Para o populacho, o preço do pão era uma questão de vida ou morte. E haviam enforcado gente na place de Grève. *Algo se passava.* O próprio governo parecia solapado por agitadores. Luís XVI lamentara as medidas excessivas tomadas em seu nome, rogando para que aqueles que "apenas haviam sido levados a aderir" fossem poupados. Apoiara Turgot até o fim. Mas, sobre a estátua de Henrique IV, a mão de um desconhecido riscara a palavra *Resurrexit*.

Quando a cerimônia da coroação foi marcada para 11 de junho de 1775, todas essas confusões mal haviam sido dissipadas. O trajeto do cortejo seria guarnecido de tropas. Viravolta e Sartine zelariam pelo rei. Em sua qualidade de cavaleiro da Ordem do Espírito Santo, o conde de Broglie havia sido convidado para as cerimônias. Desfilaria dois dias depois. Recebera um bonito convite da mão do próprio soberano, no início de junho. Seguiriam em massa a Reims. Por sorte, apesar dos trágicos sobressaltos do início do ano, o povo continuava a apoiar seu rei e apressava-se em celebrar com ele a unção sacramental que levaria a bênção ao país.

Haviam pensado em coroar Maria Antonieta, ao mesmo tempo que Luís XVI, na catedral. Mas o evento iria contra as tradições francesas e, assim, desistiram. As rainhas não eram associadas ao poder. Em teoria, nem precisavam comparecer às cerimônias. Luís XIII, Luís XIV e Luís XV tinham sido entronizados antes do casamento.

Maria Antonieta assistiria à coroação da tribuna.

As críticas acerca de seu estilo de vida não arrefeciam. Desde janeiro, os bailes se multiplicavam. A preparação dos trajes, os ensaios e as reiteradas contradanças em roupas do século XVI, dominós, saltimbancos, indianos ou tiroleses, aumentavam as despesas. O intendente Papillon de La Ferté arrancava os cabelos. Maria Antonieta reinava no *Menus-Plaisirs* sem dar ouvidos a ninguém. Recolhia-se cada vez mais tarde; chegava mesmo a passar noites em claro antes de dirigir-se à missa matinal e, finalmente, desabar, perturbando por vezes o sono e a rotina protocolar de seu real esposo. Para piorar a situação, começava a dar a impressão de negligenciar o marido. Tinha seu pequeno círculo de íntimos: o barão de Besenval e a condessa de Brionne, o conde d'Artois, monsieur e madame de Guéméné, a princesa de Lamballe e, cada vez com mais frequência, a condessa de Polignac; sem falar dos sedutores de bela aparência, como Lauzun e Esterhazy. De tanto ironizar os nobres da antiga corte, terminara por reunir contra si um verdadeiro partido. Os cortesãos mais velhos rapidamente compreenderam que não contariam com aquela austriacazinha, cercada de uma juventude exuberante, como aliada. Maria Antonieta ria da etiqueta, debochava das golas altas e das senhoras de encantos murchos. Esse riso insolente a brotar dos lábios pintados de púrpura, lábios de uma Habsburgo, não obstante, soava como uma sentença.

Havia já alguns meses, choviam panfletos e boatos. Nessa cacofonia, a ameaça representada pelo Fabulista poderia parecer anedótica, pois, por vezes, era difícil discernir entre as habituais insolências vexando o poder e os verdadeiros atentados e planos de desestabilização. Os resultados de uns e de outros podiam variar enormemente. Também a rainha enfrentava rumores que se esforçava por desconsiderar com bom humor. Sempre lhe atribuíam amores sáficos com a princesa de Lamballe e numerosas proezas adúlteras. Entretanto, surgia um dado novo: as brincadeiras lésbicas passavam a incluir também sua modista, Rose Bertin.

Apesar de tudo, Maria Antonieta divertia-se. Sob influência do seu círculo íntimo, contava com a coroação para tentar favorecer o retorno de seu favorito, o duque de Choiseul, ao ministério dos Assuntos Estrangeiros. Uma primeira entrevista com o rei não rendera frutos. Quem sabe se, extasiado com a proximidade da coroação, Luís não se encontraria em melhor disposição? Enquanto isso, a rainha havia liquidado o atual ministro, um dos principais obstáculos ao retorno de Choiseul. No dia 30 de maio, quando da famosa parada da Casa Real, ela havia brutalmente cerrado a cortina de sua carruagem no momento em que d'Aiguillon vinha saudá-la. Forçando-o à demissão, lograra vencê-lo uma primeira vez; acabava de obter uma segunda vitória ao relegá-lo ao exílio, bem longe, em Agenais. Humilhação final: o duque não poderia assistir às cerimônias da coroação. Quanto a Maurepas, anunciara ao rei que preferia se recolher à tranquilidade de Pontchartrain durante as cerimônias. Assim, d'Aiguillon fugia rumo ao sul, Maurepas se calava e Choiseul voltava a Reims!

Maria Antonieta agora fantasiava ser dona de talento político; há tempos, entretanto, frustrara as esperanças da mãe e do seu mentor na França, o embaixador austríaco Mercy-Argenteau, quanto a se tornar a influente conselheira do rei. Não tinha nem talento nem interesse para maquinações políticas; apenas se preocupava com suas questões de amor-próprio. Entretanto, elaborava planos e julgava obter êxito nas manobras. Deixando de lado as reflexões, um sorriso radiante no rosto, acenou para o povo que a aclamava. Os campanários das igrejas repicavam alegremente. Hoje, ainda era adulada. Amanhã, depois de amanhã e ainda por vários dias continuaria a receber homenagens. Para a rainha, era isto a coroação: a oportunidade de ser festejada e admirada. Como estava feliz! Saudava a todos com um permanente sorriso nos lábios.

Antes da festividade, pararam dois dias em Compiègne. A 8 de junho se separaram: o rei deveria visitar Fismes, enquanto a esposa iria ao encontro do arcebispo de Reims. Maria Antonieta se pôs a caminho no dia seguinte, em companhia dos cunhados e da condessa de Provence. A condessa d'Artois, grávida de sete meses, não os acompanhava. Sendo a primeira a chegar a Reims, a rainha recebeu sozinha, descontraída e contente, cônscia de seu poder e de sua superioridade, em meio aos chapéus de plumas de todas as mulheres do seu séquito, as homenagens da aristocracia de Champagne.

À uma hora da tarde, instalou-se na sacada de uma residência situada a poucos passos da catedral. Ao longe, o mundo vinha abaixo: das avenidas, o clamor chegava-lhe aos ouvidos, extraordinário.

O rei se aproximava.

Precedido pela equipagem dos príncipes de sangue, Luís XVI abandonara sua berlinda de viagem pela carruagem oficial, carruagem de Apolo encimada por uma coroa cintilante e puxada pelos *destriers*, cavalos de guerra da Cavalariça Real. A cidade inteira se transformara. Os arcos de triunfo e as colunas coríntias elevavam-se a cerca de 18 metros de altura; colossos esculpidos, simbolizando a Justiça e a Religião, abriam passagem até o pórtico enfeitado com emblemas da Agricultura, Manufaturas, Navegação e Comércio. Haviam camuflado de templo grego o muro do abrigo de caridade. Crianças miseráveis, vestidas de dourado para a ocasião, atiravam flores sob as rodas da esplêndida carruagem. O rei passava sob guirlandas, entre arcos de folhagens e estátuas alegóricas. Ao chegar ao pé da sacada, saudou Maria Antonieta, em meio à aclamação pública. Ela o observou saltar da carruagem e caminhar entre as colunas de madeira e estuque que formavam uma passagem coberta até o arcebispado. Luís assistiu, sem a esposa, ao *Te Deum* na catedral. Juntou-se a ela, em seguida, para receberem todas as delegações da província no palácio episcopal.

No dia seguinte, sábado, 10 de junho, assistiram às vésperas; o dia passou, e também a noite, trazendo a aurora anunciada.

A aurora sublime da coroação de Luís XVI.

A lebre e a tartaruga

ADRO DA CATEDRAL DE REIMS

Meu Deus do céu, o que ele vai fazer?

O sol despontava no horizonte. Viravolta reunira-se pela manhã com Vergennes e Sartine, estarrecidos desde o dia em que tomaram conhecimento da verdade. Na véspera, à noite, em Fismes, na comitiva do rei, Orquídea Negra tivera um encontro confidencial com Charles de Broglie. O chefe mostrava-se inquieto. Safira não atendera ao seu chamado e a recente revelação sobre a genealogia do Fabulista não deixava margem a dúvidas acerca da determinação que o dominava. A batida parisiense, conduzida um tanto às pressas, nada trouxera de novo, e a aliança do Fabulista com Stevens transformava o que poderia não passar de vingança pessoal em conspiração política, suscetível de abalar tanto a França quanto o equilíbrio europeu. Lorde Stormont, embaixador inglês, habituado a ficar em cima do muro, decidira reagir vigorosamente ao constatar que os primeiros agentes enviados ao encontro de Stevens não respondiam à sua convocação. Por sua vez, lançara uma busca de grande envergadura, mas, por enquanto, ainda marcava passo. Tamanha era a seriedade da situação que chegavam a discutir a cooperação entre os serviços, o que, vindo do chefe do *Secret* e do chefe da diplomacia britânica na França, era sintoma de preocupação gravíssima.

*

O Fabulista, portanto, nascera dos amores proibidos de Luís XV e de uma prostituta, como tantas que o monarca costumava receber em sua bela residência no Parc-aux-Cerfs. Um bastardo do rei, disposto a tudo! Tal era o preço da leviandade do Bem-Amado. Sem dúvida, isso também justificava a hecatombe dos informantes e agentes do Secret: Lansquenet, Rosette e Crapaud deviam ter desconfiado, apesar de não terem essa intenção. Outros, como Meteoro e Serpe, haviam participado da investigação a respeito de Jacques de Marsille, o primeiro Fabulista. De tudo, emergia a inquietante indagação: teria o abade, jansenista atormentado, mas sempre defendido pelos paroquianos e pela convulsionária Marie Desarneaux, realmente tentado se fazer ouvir pelo rei? Não era de surpreender que, ciente do que se passara, Luís XV não demonstrasse nenhum interesse em dar prosseguimento à investigação.

Uma coisa era certa. A ameaça era mais real do que nunca.

Ao mesmo tempo, o conde de Broglie continuava a procurar a reabilitação do *Secret*, bem como a sua. Luís XVI decidira nomear uma comissão para a apuração das contas do Gabinete Negro. Evocavam o caso polonês e o "plano de desembarque na Inglaterra"; em seguida, dissecavam as missões de espionagem em outros países. Eximido de toda a culpa, Charles teimara em cobrar a revelação do complô urdido por d'Aiguillon para aprisioná-lo. Alegando o crime de lesa-majestade, exigira uma declaração oficial dos comissários e uma carta assinada de próprio punho pelo monarca. Este se irritara. Charles havia solicitado tarde demais o essencial: o perdão definitivo e o título de duque, pelo qual se empenhava há tanto tempo. Como única recompensa, foi-lhe oferecido não um título ou um cargo no governo, mas o direito de unir-se ao irmão, Victor-François, governador dos Três Bispados (Metz, Toul, Verdun), como encarregado-adjunto, em Metz. Aos 55 anos, Broglie retornava à carreira militar, onde começara. Apesar disso tudo, não desistia: a maioria dos agentes, dentre eles Viravolta, ainda estava à sua disposição; Broglie contava com o reconhecimento de seus subordinados. Na presente situação, o rei não podia anular com um traço de pena toda a atividade. Também, de uma forma ou de outra, o serviço continuaria. À espera,

Broglie desfilaria um dia após a coroação, junto ao irmão e aos cavaleiros da ordem do Santo Espírito.

Viravolta passava em revista as tropas a ele confiadas. Entregara a Augustin Marienne as armas usadas na missão. Nada se equiparava à sua lâmina italiana, ao seu punhal e à sua pistola. Anna Santamaria juntava-se, naquele momento, ao cortejo da rainha. Pietro teria preferido protegê-la do perigo, mas era impossível evitar que a mulher assistisse à coroação. Assim, a confiara aos cuidados de Cosimo.

— Não se deixem distrair! — gritou, percorrendo suas linhas a cavalo. — O cortejo chega em duas horas. Nem um minuto de desatenção, seja antes, durante ou depois da cerimônia e enquanto durarem os desfiles.

Detiveram-se a leste da catedral, cercada por outras companhias, alinhadas em fileiras no adro ou espalhadas pelas casas vizinhas. Em meio à decoração excessiva, a exiguidade de lugares não favorecia a permanência das tropas, que deviam deixar espaço para as grandes carruagens e para a multidão. Entretanto, todos permaneciam prontos a se reunir ao menor sinal de alerta. Sartine, por sua vez, encarregava-se da proteção do cortejo. Acompanhavam o trajeto não apenas as forças de elite da Casa Militar do Rei, gendarmes da Guarda, e regimentos da Cavalaria Ligeira, paramentados de vermelho, mas também hussardos e tropas de infantaria. Pietro tinha sob seu comando dois regimentos de dragões, famosos por sua habilidade tanto em atirar como no manejo das armas brancas, assim como uma companhia de mosqueteiros. Se suas missões não lhe tivessem imposto o status de oficial, faria parte das fileiras. Dois regimentos, diferençados pela cor dos cavalos, ainda estavam ativos; cada qual contava com cerca de 250 homens. Pietro trazia sob comando uma centena desses homens, montados em cavalos brancos e pretos, e trajando casacões azuis com a cruz branca sobre o uniforme vermelho, engalanado de ouro. Todos portavam espada e mosquete.

Diabos! O que o Fabulista poderá tentar contra essas tropas?

Contudo, não estava tranquilo.

— Permaneçam atentos, observem a multidão, controlem os movimentos do povo e estejam preparados para cumprir as ordens!

Recapitulava as diferentes etapas da chegada da corte e da cerimônia quando uma criancinha, sem dúvida do abrigo de caridade nas proximidades, avançou em sua direção. Trazia uma guirlanda na cabeça e um colar de flores no pescoço. Apresentou ao veneziano uma bandeja sobre a qual repousava um envelope com um sinete de cera. Pietro imediatamente reconheceu o selo sobre a mensagem.

F,

Para Orquídea Negra

— Quem lhe deu isso? — perguntou ao menino. — Como conseguiu chegar aqui?

— Um homem de capuz... Ele disse que era para o senhor e para o rei... O capitão dos dragões falou para eu entregar ao senhor.

Pietro deixou de escutar e abriu o envelope.

Uma fábula, é claro.

Um oficial do rei, vindo diretamente de Versalhes, chegou a toda brida. Os cascos da montaria retiniram na calçada.

Passou entre as linhas a agitar o chapéu emplumado e a gritar:

— Abram espaço! Abram espaço! Mensagem de monsieur Marienne, da Casa Real, para Orquídea Negra!

Pietro elevou a cabeça no momento em que o mensageiro apeava do cavalo.

Entregou-lhe o segundo bilhete, que Viravolta leu sem demora.

Em seguida olhou novamente a fábula... e empalideceu.

A seu lado, um mosqueteiro perguntou:

— O que houve?

Pietro entregou-lhe o bilhete e saltou sobre o cavalo sem responder. Fez girar a montaria, que empinou, relinchando. O cenho franzido, ergueu os olhos da direção dos montes que cercavam a cidade.

As colinas.
O local ideal.
Miserável.
Berrou.
— *VAMOS!* Vinte dos negros, com Faquetet, a oeste das colinas. O resto comigo. O primeiro regimento de dragões também. Os outros guardem suas posições. Mande um mensageiro à procura de Sartine.
Seu cavalo já virava na direção oposta. O mosqueteiro Faquetet, desorientado, agitando a mensagem na mão, ergueu o olhar:
— O que está acontecendo?
Pietro já desaparecia numa nuvem de poeira.

As palavras do bilhete de Augustin Marienne ressoavam nos ouvidos de Viravolta, como se o preposto das Invenções da Casa Real as pronunciasse com sua voz grave e rouquenha.

Acabei identificando os componentes químicos mencionados nas plantas que me confiou. Neles encontrei óleo de nafta, salitre e diversas substâncias, como piche e resina, misturados à cal viva. Uma nitroglicerina, tal como a descreveu Plínio, uma eflorescência sobre os muros úmidos. Também identifiquei enxofre e carvão. Sem dúvida, não há uma receita única, mas sim a adição de várias misturas, reunidas sob uma fórmula genérica utilizada pelos artífices bizantinos. Alusões ocultas a Calínico da Síria e ao *Liber ignium ad comburendos hostes*, ou *Livro dos fogos para queimar os inimigos*, escrito por Marcus Graecus em 1230, terminaram por me convencer.

Trata-se de uma arma, meu amigo. Não uma arma qualquer, mas uma arma absoluta, mortal, ressuscitada das cinzas! Isso me fez lembrar de uma invenção que nos chegou à Casa Real, em 1759, para ser exato. Então, um homem de nome Dupré tinha por acaso redescoberto esse flagelo e comunicara o segredo ao nosso Bem-Amado Luís XV. Eu mesmo levei essa abominação a seu conhecimento. Seus efeitos eram tão terríveis que, por humanidade, o rei decidiu lançar o segredo no esquecimento e comprar o silêncio de Dupré! Deu-lhe uma pensão de 2 mil livres. Um dos nossos foi encarregado de queimar para sempre os documentos. Eu não voltei a vê-los. De repente, fui tomado pelo terror: *e se esses arquivos tivessem sido roubados? E se alguém tivesse redescoberto a fórmula secreta?* Um de nossos inimigos ou um agente da espionagem, traidor da causa do rei?

Compreende, Viravolta, a que me refiro? Essa arma é um raio, meu amigo, nem mais nem menos. O fogo devastador cuja fórmula foi perdida após a queda de Constantinopla em 1453...

O fogo grego!

Faquetet olhou o bilhete; leu apenas as últimas palavras.

Não visavam apenas o rei e a rainha, mas toda a corte.

O mosqueteiro ergueu os olhos na direção de Viravolta, que se afastava em meio a um trovão de cascos.

A LEBRE E A TARTARUGA
Livro VI — Fábula 10

De nada adianta correr; é preciso partir no momento preciso.
A lebre e a tartaruga são disso testemunhas...

Resurrexit!

Catedral e colinas de Reims

O cerimonial nada mudara em setecentos anos.

Às 6 horas da manhã, naquele 11 de junho de 1775, Luís, a tez pálida como a cera de uma vela apagada, reuniu forças para enfrentar um dos mais longos e penosos dias de sua vida. Envergando uma batina sob o manto prateado, usava uma touca de veludo preto de três bicos, enfeitada por um buquê de plumas brancas e por uma *aigrette* de plumas de garça-real. Reprimiu a tosse quando lhe anunciaram, no arcebispado onde se hospedava, a chegada dos prelados com suas velas acesas. Precedidos por meninos do coro, os sacerdotes se postaram em duas fileiras. Já ressoava a música da metrópole, do grande chantre e do chantre-adjunto da catedral. Desde o despertar, os mais altos personagens da corte, nos mais extravagantes trajes, rodeavam seu leito. Luís continuava deitado e todos ainda o cercavam, quando o grande chantre bateu o bastão na porta do quarto do monarca.

No interior do aposento, o camareiro-mor, a mão no coração e os ombros para trás, deu um passo à frente e perguntou:

— Com quem desejam falar?

— *Com o rei.*

— O rei está dormindo.

Passaram-se alguns segundos. O grande chantre bateu novamente.

Novamente o mesmo ritual. Finalmente, o chantre bateu pela terceira vez.

— Com quem desejam falar?

— Queremos Luís XVI, que Deus nos deu como rei!

Bem... É comigo, disse Luís a si mesmo, engolindo a saliva.

A porta se abriu.

Os prelados se aproximaram do leito e ajudaram o monarca a pôr-se de pé. Tudo ali era cercado de símbolos: enquanto não tivesse recebido a unção sacramental, deveria dormir e ser despertado pela Igreja, que o levaria ao altar. No pátio do arcebispado, o cortejo se pôs a caminho: os cem suíços, oboés, tambores e trombetas, flautas e pífaros, camareiros e comitiva, a guarda pessoal, os alabardeiros e os cavaleiros da Ordem do Espírito Santo.

Dentre eles, plácido, a sobrancelha erguida, encontrava-se o conde Charles de Broglie.

Luís, as pálpebras pesadas, surgiu, afinal, das sombras. Passando sob as arcadas do arcebispado, empertigou-se, esforçando-se por parecer digno de ocupar seu lugar no centro do mundo. Dois oficiais encarregados das portas vigiavam seus passos enquanto, a pouca distância, o condestável, monsieur de Clermont-Tonnerre, de 86 anos, inclinava-se na direção do vizinho, perguntando, com voz trêmula, se o soberano teria forças para enfrentar até o final as peripécias do dia. Uma vez instalado o rei, o cortejo adiantou-se. Agitando a cruz, o bispo de Laon discutia com o bispo de Beauvais o direito de precedência no cortejo, em voz tão alta que o alarido chegou aos ouvidos do público. Transpuseram os portões, misturando-se aos demais na avenida imensa — e ali, a multidão incontável, no silêncio dessa nova aurora, ajoelhou-se, as fileiras de honra correndo sob as copas das árvores até a extremidade do horizonte.

O povo acolhia o seu novo rei.

Maria Antonieta se vestira quando ainda era noite. Às 5h30 chegou à catedral. Os primeiros convidados haviam começado a ocupar seus lugares a partir das 4 horas da manhã. A rainha entrou e tomou lugar na tribuna, com suas damas de honra. Anna Santamaria, suntuosamente adornada, trajando um vestido de anquinhas com corpete cor de fogo e laranja, o pescoço faiscante de diamantes, reuniu-se à comitiva da rainha, seguida de Cosimo, espada na cintura.

Nesse dia de glória, o prédio estava metamorfoseado. Entre as colunas coríntias que escondiam os pilares da nave, haviam sido instaladas fileiras de tribunas encimadas por tetos abobadados, dos quais pendiam esplêndidas cortinas de cetim cor de púrpura e veludo azul-escuro, ornadas com brocados de flores-de-lis e tranças de fitas douradas. Como a cerimônia devia durar bastante tempo, atrás da tribuna da rainha, o *Menus-Plaisirs* instalara um verdadeiro aposento dispondo de todas as comodidades necessárias, inclusive as de "estilo inglês", de madeira de cedro, e dotadas de um pequeno jato d'água engenhoso e higiênico. Nesse ambiente, transformado em salão de aparato, o excesso de luxo tornava o coro minúsculo, tal uma joia de papel dourado numa esplêndida nave.

Todos os olhares convergiam para a rainha.

Quanto a Maria Antonieta, voltou-se na direção do alpendre.

A rainha aguardava...

E ele surgiu.

Dobravam-se os joelhos à sua passagem. Atingiu, em seguida, a catedral. Emocionado, admirou as estátuas que ornavam o pórtico, inspirou uma última vez e entrou no santuário. O coração batia desgovernado. Transpirava. A cabeça doía.

A silhueta envolta no longo manto prateado apareceu contra a luz, sob o pórtico. Os grandes órgãos ressoaram, inundando o recinto de uma solene alegria. A orquestra de cem músicos vibrava em uníssono. O rei sobressaltou-se. Maria Antonieta levou a mão ao coração.

Luís penetrou na catedral e as portas se fecharam.

Avançou sem pressa entre dois bispos.

Que outro olhar senão o do rei poderia testemunhar com exatidão o turbilhão assustador que se seguiu? Teriam realmente seus olhos visto, teria ele compreendido algo do que se passara naquele dia? Que revolução convulsionava então sua alma? *Cinco horas*. Durante cinco horas seria mais uma marionete do que um homem e, no entanto, graças a este cerimonial, seria elevado acima dos simples mortais. Já o despiam, vestiam-no e o tornavam a despir; mãos o apalpavam, puxavam, empurravam para que avançasse, viravam e desviravam. Luís esforçava-se por se conduzir com dignidade, mas receava não deslizar com a necessária elegância. Temia tropeçar. As aulas que Maria Antonieta encomendara a Gardel, da Ópera, não tinham sido suficientes para lhe garantir um porte imponente; ele estava morrendo de calor. Entretanto, concentrava-se, com todas as forças, em afastar tais pensamentos e fruir, tanto quanto possível, o momento insigne.

Trouxeram a santa ampola contendo o óleo. O rei estendeu-se em cruz, levantou-se, para em seguida se prostrar sobre o veludo cor de púrpura, em companhia do arcebispo de Reims. Este se ergueu, as articulações estalando, enquanto Luís permanecia ajoelhado. O arcebispo sentou-se diante dele.

Era chegada a hora da coroação.

Abriram o colete e a camisa do soberano, que se apresentava às unções sagradas.

Luís XVI foi ungido.

Na fronte. *Tu, rei da França, emissário de Deus!* No estômago. *Tu, soberano taumaturgo!* Nas costas, nos ombros. *Tu, neto de Cristo!* Nos braços. Nas palmas. Pareceu então transfigurado. A graça divina descia sobre ele. O arcebispo de Reims perguntou ao rei se ele se comprometia a proteger a Igreja e a conservar seus privilégios. Os bispos de Laon e de Beauvais o ergueram para que ele pronunciasse o juramento. Como exigia a tradição, dirigiram-se aos presentes perguntando se aceitavam Luís XVI como rei.

As tribunas permaneceram no mais profundo silêncio.

Um silêncio que correspondia ao "sim".
Ele pronunciou o juramento com fervor.

O fogo grego.

Naturalmente, Pietro já ouvira falar do fogo grego, que diziam ter sido inventado em torno de 670. A fórmula secreta de sua composição era atribuída a Calínico, de Heliópolis, na Síria ou, segundo Cedreno, no Egito; sem dúvida Calínico a obtivera por intermédio de seus contatos comerciais com os chineses. Esta mistura particularmente inflamável possuía uma propriedade surpreendente: queimava mesmo em contato com a água. O "fogo líquido" permitira a Nicéforo II Focas expulsar os piratas sarracenos, senhores de uma frota de mais de 2 mil navios, de Creta, em 960; aos bizantinos, resistir aos Omíadas quando do assalto a Constantinopla; a Constantino IV, afastar os exércitos do califa Yezid. Os bizantinos transmitiam esse segredo de geração em geração, com infinito cuidado. O fogo divino, diziam, espalhava-se em todas as direções e podia devorar mesmo a pedra! As crônicas dos antigos combates transbordavam de descrições alucinantes. Centenas de barcos bizantinos lançavam-se em batalhas corpo a corpo com frotas sarracenas em dilúvios de chamas, os sóis explosivos consumindo velas e pontes, em meio a detonações, fumaça acre e vapores infectos. Joinville narrava como os cavaleiros de São Luís, durante as cruzadas, atiravam-se ao chão rezando diante da visão dos cometas brilhantes. Em 1204, quando o exército dos cruzados cercou Constantinopla, os árabes já conheciam as propriedades do salitre e da pólvora negra e os usavam não apenas no mar, mas também nas batalhas terrestres. O fogo grego fora utilizado até o século XIV. A composição dessa arma absoluta se perdera após a queda de Constantinopla, em 1453. Até esse M. Durpé, mencionado por Augustin Marienne, exumá-lo do caos da História e enviar seu relatório ao rei, em 1759...

E eis que o fogo líquido renascia!

Suas chamas pareciam brilhar nos olhos de Pietro.

Viravolta galopava, seguido por dragões e mosqueteiros, contornando a catedral e a cidade pelo lado leste, formando uma coluna rumo aos montes das redondezas, à sombra de um bosque que ia dar nos taludes por onde desciam vinhedos. Os cavalos relinchavam, os cascos erguiam torrões do solo. Pietro se localizou: divisavam a cidade e a catedral localizada a apenas uma légua. Subiram, continuaram a subir — finalmente Pietro compreendeu que não se enganara. Impossível divisá-los do adro do templo, do interior da cidade. Ali estavam, no entanto. Cerca de uma centena de homens distribuídos pela colina. Pietro não compreendia, mas não se deu ao trabalho de examinar em detalhe o surpreendente dispositivo que haviam instalado nos cumes das colinas, de onde descortinavam o desfile. Insólitos aparelhos se espalhavam por ali e o veneziano os adivinhou semelhantes aos que, outrora, equipavam navios bizantinos. Tubos de chumbo e de cobre canalizavam a substância infernal até uma bocarra de leão ou de monstro marinho que, da proa das antigas embarcações, banhava em chamas o inimigo. Na outra ponta, os tubos iam mergulhar em vastos caldeirões cheios da mistura incendiária, preparada sob seus olhos. Uma dezena de canos eriçava-se pela colina. Atrás de cada um, quatro prepostos trajando negro, na iminência de derramar a chuva inflamada e mortal sobre a catedral, sobre a cidade inteira!

Os olhos de Pietro se arregalaram de terror. Os tubos eram capazes de girar sobre o próprio eixo e atender às exigências do combate, segundo a vontade de seus operadores. Além disso, eram munidos de canhões, lembrando, sem dúvida, que ao fogo do inferno outro se sucedera, o da pólvora negra.

— A meu comando, *ataquem*! — gritou Pietro sem hesitação.

Viravolta abriu caminho em meio à horda inimiga. Os cavalos fugiam em pânico, relinchando e escoiceando a torto e a direito. De repente, ele os viu — o Fabulista encapuzado, sobre um cavalo negro como o inferno, ladeado por lorde Stevens, bem no topo da colina. O veneziano esporeou o cavalo, desembainhando a espada com uma das mãos e, com a outra, sacando a arma. Os mosqueteiros o imitaram, em meio à confusão. A surpresa cumprira o seu papel. Durante alguns segundos, ninguém sabia o que fazer. Os aliados do Fabulista entreolhavam-se, surpreendidos; a colina foi tomada por um estremecimento como o da arrebentação do mar. Em seguida, a algumas centenas de metros da catedral, esse santuário onde se reunia toda a corte e a fina flor da nobreza francesa, os inimigos fizeram rodopiar os sifões, ajustaram os canhões, ergueram sabres e armas de fogo. O Fabulista, por sua vez, empinou o cavalo e puxou a arma.

— Vamos! — berrou Pietro.

A colina abrasou-se.

O rei submetia-se ao ritual e, à medida que se sujeitava ao paradoxal despojamento, aumentava o seu poder. Vestiu a túnica, a dalmática e a capa. A seguir, o momento tão aguardado, esperado por todos. O oficiante se aproximou. Luís permanecia ajoelhado diante do altar. Num gesto solene, a coroa foi erguida bem alto. O diadema de Carlos Magno e dos monarcas da França. Como era tradição desde Felipe Augusto, os 12 pares se aproximaram para tocá-la, em círculo, antes da coroa roçar a testa real. Nesse segundo, que pareceu durar uma eternidade, marcado para sempre na história, Luís XVI, a garganta seca, ao receber a coroa de um peso que jamais imaginara, deixou escapar uma queixa:

— Ela... ela me incomoda!

E disto não se esqueceriam.

A pesada coroa foi logo substituída por outra, cintilante, cravada de diamantes, idealizada para a ocasião.

Agora vinha a espada de Carlos Magno, conhecida como *Joyeuse**, sobre uma almofada de veludo.

Joyeuse!

Luís XVI tomou-a pelo punho e a ergueu na direção do céu.

Agora, de pé!

Nos sapatos, as esporas de ouro.

No dedo, o anel do poder.

---

*Em português: *Joyeuse* significa alegre. (*N. do T.*)

Na mão livre, o cetro.

A seguir, a capa de arminho trinta vezes rebordada a ouro.

Os olhos dançavam. Que calor, uma fornalha! O rei subiu os quatro degraus na direção do trono que o aguardava. Um trono sem braços, pois, a partir de agora, o soberano não teria mais necessidade de apoio. Pertencia a Deus e ao seu povo. No topo dos degraus voltou-se e, finalmente — finalmente! — sentou-se.

Um rumor pareceu brotar do passado, crescendo, acompanhado pelo dobrar dos sinos. Em seguida, o estrondo. Uma fanfarra, outra, ainda uma terceira, e o aplaudir de milhares de mãos. As sinfonias inundaram o espaço, os canhões troaram salvas furiosas, os bastões batiam com toda força. Escancararam as portas da catedral ao povo que se precipitou como um rio, um rio alegre, ansioso por prestar homenagem a seu rei. No mesmo momento, abriram as gaiolas douradas preparadas para a ocasião: centenas de pássaros voaram no santuário batendo as asas sob as abóbadas e entre as colunas, passando como nuvens de anjos desvairados diante dos vitrais. A multidão maravilhada soltava exclamações de felicidade. O rei, sentado no trono, segurando o cetro adornado com a mão da justiça na extremidade, fulgurava em sua capa azul guarnecida de arminho e salpicada de lírios de ouro. Por toda a França, chamada "a filha mais velha da Igreja", o povo o aclamava: *Viva! Viva! Viva o rei! Viva o rei!*

Impossível conter a emoção. Um soluço brotou do seio da catedral, o de Maria Antonieta. A rainha, claro, a rainha! Soluçava na tribuna enquanto aplausos ecoavam por toda parte. Do seu trono, Luís a fitava e ele, que não cessara de buscar seu apoio durante toda a cerimônia, dirigindo-lhe sorrisos felizes, mas angustiados, voltou a fitá-la, desta vez com olhar terno e cúmplice. Ela respondeu entre as lágrimas. Monsieur de Clermont-Tonnerre, o condestável da França, que acabara de recuperar a *Joyeuse*, escorregou, vencido pela fadiga. Anna Santamaria não pôde conter o riso; piscou o olho para Cosimo, do outro lado da tribuna. O arcebispo de Reims suspirou, a expressão descontraiu-se, enquanto lágrimas brotavam de seus olhos. O jovem conde d'Artois deixou cair sua coroa e murmurava: "Diabo! Diabo!", esperando que alguém a pegasse e lhe entregasse. O enviado de Trípoli se ajoelhara aos prantos. Os tiros de artilharia despejavam nuvens de pólvora na direção do céu; as salvas dos mosqueteiros ressoaram; os sinos das igrejas, das abadias e dos conventos repicaram festivamente.

A França nascera.

Prepararam-se para sair.

Na colina vizinha, a irrupção de Viravolta, dos dragões e dos mosqueteiros transformara o local num inacreditável campo de batalha.

De posse da invenção que haviam arrancado do esquecimento, as tropas de Stevens e do Fabulista fizeram uso do fogo grego da mesma forma que seus antigos ancestrais bizantinos e sarracenos. Seus artífices se encontravam munidos das armas mais improváveis. Alguns portavam "rojões" cujas descargas estouravam com ruído de trovão, iluminando o espaço com estrelas cadentes, antes de perfurar o flanco de um cavalo que relinchava de medo, de queimar a cruz peitoral de um mosqueteiro ou de derrubar um dos dragões do rei. Outros lançavam bombas contendo a mistura incendiária, que explodia no chão em assustadoras detonações. Eram desses pequenos projéteis de mão, feitos de vidro ou terracota, que se viam outrora em Esmirna, em Beirute, em Damasco, nas lojas dos mercadores de curiosidades e quinquilharias. Um estopim aceso conduzia o fogo ao interior desses recipientes ocos em forma de pinha que, lançados, explodiam em mil estilhaços.

— Devo estar sonhando — disse Pietro, balançando a cabeça.

Desembainhara a espada e a apontara para o céu. A luz pareceu fazer sibilar o metal. Voltou a se lançar à luta.

— *AVANTE!*

Lutava como um demônio. Stevens e o Fabulista pretendiam envolver a catedral e seus ocupantes num dilúvio de fogo. Ao ver seus preparativos interrompidos, os artífices tentavam apontar canhões e sifões na direção dos atacantes que, desesperadamente, empenhavam-se em impedi-los de atirar. A mistura grega fora introduzida em tubos flexíveis e lançada graças a um mecanismo semelhante a uma bomba compressora; a mistura inflamava-se no orifício dos tubos, ao redor dos quais os homens aproximavam chumaços de estopa embebidos em material inflamável. Um pouco adiante, as tropas inimigas preparavam caldeirões de nafta a ser atirada no santuário com o intuito de incendiá-lo. Alabardas, lanças e flechas haviam sido mergulhadas no fogo e brilhavam por toda parte. Nuvens de fumaça subiam ao céu dando a essa luta corpo a corpo a dimensão de uma batalha sob os auspícios de algum demônio saído das entranhas da terra. Em meio às nuvens de enxofre, pólvora e salitre, por vezes os combatentes eram atirados ao ar. Os tonéis explodiam como frutos maduros demais.

Pietro, lançado fora do cavalo, acabava de derrubar um adversário com um pontapé.

Mais adiante, um dos homens preparava-se para atirar usando o sifão, que ainda mirava a catedral.

O Fabulista, enraivecido, ordenou com voz gutural:

— Atirem! Estão me ouvindo? *Atirem!*

Três golpes de espada e Pietro, desgrenhado, livrou-se dos artilheiros. Outros se aproximavam da boca do canhão. Não lhe restava tempo para impedi-los; voltou a dar um pontapé com toda força no tubo de boca monstruosa. Soltando-se, o tubo ergueu-se num segundo, quase na vertical, e o jato fulgurante partiu... na direção dos combatentes.

Viravolta e os companheiros se entreolharam.

— Não. *NÃO!*

Saíram em disparada em direções opostas.

O fogo líquido caía como chuva no local que acabavam de deixar, queimando a bomba e o caldeirão. Um pouco além, a mistura se espalhou em línguas negras e vermelhas. Corria pela grama, serpenteando no solo como um magma grudento e vulcânico. Um simples ramo bastou para inflamar a parte da substância que escapara à combustão. Quando Pietro se viu face a face com o Fabulista, o chão parecia arder sob o efeito de uma erupção. Ao redor dos dois, a chama ainda se propagava, cintilante e veloz, desenhando tridentes de fogo e raios de lavas. A labareda atingiu sem distinção dez homens ao mesmo tempo, aliados e inimigos, que interromperam o combate para rolarem no chão aos berros; outros tentavam apagar em vão aquela tempestade. Os cavalos, desvairados, desembestavam em todas as direções, espumando, os olhos cheios de pavor. Mosqueteiros negros e cinzentos combatiam agora a pé. Pietro pôs-se em guarda, com um sorriso perverso. Atrás da silhueta encapuzada, acabava de vislumbrar Stevens, que dava meia-volta à montaria, rumando, sob os arcos de folhagem, para a floresta.

Estava fugindo.

— Decididamente... Corajoso, mas não temerário — afirmou Pietro.

O Fabulista virou a cabeça por um breve instante e voltou a cravar os olhos em Viravolta.

Permaneceu silencioso sob seu capuz escuro. Acima deles, um tiro de sifão traçou no espaço um rastro de lava fluida e brilhante, transformando uma árvore em tocha. Algumas gotas incandescentes caíram perto de Pietro, que se abaixou para desviar-se de um fogo cruzado de projéteis. Em seguida, mergulhou a lâmina da espada num caldeirão cheio ainda pela metade da mistura incendiária. O Fabulista copiou-lhe o gesto. Os dois deslizaram as armas por uma das línguas de fogo que os cercavam. As lâminas abrasaram-se.

O calor era insuportável; a fumaça provocava tosse, fazia arder as gargantas. Mosqueteiros semidevorados pelas chamas cambaleavam antes de tombarem, ainda de arma em punho. Outros corriam aos berros, tochas vivas e inextinguíveis. Nesse caos, Viravolta e o Fabulista continuavam a luta. As lâminas se cruzavam entre fagulhas, ao crepitar do fogo, e giravam no ar desenhando arabescos de fogo.

— Você aprendeu direitinho — debochou o Fabulista.

Atrás dele elevavam-se muralhas de fogo grego.

— Nós sabemos quem você é — gritou o veneziano. — Desista.

Por um breve instante, os rostos se aproximaram; então, Pietro discerniu os traços de um homem já maduro, a fronte encimada por cachos negros, os traços deformados pelo ódio. Ainda teve tempo de sussurrar:

— *Sabemos quem é o seu pai.*

Acreditou vislumbrar uma sombra de hesitação. O Fabulista permaneceu mudo, contentando-se em inclinar a cabeça sob o capuz.

As tropas do Fabulista e as de lorde Stevens apresentavam desvantagem numérica. Os dragões lograram neutralizar os canhões sem que um único tiro fosse disparado na direção da catedral. Os sifões foram destruídos. Os mosqueteiros conseguiram livrar-se de todos os obstáculos. Quando o Fabulista percebeu que a causa estava perdida, voltou-se, num agitar da capa. Com três saltos, pôs-se fora de alcance. Lançando-se em sua perseguição, Pietro viu-se impedido de prosseguir por causa do brusco refluir das chamas. O inimigo correu até o outro lado da colina, onde um cavalo, preso a uma árvore, empinava. Pietro vislumbrou um cadáver bem perto. Pegou um dos projéteis que parecia ainda em bom funcionamento. Num instante acendeu o estopim e o atirou. Uma faísca luminosa brotou, reta e fulgurante, cometa coroado por uma estrela de luz, na direção do homem que fugia.

Não atingiu o alvo.

A folhagem de uma árvore incendiou-se como um morteiro.

Pietro, recuperando o fôlego, relanceou os olhos ao redor.

Poderiam achar que eram fogos de São João.

Ao longe, abaixo da colina, diante da catedral, a procissão saíra. Das calçadas, observavam os estranhos fogos que brotavam das colinas vizinhas e as colunas de fumaça a subir ao céu. Uma menina, na primeira da fila, apontou o indicador na direção das chamas e de seus clarões multicoloridos. A criança soltou uma exclamação satisfeita; milhares de pessoas se voltaram na direção indicada. Em meio à multidão de pessoas e de pombas que, libertadas das gaiolas, continuavam a escapar do santuário batendo as asas, o próprio rei, ao lado da rainha, demonstrou surpresa diante do espetáculo preparado pelos artífices. Não se lembrava de ter combinado nada nesse sentido; deleitou-se com a surpresa. Nunca vira fogos de artifício tão curiosos — sobretudo em pleno dia.

— Nossa! — murmurou. — Como eles conseguem?

Então o rei aplaudiu. Os aplausos foram imitados pela multidão reunida no calçamento.

Pietro soltou a gola do último adversário que acabava de abater. Deixou-o cair, antes de limpar o sangue no fio da espada.

Resurrexit.

No Bosque do Amor

FLORESTA DE REIMS
ADRO DA CATEDRAL E ALBERGUE "O LEÃO DE OURO"
CEMITÉRIO DE SAINT-MÉDARD

Sim, recordava do seu casamento, mas essa cerimônia era bem mais bonita e bem pior: um festim real, justo para ele que morria de vontade de se sentar e de saciar a fome, antes de finalmente se recolher. Luís não pôde saborear uma migalha. Os pratos se sucediam ao som da música da orquestra, mas a sucessão ininterrupta de genuflexões sob seus olhos o impedia de dar uma garfada. Ainda seria preciso desfilar em cavalgada pela cidade, presidir a sessão dos cavaleiros da Ordem do Espírito Santo e tocar mais de 2 mil escrofulosos. Em meio ao turbilhão, soube, pela boca do camareiro, que fora informado por um capitão da guarda que, por sua vez, ouvira de um de seus soldados, que recebera a informação de um fidalgo encarregado da segurança da rainha, que um grande perigo fora evitado graças a um antigo agente do *Secret* e a um dos funcionários da Casa Real.

Luís XVI, sob a torrente de barulho a envolvê-lo, da história não compreendeu metade.

Aparentemente, um vago perigo fora afastado.

Contentou-se em dar um sorriso evasivo e pronunciar poucas palavras:

— Ah! Bem, melhor assim; sim, melhor assim.

Pela primeira vez sentia-se verdadeiramente rei.

A noite caía no Bosque do Amor.

Luís XVI ainda não se recolhera, mas o dia terminava. Havia, finalmente, retirado o manto. Passeava de braços dados com a rainha, nesse bosque, um dos favoritos da população de Reims.

Enquanto caminhava no local campestre, com um sorriso nos lábios, sonhava com as grandes florestas em torno de Versalhes onde, em breve, retomaria o prazer das caçadas. Por enquanto, ali, com Maria Antonieta, não podia se considerar sozinho e anônimo. A multidão continuava a cercá-los, mas, ao menos, a parte mais difícil do dia, sublime embora fatigante, ficara para trás. A rainha sorria e saudava a todos, ora com um educado curvar de cabeça, ora com um aceno de mão. Queriam tocá-los — sobretudo tocá-la. Claro! Ela era tão linda, o rosto radiante sob o chapéu, sem se importar jamais em parar e pronunciar uma palavra gentil. Conversava espontaneamente, por alguns instantes, tanto com os nobres quanto com os burgueses e os camponeses. Aclamavam-nos a cada palavra dita, a cada passo.

Os dois caminhavam e, finalmente, na curva de uma aleia, encontraram um momento de descanso.

O rei pediu que os deixassem a sós alguns segundos — alguns segundos de solidão.

Os dois se fitaram. Ele lhe deu a mão e ela apertou-a mais forte. Naquele instante experimentaram a sensação de que tudo aquilo talvez fizesse sentido. Que finalmente amavam-se e teriam filhos, como qualquer casal; enfim o futuro lhes sorria.

Avançaram de mãos dadas sob um roseiral imerso na penumbra.

A noite caía no Bosque do Amor.

*

*   *

Pietro reencontrara Charles de Broglie perto da catedral, após ter explicado a Sartine as exatas circunstâncias da batalha na colina. O ministro por pouco não desfaleceu, mas Pietro garantiu-lhe que a ameaça fora afastada — pelo menos por enquanto. Conseguiram, depois de redobrados esforços, controlar o princípio de incêndio. Era verdade que o fogo queimava com ainda mais violência na água do que fora dela? Em todo caso, não fora com água que se lograra apagá-lo e sim, como no passado, diante das muralhas de Constantinopla, com areia, terra, lençóis e cobertas úmidas para abafar o ar. No alto, próximo aos vinhedos, a colina permanecia esfumaçada. Naquele ano de 1775, o vinho da região de Champagne teria um leve gosto de fumaça, o que daria origem a uma safra excepcional.

Contudo, tanto o Fabulista quanto lorde Stevens haviam escapado.

Anna Santamaria e Cosimo se aproximaram. Pietro sorriu e a beijou antes de apertar o filho nos braços.

— Então, finalmente, nada aconteceu! — exclamou Cosimo.

— Acho que, na verdade, seu pai foi se divertir no parque — retorquiu Anna, observando o traje amarrotado do marido.

A fronte e a face do veneziano guardavam traços de enxofre e de cinzas. Sangrava na têmpora direita. Voltou-se novamente para o conde de Broglie, que ainda envergava o traje de cavaleiro da Ordem do Espírito Santo, e afastaram-se. Cosimo os observava com ar intrigado e vagamente desconfiado.

— Obtiveram alguma informação de Stormont?

— Vergennes e eu o pressionamos, mas há tempos ele não tem notícias de Stevens. Tudo o que conseguiu até o momento foi perder outros agentes.

— Entendo, estamos mais ou menos na mesma situação — comentou Pietro com ar amargo. — E quanto ao Fabulista? E pensar que ainda não sabemos seu nome!

Olhou no fundo dos olhos do conde.

— Sejamos francos! Jacques de Marsille... O primeiro Fabulista, o homem que matei na noite das núpcias de Maria Antonieta... Você sabia, não é?

— O que está insinuando, Viravolta?

— Ele nunca teve a intenção de atentar contra a vida de ninguém. Queria tão somente uma audiência.

Charles de Broglie umedeceu os lábios. Pietro prosseguiu:

— Você não podia ignorar o fato. Seria com *você* que o rei se abriria a respeito da situação. Na época, já era o chefe do *Secret*... Com quem mais ele poderia falar? Marsille era um espírito atormentado, mas não louco... Por que motivo fomentaria um atentado sem nenhuma chance de sucesso?

Broglie o deixou continuar.

— Ele reclamava justiça para um bastardo do rei! Aproveitou a noite de núpcias do delfim para ir a Versalhes, na esperança de alterar o destino, num lugar em que lhe haviam fechado todas as portas... e encontrar um meio de defender sua causa! Você sabia disso! Ele se disfarçou porque corria o risco de ser perseguido...

Pietro franziu o cenho.

—...E você permitiu que eu o matasse.

Fez uma pausa e retomou:

— Você colocou a todos em alerta... e montou as peças para que o julgássemos culpado, pelas razões erradas. Tudo para *proteger o rei*. Não foi isso?

Broglie franziu as sobrancelhas, tenso.

— Foi ele o autor dos epigramas. Eu apenas acrescentei outros.

Pietro argumentou:

— Depois disso, deve ter sido fácil fraudar o relatório de investigação no qual o fazia passar por extremista que se opunha à aliança austríaca, herdeiro de um satanista perigoso ou, na melhor das hipóteses, místico herético que frequentava os convulsionários de Saint-Médard! Sempre achei que havia alguma coisa... incoerente... nessa história. Dava para tirar tudo a limpo em três dias, não é mesmo? O quê? Tudo isso?! Bastava uma noite e pronto! Passava-se logo ao caso seguinte.

Pietro franziu os olhos. O conde defendeu-se:

— Eu não sabia da criança, Viravolta. Na verdade, o rei mencionara a existência de uma mulher que alegava ter mantido relações com ele. Comentou que esta mulher servia-se de um abade para espalhar toda sorte de rumores infundados. Ele também não me contou toda a verdade, Viravolta. Compreende? *Eu não tinha conhecimento da criança.* E mesmo que tivesse! O que teria feito em meu lugar? Era meu dever proteger nosso Bem-Amado.

Abriu um sorriso cínico.

— O rei tinha segredos que só a ele pertenciam.

Charles calou-se alguns segundos e retomou:

— Marsille se tornara uma ameaça para o Estado. Ele poderia espalhar outros panfletos, Viravolta. Nós mesmos escrevemos alguns, não nego, para reforçar nossa tese. Seu grande erro foi dizer a verdade. Desnecessário mencionar que isso tudo é segredo.

Entreolharam-se em silêncio.

Pietro meneou a cabeça.

— É evidente que d'Aiguillon ignorava tais informações ao me confiar a investigação. Quanto a você... Afinal, quando os epigramas e o nome reapareceram...

— Eu não tinha certeza de nada. Nesse meio-tempo, o *Secret* corria perigo. Precisei lutar em várias frentes ao mesmo tempo. Demorei um pouco até compreender e, afinal, encontrar a prova na pessoa de Marie Desarneaux! Obviamente seu nome constava dos relatórios, nos quais ficava subentendido que ela mantivera uma ligação *com o abade*. Não com o rei! Ele nem mesmo mencionara o seu nome! Era uma rapariga entre tantas, Viravolta! Uma rapariga das ruas. Ele já a *esquecera*. O objetivo do rei era fazer calar o abade. Marsille inventou um personagem para se aproximar de nós. Criou o bastardo como filho durante vários anos e protegeu a mãe do menino. Entretanto, isso explicava apenas um aspecto da conspiração. Não fazíamos ideia do envolvimento dos ingleses. Foi você, Viravolta, quem me fez compreender a trama. Apenas recentemente tudo passou a fazer sentido para mim.

Pietro meneou a cabeça.

— Broglie, você se dá conta...?

O conde pousou a mão em seu ombro.

— O Fabulista continuava a representar uma ameaça para o Estado. Imagine se a França tomasse conhecimento de um filho bastardo de Luís XV no dia da festa! Luís Augusto se casava com Maria Antonieta; a França desposava a Áustria! Tratava-se do equilíbrio do mundo, Viravolta. A razão de Estado. A política.

Foi a vez de Pietro dar um sorriso amargo.

— Entendo. Mas acredita realmente que um bastardo isolado pudesse abalar o trono da França?

— O sangue do rei corre em suas veias, meu amigo. Regimes caíram por muito menos.

Pietro e o chefe do *Secret* se calaram.

Foi então que, a toda brida, surgiu um oficial do rei vindo de Versalhes.

— Deem passagem! Mensagem de monsieur Marienne, da Casa Real, para Orquídea Negra!

Pietro pegou o novo bilhete de Augustin Marienne.

> Viravolta, lembra-se das plantas? Daquela estranha malha da qual não entendíamos o significado? Finalmente descobri! Está aqui, em Versalhes. Explicarei tudo quando você regressar. É indispensável que mantenha o mais absoluto sigilo. Venha ao meu encontro tão logo chegue. Volte logo!
>
> O Fabulista tem uma última carta na manga.

Viravolta compreendeu. Fitou Charles de Broglie.

Conteve-se para não urrar de raiva. Anna se aproximou, ainda sorridente.

— Um novo jogo?

Pietro teve um lampejo. Se o Fabulista não houvesse renunciado à execução final de seu plano...

~~O CÃO QUE PELA SOMBRA LARGA A PRESA~~ D'Eon, Safira, Beaumarchais
~~O AMOR E A LOCURA~~ Anna
~~O MACACO REI~~ Luís XIV
~~A CIGARRA E A FORMIGA~~ Maria Antonieta
~~A LEBRE E A TARTARUGA~~ A Corte
O LEÃO VELHO

A partida não chegara ao fim.

Em Reims, Anna, Pietro e Cosimo hospedaram-se num albergue situado em frente à catedral, perto da guarda e da residência do casal real. No meio da noite, finalmente, tudo se acalmou. Reinou o silêncio, só restando as duas respirações em uníssono.

A lua brilhava alta no céu. Anna e Pietro faziam amor. Ele contemplava os seios da mulher, as faces enrubescidas, a boca entreaberta, ora num suspiro, ora num sorriso. Anna Santamaria. A Viúva Negra de Veneza. Deus do céu, como a amava. Sempre a amara e para sempre a amaria. Apesar das várias amantes que colecionara, durante a juventude agitada, esse talvez fosse o maior mistério de sua vida.

Anna sorriu.

Alguns instantes depois, deitados lado a lado, Anna inclinou-se sobre ele, mergulhou os olhos nos seus e acariciou-lhe o rosto.

Calavam-se.

Finalmente o silêncio.

Em seguida, após pigarrear, a mulher murmurou com voz doce, na qual se lia uma ponta de ceticismo:

— Pietro, meu amor... O que você procura?

Ele não respondia. Ela insistiu:

— *O que você quer?*

Pietro continuou sem resposta.

Era uma excelente pergunta.

*

* *

Sob a cortina de chuva, o Fabulista uniu as mãos.

As gotas escorriam pelo capuz e pelo mantô negro.

A lua passava no céu.

Parado diante do túmulo, contemplava o epitáfio visto e revisto milhares de vezes.

AQUI JAZ
JACQUES DE MARSILLE
1715-1770
DE SEUS RECONHECIDOS PAROQUIANOS

Viera deixar flores no túmulo. Dálias de um tom amarelo avermelhado que significavam reconhecimento. O lírio, a pureza. A lavanda, a ternura respeitosa. A urze, o amor mesclado à solidão. Folhas de absinto, a ausência. Também substituíra o passarinho empalhado, deposto em oferenda junto ao epitáfio de pedra.

Cercado de cruzes e túmulos, o espírito atormentado pelos sabás de animais e demônios fervilhava de ódio.

Desde que pusera em prática o plano de vingança, não mais revira Marie, sua mãe. Há muito ela o julgava morto. Melhor assim. Ele também precisara desaparecer. Era uma maneira de protegê-la e de se proteger. Temia que o novo abade, Jean Morois, já desconfiasse de suas visitas. Morois devia se perguntar *quem* enfeitava o túmulo. Morois era, entretanto, um homem bom. Cuidava de sua mãe.

Incapaz de conter por mais tempo a raiva, deixou escapar um brado.

Fizera o possível para cumprir à risca seu plano, alternando assassinatos e ações, ditados, às vezes, pela urgência. Apesar da ânsia de extravasar a cólera, agia de modo metódico, racional. O delírio mesclado à frieza; o senso de organização, ao talento de camaleão. Mas que fim levara o seu belo projeto? Sem dúvida enfrentava a elite dos agentes do rei. Não se tratava mais de meros informantes sem importância. Viravolta não morrera na jaula do leão. Surgira de surpresa no Procope, arruinando novamente seu plano de ação. D'Eon e Beaumarchais, vivos! E o veneziano, inesperadamente, em Herblay e em Reims.

Ele, sempre ele!

Desesperava-se.

Sob a tempestade, novamente berrou.

Que intuição o levou a adivinhar que estava sendo observado? Ergueu o rosto de modo imperceptível, por debaixo do capuz; os músculos se retesaram. Contou três sombras avançando devagar pelo cemitério em sua direção. Uma delas no ângulo a sudeste, quase às suas costas. Duas outras nas laterais.

Homens de Broglie.

Então agora eles sabiam. Broglie colocara o cemitério sob vigilância.

Esperou ainda alguns instantes, assumindo uma postura contrita.

Em seguida, puxou da cintura dois punhais, que cintilaram na noite.

Quando chegou à sua oficina, já não se lembrava direito do que acontecera.

Os gritos, o sangue de sempre.

Naquela noite, o cemitério contava com três novos mortos.

Livrou-se do mantô e entregou-se ao trabalho.

Os animais das fábulas e as gravuras do livro que aquela ama grosseirona lia para as outras crianças vinham assombrá-lo. Assim como as lembranças do período em que fora abandonado aos cuidados daquela mulher embrutecida e covarde, que via nele apenas um rejeitado miserável. As outras crianças debochavam, jogavam-no na lama perto do chiqueiro. Já começava a se sentir meio homem, meio animal. Como Etienne, o corcunda. Um bastardo. Ao cair da noite, quando não mais confinado no porão ou no celeiro, quando os outros dormiam e deixavam de atormentá-lo, ia folhear o livro às escondidas. Então podia contar histórias para si mesmo. Fantasiava ao observar as gravuras. Tempos depois, tendo aprendido a ler, o abade, que o salvara daquela criatura sórdida, lhe explicara o sentido das fábulas. Das fábulas que, assim como as do labirinto dos jardins de Versalhes, eram outrora destinadas à educação do delfim.

O filho de um rei! *Deus está contigo, meu filho.*

Mas em que inferno mergulhara? O que ele e aquele louco do Stevens haviam feito? Não queria mais nenhum envolvimento com o desertor. O inglês renegado fracassara em sua operação, *Party Time*. Cabia a ele, o Fabulista, realizar sozinho a sua parte. Afinal, sempre fora assim.

Os gritos de Rosette ressoavam em seus ouvidos, bem como os de Baptiste; via o sangue jorrando da garganta de Crapaud e a ronda dos martirizados — martirizados por sua causa.

O filho de um rei.

De profundis clamavi ad te, domine.

Lágrimas de raiva vinham morrer no canto dos seus olhos. Não, não se entregaria sem combate. Não, nem tudo estava perdido! Não se resignaria! E, se fosse preciso ir até o fundo do poço, arriscar a própria vida, dispararia a salva de honra e os faria estremecer. Um último festival. Se o seu destino fosse morrer assim, que ao menos vingasse a memória do abade, o único ser que se importara com ele. E que não partisse sem arrastar consigo os responsáveis pelo assassinato do abade.

Versalhes e Viravolta.

O combate final! O filho do rei, ao precipício!

Retomou o trabalho, não mais ocupado com a taxidermia.

Agora, era a química.

Examinou o velho livro empoeirado que instalara, tal uma *Bíblia*, em um pedestal.

Liber ignium ad comburendos hoste.

Voltou a mergulhar nos estudos.

Siga a carne!

SUBSOLO DA ALA DOS MINISTROS, VERSALHES

Viravolta não conseguira partir antes de findas as cerimônias em Reims e do retorno do casal real a Versalhes. Entretanto, tão logo chegou ao palácio e teve condições de abandonar a vigilância aos bons cuidados de Sartine, precipitou-se nas catacumbas da ala dos Ministros onde Augustin Marienne trabalhava. Passou pela entrada principal, desceu a escada e bateu na porta que levava às antigas fundações.

Ninguém respondeu. Estava aberta.

Rangeu ao ser empurrada.

Pietro foi tomado pela mesma impressão que tivera quando da primeira incursão ao insólito refúgio. O aposento encontrava-se imerso na penumbra; os objetos desordenados pareciam ainda mais inacreditáveis. Só que, desta vez, o veneziano vinha de sobreaviso.

Esboços, desenhos e rascunhos cobriam o chão. Os projetos do moto-contínuo tinham sido rasgados. Rodas endentadas, abandonadas a esmo. Pilhas de pastas cuspiam folhas de velino. O lustre havia sido quebrado, as velas ardiam derrubadas. A qualquer momento o lugar podia pegar fogo. E, acima de tudo, pairava aquele odor — um odor que Pietro sabia reconhecer entre mil.

Sangue.

Ouviu um gemido no fundo do aposento.

Lançou-se adiante, derrubando uma mesa de estudo no meio do caminho. Folhas de papel volutearam sobre a luz. Viu a mão pálida que parecia brotar das profundezas de um túmulo. Estendia-se, suplicante, os dedos curvados como garras. O pobre Augustin Marienne estava enterrado debaixo das próprias pastas. Da boca escorria um filete de sangue; cuspia folhas rabiscadas com invenções ensanguentadas usadas na tentativa de sufocá-lo. Surgia dentre os croquis que prometiam maravilhas, dentre montes de invenções milagrosas e movimentos jamais realizados. O rosto inchara a ponto de se tornar irreconhecível. Augustin fora brutalmente espancado. Os óculos quebrados encontravam-se caídos ao lado.

— Augustin! — vibrou Viravolta, curvando-se sobre ele.

Ao retirar-lhe uma folha da boca, Augustin, num estertor, cuspiu sangue.

Pobre Augustin,
Envelheceu! Como este reino em reviravolta,
Viravolta,
Apodreceu! E chegará ao fim.
Depois disso, procura ser amável.
E se teu coração lhe é afável, amizade sem mácula,
Finalizemos nós dois esta fábula.

*

O Leão Velho
Livro III — Fábula 14

Decrépito o leão, terror dos bosques,
E saudoso da antiga fortaleza,
Viu-se atacado pelos outros brutos,
Que intrépidos tornou sua fraqueza.

Eis o lobo com os dentes o maltrata
O cavalo com os pés, o boi com as pontas,
E o mísero leão, rugindo apenas,
Paciente digere estas afrontas.
Não se queixa dos fados, porém vendo
Vir o burro, animal d'ínfima sorte:
"Ah! Vil raça! — lhe diz — morrer não temo,
Mas sofrer-te uma injúria é mais que morte!"

(Tradução de Bocage)

— Augustin! O que houve?

Augustin fitou-o com olhos embaçados. A mão, como a de um náufrago, apertava o braço de Pietro.

— E-eu não sei seu nome... Fez-se passar por... Safira. Queria... as plantas...

— As plantas? Que plantas?

Augustin ainda cuspia sangue. Os olhos reviravam-se. Lia-se um agudo sofrimento em sua expressão, enquanto ele tentava reunir as últimas forças.

— A fórmula do fogo grego... O Fabulista a obteve por Safira... Ele a copiou... É culpa minha, Viravolta... Oh, perdoe-me... Eu a entreguei! A fórmula de Dupré... Eles queriam me chantagear... Eu a destruí... Mas ele... *Ele tem as últimas folhas, Viravolta!*

— E as outras plantas? — perguntou Pietro. — O que significam?

Augustin apontou o indicador trêmulo para um rolo abandonado a pouca distância.

— Estão a-ali. Vi-Viravolta... Siga... a carne... Calixte...

— Como? Seguir a carne? Calixte?

— O fogo... O fogo se propaga graças à água. Ele construiu uma arma... Esta noite!

— O que está dizendo, Augustin? Não estou entendendo nada!

O funcionário da Casa Real agarrou com força o ombro de Viravolta. Meneou a cabeça em movimentos curtos e repetidos sem desviar os olhos do veneziano, como se quisesse se levantar. Em seguida expirou. Os membros pesaram nos braços de Pietro. O veneziano se ergueu e passou a mão pela testa. Olhou o rolo designado por Augustin onde se via uma malha de traços horizontais e verticais, linhas entrecortadas, números e formas geométricas espalhadas como uma rede descontínua.

Orquídea Negra fez uma expressão de espanto.

Seguir a carne?

Relato da festa em Versalhes

COZINHAS DO REI
LABIRINTO, GRANDE CANAL
E BOSQUE DES ROCAILLES
PAVILHÃO DA FONTE DE APOLO

Naquele dia, antes do entardecer, toda a equipe encontrava-se a postos. Trezentas pessoas espalhadas no *Grand Commun*,* todas concentradas nos preparativos da refeição do rei, como nos tempos do Rei Sol. Na *paneterie*, o pessoal encarregado das entradas, dos pães e das toalhas de mesa; na *échansonnerie-bouche* ou "*gobelet*", os serviçais cuja única tarefa era cuidar da água e do vinho. Na *cuisine-bouche*, preparavam-se os pratos principais; na *fruterie*, cuidavam apenas das frutas, velas, candelabros e candeeiros; na *fourrière*, da madeira e do carvão. Levavam os pratos para as mesas. Pietro cruzou com o primeiro mordomo que passava instruções, com ar animado, a seu auxiliar que, por sua vez, batia as mãos dando ordens à criadagem sob sua supervisão. Mais adiante, o controlador-geral de alimentos certificava-se da contagem das últimas provisões. A organização era marcial. Viravolta, sem saber onde o Fabulista atacaria, agarrava-se às últimas palavras de

***Grand Commun*, construção que abrigava as cozinhas do rei, da rainha, do delfim e da delfina, os funcionários da cozinha e, nos andares superiores, os seiscentos quartos dos cortesãos. (*N. da T.*)

Augustin Marienne: era preciso vigiar a "carne do rei". Tratava-se, na verdade, do conjunto de iguarias que fariam parte do cardápio daquela noite. Quando Pietro chegou, estas brotaram, a princípio, sob a forma de mil variedades de ragus, do térreo da grande cozinha. Sob a direção do primeiro mordomo, eram levados solenemente por 26 pajens, precedidos de 12 mordomos munidos de bastões de prata.

Geralmente, os pratos deixavam as cozinhas, atravessavam a rua, entravam no palácio pelo portão situado exatamente em frente ao *Grand Commun*, galgavam as escadarias e embarafustavam pelos corredores de Versalhes até a mesa do rei. Hoje a procissão solene atravessava os jardins, um desfile comprido e incomum, para chegar ao local onde era servido o banquete. Outra notável diferença em relação aos hábitos da corte: à saída do *Grand Commun*, Pietro havia enfileirado uma série de provadores. Esse outro pequeno exército encontrava-se alinhado como numa parada, em libré azul e vermelha e cinturão branco. Cada provador enfiava o dedo, o pão ou a colher nos diferentes pratos a desfilarem sob seus olhos, a fim de garantir que não chegasse aos convidados nenhum alimento em que mão mal-intencionada houvesse derramado algumas gotas de potente veneno. Sartine, alertado por Pietro, redobrara a guarda do palácio e a vigilância, enquanto o Fabulista ainda estivesse em liberdade.

O veneziano aproximou-se do primeiro mordomo.

— Nada a relatar?

O outro, exausto e descabelado, tirou o avental onde acabava de enxugar as mãos e olhou Pietro de viés.

— Sim, meu amigo. Tenho a relatar a preparação de uns 43 pratos que ainda preciso levar ao bufê improvisado de Sua Majestade! Quer mais?

Pietro não insistiu.

No momento, um exército de copeiros e mordomos incumbidos do cardápio do rei avançava, em cadência, carregando um batalhão de pratos, caldeirões e sopeiras, pratos rasos e fundos. As sopas à frente, compostas de capões e de quatro perdizes com repolho; em seguida, os caldos, inclusive seis filhotes de aves para engrossar a sopa de verduras, um com a crista e os miúdos, e outros dois caldos de entrada. A seguir, as sopas davam lugar às entradas principais, uma torta preparada com um quarto de vitela e 12 pombos, sucedidos pelas entradas menores, seis guisados de frangos e duas perdizes fatiadas. Os *hors-d'œuvre* não ficavam atrás, reunindo três perdizes ao molho, dois perus grelhados, seis tortas de carne refogada e três frangos recheados de trufas. A procissão prosseguia com os assados, dois capões, nove frangos e dois estorninhos, seis perdizes e quatro tortas. As frutas e sobremesas, compotas e doces, cada qual em suas tigelas e compoteiras de porcelana, ainda aguardariam um pouco. Esse menu pantagruélico, era, naturalmente, destinado unicamente ao rei e à rainha. Os pratos preparados para os cortesãos já tinham sido servidos. A corte se instalara para a ceia perto da fonte de Apolo, após um espetáculo-surpresa que Maria Antonieta oferecera, ao ar livre, no *Bosquet des Rocailles*. Que curioso desfile aquele! Os criados marchavam como soldados pelos terraços, desciam na direção dos espelhos d'água e da fonte de Latona para, em seguida, subir a alameda real rumo à fonte de Apolo.

Pietro lhes seguia os passos; os pratos sobre as bandejas pareciam dançar à sua frente.

Siga a carne.

Antes da apresentação, por volta das 4 horas da tarde, fora servida uma colação no *Bosquet Sans Nom*, no centro do labirinto, onde, reminiscência secreta e já fantasmagórica, Landretto havia sido pendurado quando Versalhes, abandonada pela corte, ficara deserta. Da bacia da fonte, no meio do bosque, pareciam brotar várias jardineiras fazendo as vezes de mesas, cobertas por uma planta conhecida como pastel-dos-tintureiros. Melões alternavam-se com licores apresentados em jarras cinzeladas. Um palácio de pasta de amêndoas com broas de mel e especiarias, doces, frutas confeitadas e caramelos. Para o prazer do olhar, laranjeiras de Portugal assim como ginjeiras, cerejeiras e duas groselheiras da Holanda também enfeitavam o ambiente. Após o lanche, Luís XVI e Maria Antonieta ocuparam seus lugares: ele, numa caleche, ela, em sua liteira. E toda a corte, movendo-se lentamente entre as fileiras de tílias, pôs-se em procissão do outro lado do Grande Canal.

Ali chegando, os convivas subiram a bordo de chalupas e gôndolas e deixaram-se flutuar sobre o tranquilo espelho d'água. As sombrinhas agitavam-se sob a brisa. Naquele dia, soberbas figuras "transparentes" e encantadores quiosques de conchas, cobertos por telas brancas a se agitarem sob a brisa, instalados nas margens do Canal, despertavam a admiração dos nobres. Ao saltarem das embarcações, assistia-se a uma pequena reconstituição, atrás da fonte de Apolo. Galeras em miniatura disparavam tiros de canhão usando grande quantidade de pólvora. Ali, é evidente, a frota francesa vencia a inglesa, o que sinceramente era bastante ilusório. Em Versalhes, contudo, não era de bom-tom pensar diferentemente. As velas da galera inglesa ardiam em chamas e, pelo menos no Canal, o lírio triunfava sobre a rosa.

Em seguida, os cortesãos ganhavam a fonte de Encélado e os Domos, antes de retornar à Colunata e ao salão de baile ou ao *Bosquet des Rocailles* onde o palco havia sido montado. Parte do bosque era ocupado por arquibancadas de onde jorrava água, enfeitadas com pedras de moinho, plantas, peças de chumbo dourado e conchas trazidas das costas africanas. O palco fora montado no centro do anfiteatro, numa ilha à qual se tinha acesso por pequeninas pontes. Uma orquestra aguardava a chegada dos convivas. Tocou o refrão tão logo avistou o casal real. Os cortesãos acomodaram-se nos pisos de relva situados nas laterais das cascatas em degraus. O rei e a rainha ocuparam seus lugares sob o dossel. Foram distribuídos impressos informando tratar-se de um improviso e que, tendo a peça sido ensaiada às pressas, não houvera tempo de decorar todas as falas. Ao som de três golpes, as cortinas se abriram. Duas colunas retorcidas, dominadas pela estátua de Afrodite em traje de camponesa. Um casal surgiu em cena. Cloris, o camponês, perseguia com insistência Climene, a camponesa. Esta, corria de um lado a outro do palco, tentando lhe escapar, soltando gritinhos e tocando lira. Na sombra, outro artista, fantasiado de fauno, urdia o rapto. A comédia, delicada e elegante, alternava sequências em verso e em prosa, passagens cantadas e declamadas. O rei e a rainha se divertiam; o público aplaudiu a apresentação. Enquanto Pietro se encontrava nas cozinhas, a guarda encarregada do casal real circulava discretamente, sem perder nada do que se passava.

Finalmente, todos se dirigiram à fonte de Apolo, no meio da extraordinária paisagem que se oferecia à vista, dos terraços do palácio aos bosques afastados e à Grande Estrela, atrás do Grande Canal em cruz.

Era ali que chegava a carne do rei, despejada da boca sombria do *Grand Commun*.

E era essa a carne que Pietro seguia, em companhia dos pajens e dos mordomos.

*

* *

Aqui estamos nós, disse Pietro a si mesmo, caminhando rumo ao esplêndido pavilhão real, todo iluminado e recoberto de folhagens para a ocasião. Vasos dispostos ao redor deixavam fluir a água a cercar o pavilhão como uma redoma de cristal. Atrás da cortina líquida, interrompida apenas por uma pequena entrada coberta, mil lamparinas pareciam aguardar a chegada dos convivas. A redoma cintilava. Nas laterais da entrada, duas estátuas de faunos a tocar pífaro, sobre pedestais de plantas. O domo, decorado por baixos-relevos que evocavam as estações do ano e as quatro partes do dia. Pietro, seguindo os copeiros, atravessou o pórtico de tecido branco. O interior do domo era ainda mais deslumbrante. Mergulhado na semipenumbra, somente iluminado pelas chamas dos candelabros, o teto abria-se para o céu. Os melhores marceneiros da França haviam forrado as paredes com folhas de madeira alternadas com tecidos de gaze salpicados de flores. Bem ao fundo, um Pã risonho vertia água. As bolhas de espuma dividiam-se em regatos murmurantes entre os seixos de um fictício rochedo. Repleto de uma infinidade de velas em seus invisíveis interstícios, o rochedo parecia o abrigo de um fauno élfico. As centelhas brincavam com as gotas, ao sabor das travessuras da água, projetando reflexos nas paredes e no teto. Esse caleidoscópio era enfatizado pelo jogo de luz de numerosas bolas de cristal dispostas em pedestais de prata, e que fragmentavam a luz de tal forma, que todo o espaço parecia tomado pelo arco-íris.

Mais uma vez o *Menus-Plaisirs* havia se superado. Setenta pratos dispostos diante do rochedo em ondas prateadas. Todas as mesas, divididas em quatro seções, sob tendas magníficas, convergiam para a mesa real, situada ao centro, de modo que cada conviva tinha a um tempo a impressão de partilhar da refeição com o soberano e de guardar consigo seu pequeno círculo de amigos íntimos. As cadeiras entalhadas reproduziam ora as estações, ora as musas e as artes. Diáfanos tecidos presos no topo da abóboda dançavam ao sabor das correntes de ar. Girândolas de cristal completavam o quadro. Além do banquete preparado para o rei e para a rainha, iguarias extravagantes dispostas num bufê, para os convivas. Assim, estes se beneficiavam do mesmo cardápio, preparado com abundância. O acesso ao bufê era feito por três degraus que levavam à plataforma em que os serviçais trabalhavam. Dezoito terrinas, travessas e sopeiras, enfeitadas com folhagens imitando azevinho, rodeavam os pratos. Também haviam levado o velho "estojo real", cofre de prata onde, por segurança, guardavam-se as facas, colheres e temperos reservados ao uso pessoal do rei. A parte oeste fora reservada ao serviço das damas e a leste, ao dos cavalheiros.

Toda a corte aplaudia ao entrar. O rei felicitou Maria Antonieta, idealizadora dessa obra de arte com a colaboração do *Menus-Plaisirs*. Divertiam-se, atentos aos menores detalhes. Finalmente, sentaram-se. A rainha distraíra-se definindo os assentos dos convivas sem dar quase nenhuma ou pouca importância ao protocolo. Em cartõezinhos brancos presos aos guardanapos artisticamente arrumados, aparecia o nome de cada um.

Num deles lia-se:

Anna Santamaria, de Veneza

As damas foram as primeiras a se acomodarem.

No momento em que Pietro chegou ao pavilhão, o festim começava. Tão logo o viu surgir, o primeiro mordomo fez-lhe sinal. Pietro reuniu-se a ele discretamente, em meio aos risos e ao barulho da conversa. Sua presença não escapou à rainha. Maria Antonieta o recompensou com um sorriso delicado. A seu lado, Luís XVI atacava um frango com apetite. A certa distância, sob uma das tendas, Anna confabulava com madame de Guéméné e a condessa de Polignac. Nem se apercebeu da presença do marido.

O mordomo lançou um olhar indignado a Pietro.

— O que é isso? Uma brincadeira? Veja o que a princesa de Lamballe encontrou no lugar de seu nome. Alguém conseguiu trocá-lo sem que percebêssemos. A rainha viu e me preveniu para que lhe entregasse. Saberia dizer de que se trata?

O cartão branco trazia simplesmente um F. Isso bastou para demonstrar a Pietro que o Fabulista pretendia demonstrar ter sido convidado a participar da ceia. O veneziano ergueu o olhar; os olhos vivos percorreram os convidados. Estaria ele realmente ali, entre eles — ou tão somente continuava a brincar com seus nervos?

— Conhece alguém chamado Calixte? — perguntou.

— Desculpe?

— Calixte...

O mordomo suspirou e fez um gesto de cabeça na direção de um adolescente de aproximadamente 15 anos. Calixte não passava de um dos ajudantes anônimos que serviam o bufê. Pietro agradeceu e, com um passo apressado, aproximou-se do menino de libré que, com um guardanapo branco dobrado no braço, segurava uma grande colher sobre uma das sopas. Tão logo Pietro lhe dirigiu a palavra, o menino abandonou seu posto, fazendo-se substituir e convidando Viravolta a se afastar alguns passos. Cochichou:

— Não sou tão somente quem o senhor imagina... Vez por outra também presto serviço ao conde de Broglie e a monsieur Sartine...

Piscou o olho e continuou, com ar conspiratório:

— Monsieur Marienne me prevenira que talvez o senhor me procurasse. Também me avisou que, neste caso, a situação seria muito grave... Tinha ele razão?

Pietro concordou.

— A situação não poderia ser pior. Augustin está morto.

O menino empalideceu. Começou a tremer, deixando de lado a pose de grande espião do rei.

— C-como?

— O corpo repousa em seu gabinete. Tranquei a porta com duas voltas.

— Oh! Meu Deus... Eu costumava levar-lhe a refeição... Ele raramente deixava o escritório... E... nós conversávamos, o senhor entende... Meu Deus... É abominável!

— Controle-se, meu jovem. Alguém pode ter escutado a conversa de vocês. Antes de morrer, Augustin deixou escapar seu nome. Saberia me explicar o motivo?

O espião olhou Viravolta com intensidade.

— Tudo o que ele me disse foi que havia *encontrado*; e que se o senhor viesse me fazer perguntas seria porque ele estaria incapacitado de responder. Deus meu, agora compreendo o que ele quis dizer. Nesse caso, eu deveria pedir que o senhor procurasse um homem junto à gruta das surpresas, perto da Colunata.

— Um homem? Que homem?

— O mestre das fontes do rei. Ele me disse que o senhor também compreenderia.

Pietro pestanejou. Em seguida curvou a cabeça e, afastando-se com largas passadas, exclamou:

— Obrigado!

Deixou o pavilhão para ganhar a gruta das surpresas.

Lá se encontrava o mestre encarregado das fontes, herdeiro de Denis-Jolly, que, cercado por seus companheiros bombeiros, de seus oito ajudantes e de um moldador, tinha outrora a incumbência de acionar a água a fim de propiciar ao monarca a ilusão de que suas fontes funcionavam incessantemente. Como os Francine, os Denis-Jolly eram para as fontes o que os Le Normand eram para as flores e a jardinagem. Obedeciam a um protocolo bastante rígido, estabelecido no passado para os passeios do rei. Tão logo avistavam Sua Majestade, acionavam as alavancas, fazendo jorrar jatos cristalinos da garganta das rãs da fonte de Latona ou de um Baco embriagado, para interrompê-los tão logo o soberano tivesse se afastado. Entretanto, durante o desenrolar da ceia, os herdeiros de Denis-Jolly repousavam. Pietro rapidamente se apresentou ao mestre, que conversava animado com sua equipe. Mostrou as plantas do Fabulista que ele recuperara no escritório de Augustin Marienne.

— Isto lhe parece familiar?

O outro o fitou sem dizer palavra. Em seguida, com um sinal, convocou um dos ajudantes.

O bombeiro trouxe outro rolo com uma folha que, de tão fina, parecia quase transparente. O mestre das fontes estendeu a planta de Pietro a seus pés. Em seguida, cobriu-a com a sua, à luz do sol, quase no plano do eclítico.

Coincidiam à perfeição.

Aquele malha inextricável de horizontais e de verticais, aquele tecido de múltiplas ramificações, números e formas geométricas, cálculos de distância contendo π e proporção áurea — tudo era exatamente igual.

Os mil encanamentos de Versalhes exibiam-se, tal uma gigantesca rede, aos seus pés.

Water Music & Royal Fireworks

Gruta das Surpresas
Reservatórios e fontes do Rei, Versalhes

Pietro, aturdido, levou a mão à cabeça.

Costumava-se dizer que, sob o palácio, conhecido de todos, existia uma Versalhes invisível: a dos canos e dutos, extraordinária conjunção de ciências e técnicas, terraplenagem, encanamentos, hidráulica, física, geometria e geologia. Encontrava-se agora diante das plantas desse outro palácio subterrâneo e secreto. Nele, os reservatórios eram imensos como as catedrais; os primeiros encanamentos de chumbo haviam sido substituídos, sob o reinado de Luís XIV, por dutos de ferro fundido prontos para o funcionamento. Sua força era tal que passavam por dezenas de locais. O emblema do lírio real, cunhado em relevo, adornava cada uma das junções. Luís XIV não se contentara com jatos retos, respingos e esguichos lançados na direção do céu. Desejara *esculpir a água*: ela devia ser modulada, aperfeiçoada, proporcionar variados efeitos. Graças às juntas e às saídas das fontes em formatos diversos — lâmina, bolha, língua, ranhura —, os engenheiros haviam criado uma aquagrafia sem precedentes. Modulada segundo a pressão, a altura, o formato e a difusão do jato, concebia mil figuras segundo o fluxo perfeito dos dutos e o cálculo dos bicos de saída: em leque; côncavo, em formato de pirâmide; convexa, em formato de flor-de-lis; reta e achatada, breve e curta, estreita e alta, em ondas e em bolhas...

Ah, não... Receio não estar enganado, disse a si mesmo Pietro.

Os dutos se ramificavam na direção de formidáveis búzios, querubins roliços, tritões e dragões que jorravam água pela boca, irrigando lagoas e lagos com mil veias e vasos, tal sangue cristalino que dava vida ao palácio inteiro, permitindo-lhe palpitar graças a esse fluxo vital... Versalhes soprava, respirava, irrigava-se por meio dessas artérias, à semelhança de um imenso organismo.

O palácio era o sangue, o corpo do rei!

Todos aqueles cálculos... cálculos de juntas, de fluxos, de controle de pressão! Tudo isso... constava das plantas!

Pietro deu alguns passos, distanciando-se do mestre encarregado das fontes. À sua frente deparou-se com a reconstituição de uma gruta, lembrando a de Orfeu em Saint-Germain e a antiga gruta de Tétis. Toda feita de conchas, em seu centro encontrava-se o deus da música que, ao tocar as cordas da lira, via despertarem as virtudes morais ao seu redor; as cavidades se abriam e expunham leões, tigres, lobos e outros animais das fábulas. Árvores agitavam-se como embaladas pela brisa. Árvores habitadas por pássaros, cujos trinados eram produzidos graças à água a escorrer nos dutos, criavam um efeito quase mágico: ao fechar os olhos era possível imaginar-se em meio a um bosque cerrado.

De repente, os olhos de Viravolta se arregalaram. Diante dele, uma das grutas se abria. Em seu interior, um pequeno boneco de madeira e tecido. Sua aparência não deixava margem a dúvidas: era a imagem perfeita do Fabulista, encapuzado. Seu sorriso se mostrava por um simples traço sob o capuz de estopa. Duas pedras vermelhas representavam os olhos. O boneco, sarcástico, parecia zombar dele. Carregava um machado no ombro. De repente, à guisa de saudação, um jato d'água esguichou da gruta, preciso e vigoroso. A brincadeira costumava divertir os visitantes; Pietro não riu. O jato o encharcou e teve a nítida sensação de que o pequeno Fabulista o ridicularizava. O veneziano ficou imóvel alguns instantes, ensopado.

Deixou escapar um palavrão.

Precipitou-se, em seguida, na direção do mestre e de seus companheiros.

— É preciso desligar as águas, entendem? *Toda a água!* As manivelas, as alavancas, as bombas — desliguem tudo!

Girou nos calcanhares.

A multidão não cessava de afluir sob o sol poente.

Pietro tentava passar pelos transeuntes. Alguns, extasiados, apontavam para uma estranha montanha situada junto ao Encélado, em cima da qual se encontrava uma pequena máquina pintada de dourado na qual era possível sentar-se e deslizar a toda velocidade por uma descida bastante íngreme, descendo até o sopé, sem outro perigo senão as risadas, cruéis para os tímpanos.

As palavras de Augustin Marienne voltavam a ressoar em seus ouvidos.

Uma surda inquietação o invadia.

O fogo... O fogo...

Pietro piscou, abrindo o caminho a cotoveladas.

Acelerou o passo...

Os reservatórios... Os reservatórios do norte!

Desta feita, pôs-se a correr, empurrando as pessoas que lhe atrapalhavam a passagem.

Água. Água por todo lado.

O fogo... O fogo se propaga graças à água... Ele fez disso uma arma... Esta noite!

Pietro corria pelos terraços apinhados de gente, passava diante de quincunces centenários e de frondosos castanheiros, tomado pela forte sensação de *déjà-vu*. Lembrava-se da festa de núpcias de Maria Antonieta quando se lançara à perseguição do primeiro Fabulista. De todas as partes jorravam braçadas líquidas, atrás de flores, mármores e teixos podados. Perto do lago dos Suíços, do Trianon e da *Orangerie*, vislumbravam-se as formas brancas dos jogadores de choca que lançavam a bola de madeira na relva.

Longe, na extremidade das alamedas, nos bosques em torno do parque, corças e cervos exibiam o focinho, como se quisessem descobrir o que suscitava tamanha algazarra. Pássaros inquietos escapavam das copas das árvores. De longe, era possível ver o palácio inteiro e os mil espetáculos desse crepúsculo, os tetos dourados, seus *parterres*, os bosques e suas estátuas, mesclados na confusão da noite.

Pietro chegou aos reservatórios.

O Fabulista! Até que enfim!

Sob seus pés, corriam os encanamentos; as máquinas antigas rangiam. As cisternas que formavam o tanque e dominavam Versalhes pareciam conter rios inteiros. Ladeadas por balaustradas, iam de uma ponta a outra para, a seguir, rumar para um pequeno castelo no qual estava instalado o sublime maquinário. Outrora, durante duas gerações, cerca de quarenta mil trabalhadores haviam escavado, aterrado, erguido toneladas de terra e de pedras para forçar a natureza a se render à vontade do Rei Sol. A água, contudo, permanecera indomável. Não obstante seu espetacular mecanismo, fora preciso renunciar ao uso da "máquina do rio Sena", instalada em Marly, para alimentar as festas de Versalhes. Luís XIV ordenara a construção de novos reservatórios e moinhos. Três tanques foram cavados. Tentou-se captar as águas de Bièvre; construiu-se um aqueduto que passava pela montanha; criou-se um lago artificial. Nada disso fora suficiente. Vauban e La Hire encarregaram-se da construção de um canal a partir do rio Eure. Os custos da operação, os mortos e a guerra obrigaram o rei a renunciar a esse novo canteiro de titã e a manter apenas os reservatórios da ala norte, que se esvaziavam por ocasião do espetáculo das grandes águas.

Como hoje.

Pietro não se surpreendeu ao descobrir dois jovens ajudantes degolados, em uma poça de sangue.

— Estava à sua espera, Viravolta.

De pé sobre a balaustrada, envolto em seu mantô negro de capuz, a rosa na altura do coração, o Fabulista trazia, entre as mãos, uma tocha acesa.

Pietro parou, sufocado.

— Por sua causa fracassamos — disse o Fabulista com sua voz singular. — Já sei. Stevens jamais atingirá seu objetivo. Ele era louco e eu, igualmente louco, por segui-lo. Mas era preciso enfrentar você. Azar do rei, da rainha e da França. Mas *você*... você sabe, não é? Você sabe a verdade... A que senhor serviu, Viravolta? Qual foi a sua justiça? Sempre alimentei enorme admiração por você, mas você matou o único homem que me salvou e acreditou em mim. O abade! Ele também havia compreendido. Seu único erro foi querer se fazer ouvir, querer que me fizessem justiça. E você... você serviu a um reino corrupto! Como pôde?

Riu devagar, e aquele riso, transpassado por uma loucura alarmante, enregelou o sangue de Pietro.

— Acredite ou não, eu entendo o que você sofreu! — exclamou o veneziano, com a boca seca. — Eu sei o que é ser perseguido pelos poderosos. Mas há outros meios de se fazer ouvir... Agindo assim, nada encontrará senão a morte!

— Você não era O BASTARDO DE UM REI! — gritou o Fabulista com uma voz que não deixava espaço para réplicas.

Logo depois voltou a rir.

— Não confunda as coisas, Viravolta. Se vivêssemos num mundo justo, você estaria a meu serviço; seria meu vassalo. Mas fico feliz por você assistir a meu espetáculo final. A obra-prima do Fabulista!

— Desista, desista enquanto é tempo! Prometo tentar interceder a seu favor.

— Tarde demais, Viravolta. Augustin o preveniu? Ele também o traiu. Ele nos entregou a fórmula de Dupré, o fogo que queima mesmo na água. Nós o aprimoramos... Agora, graças à água, ele se propaga... Graças a uma alquimia secreta, obtivemos o impensável.

Com um movimento de punho, usou a mão livre para desenrolar o documento.

— Fogo e água! Ideais para regar uma orquídea!

Voltou a rir e, bem devagar, deixou as chamas da tocha lamberem o rolo de papel até soltá-lo quando o fogo atingiu a mão enluvada.

— Tranquilize-se... Este é o último exemplar da fórmula de Dupré. Um segredo absoluto, surgido das profundezas da história. Eu me odiaria se deixasse à posteridade tamanha abominação. Eu também posso contribuir para nossa grande missão civilizatória. A menos que...

O riso desta vez assemelhava-se a uma espécie de ganido. Apontou a cabeça com o indicador.

— A menos que eu não seja o único a me lembrar com exatidão do preparo da fórmula, gravada *aqui*, em meu cérebro, e decida vendê-lo a quem ofereça, por exemplo, o melhor preço.

Pietro avançou.

— Não se mova, Viravolta. Passei a noite a derramar essa mistura em vários locais. Mais um passo e, finalmente, verá as fontes do rei se iluminarem.

— É... é impossível!

O Fabulista aguardou um instante antes de abaixar a tocha.

— Graças a quantas mentes brilhantes esse palácio foi construído, Viravolta? Conhecemos os Le Nôtre e os Mansart, mas que outras combinações de pensamentos contribuíram para tal obra? Sem dúvida, devem ter contado com a filosofia e a matemática de Descartes e de Alembert, Bernoulli, os trabalhos de Boyle, Hooke, Pascal, Newton. E Huygens, o descobridor de Titã, dos anéis de Saturno e das calotas polares de Marte! Titãs, sim, todos eles. Titãs governando o movimento dos planetas. *Tantos grandes homens para construir este palácio!...*

A voz tremia de raiva.

— *...apenas um para destruí-lo.*

Mergulhou a tocha no primeiro reservatório e a atirou no segundo.

Voltou a gargalhar.

— Retomemos o jogo, meu amigo, para nele colocarmos um ponto final.

Agitando a capa, o Fabulista girou e pulou para trás da balaustrada.

E Pietro, mudo e desamparado, assistiu ao impensável.

O tempo pareceu suspenso por um minuto. Em seguida, bolhas borbulharam na superfície do reservatório...

Produziu-se uma reação em cadeia, alastrando-se pelos dutos ao encontro da mistura pacientemente destilada pelo Fabulista.

Então as fontes do rei, as de Latona, da Pirâmide, da Alameda d'Água e do Obelisco, bem como os retângulos dos espelhos e a fonte de Apolo, os chafarizes da Colunata e do Labirinto, até o Grande Canal, todas as águas de Versalhes abrasaram-se ao mesmo tempo. A princípio, para alguns, isso pareceu uma grande brincadeira, a exibição de um novo espetáculo ou de uma nova modalidade de fogos de artifício, semelhante ao visto nas colinas de Reims. Os sóis da fonte de Apolo em brasas como no poente. Por toda a superfície do Grande Canal começou a correr um rastro de fogo que parecia tomar corpo com a onda; em seguida, a superfície do Canal explodiu em chamas, lançando, nos olhos das figuras transparentes, reflexos infernais. Um estranho estupor lia-se nos rostos dessas estátuas, ao mesmo tempo que clarões deslocavam-se sobre os quiosques de porcelana. As galeras e os barcos da flotilha que não haviam sido recolhidos partiram em tochas para sempre; restos de pólvora transformaram-se em espetáculo pirotécnico, lançando feixes reluzentes na direção do céu. O gigante dourado da fonte de Encélado, já fulminado por Júpiter, viu seu rochedo cercar-se de línguas de um fogo crepitante e mesmo o jato que saía de sua boca, ao atacar o Olimpo, caía em chuva ao seu redor. Entre as pedras de moinho e os chumbos das cascatas do *Bosquet des Rocailles* jorravam gotas incandescentes; no centro da ilha, o teatro ardeu. Do Canal à Estrela, a fornalha subia na noite que caía. O dragão da fonte cuspiu, pela primeira vez, chamas verdadeiras.

Também sob o pavilhão real, a água misturou-se ao fogo. As luzes do rochedo extinguiram-se em cascatas tombando de concha em concha. Os braços d'água da redoma líquida se iluminaram, um após o outro. Os pórticos de parreira e de tecido começaram a arder; sobre seu rochedo, Pã fez uma careta cuspindo bolas de fogo. Instalou-se o pânico. Pessoas se precipitavam largando pratos, talheres, taças e vasilhas. A guarda real adiantou-se para proteger o rei e a rainha. Os batráquios de bocas escancaradas da fonte de Latona cuspiam uns nos outros. Na gruta, os acordes da lira do deus do Amor soaram estrangulados. As virtudes morais se consumiram sobre o emblema real. Junto ao boneco do Fabulista, o jato tornou-se faísca. Entre os animais das fábulas, as águas que imitavam o farfalhar das folhas e o canto dos pássaros transformaram-se em incêndio. Os animais da *ménagerie*, bem reais, agitavam-se desorientados. As galinhas do Egito se puseram a correr, espantadas. O caracal miou como um gatinho qualquer, a girafa esticou o pescoço, o velho paquiderme de Chandernagor emitiu barritos. Os pássaros arremessavam-se contra as grades.

O céu crepuscular, a terra e a água pareciam constituir um só incêndio Acesos por engano, os pavios dos rojões crepitavam em feixes de centelhas antes de partir zunindo rumo ao firmamento e explodir no espaço enquanto outros, mal ajustados, rolavam sobre as orlas percorrendo-as de um extremo ao outro, no meio da multidão. Como nos dias sem vento, as esculturas líquidas pareciam jorrar de todas as partes, com a diferença de serem não mais de água, mas de fogo. Os jatos da fonte de Apolo se elevaram numa apoteose jamais vista, desenhando uma gigantesca flor-de-lis em chamas que se desfez em pedaços contra o céu.

Party Time.

O Fabulista havia posto fogo em Versalhes.

Fábula surpresa

FONTES DO REI
GRANDE APARTAMENTO DO REI
SALÃO DE DIANA E GALERIA DOS ESPELHOS

A hora seguinte foi marcada por enorme confusão. A intervenção de Pietro contrariara os planos do Fabulista que pretendia desferir seu golpe quando do início do baile. A manobra final não passara de um gesto desesperado. O herdeiro de Denis-Jolly e seus homens puseram-se em ação sem demora; no entanto, várias pessoas saíram queimadas. Mosqueteiros e membros da cavalaria ligeira apressaram-se em reunir e retirar as altas personagens e os feridos. Pietro correu à procura do mestre das fontes, dos bombeiros e do moldador que já haviam disparado em todas as direções. Tão logo cortaram as entradas d'água, impedindo sua circulação, o fogo começou a se acalmar. Precipitaram-se para as manivelas e alavancas; pararam as máquinas. Seguindo as instruções do veneziano, conseguiram, com areia e cobertas úmidas, abafar a maior parte das explosões nas fontes. Nos encanamentos, finda a reação em cadeia, o magma apagou por si só. No Grande Canal, a quantidade de água era tal que a mistura espalhada pelo Fabulista não pôde persistir por muito tempo. Findos os primeiros momentos de terror, perguntavam se esse novo artifício não fora arquitetado pelo *Menus-Plaisirs*, como prolongamento das festividades do dia; mesmo se, dessa vez, a exibição terminasse em tragédia. Tão logo concluídas as operações, Pietro dirigiu-se ao palácio.

Voltemos ao jogo, meu amigo, para terminá-lo de uma vez por todas.

Subiu à ala norte pelo grande apartamento do rei. Durante as "noites de recepção", às segundas, quartas e quintas, os salões particulares serviam de espaço para diversões reservadas à fina flor da corte. Em cada sala, mesas de jogo com dados, *gobelets* e cartas. Viravolta cruzou o Salão de Hércules e o Salão da Abundância, chegando ao Salão de Jogos de Luís XVI. Ali, os cortesãos costumavam jogar partidas de lansquenê, conversar e escutar uma marquesa a tocar uma cançoneta no cravo ou assistir à apresentação de cantores líricos; apostavam somas altas e, por vezes, a sala parecia uma casa de jogos. Aquela noite, os valetes ofereciam bebidas variadas e, portanto, parte dos nobres da corte chegava aos poucos para se recobrar do susto.

Salão de Vênus. Pietro acelerou o passo. Então o Fabulista terminara por obter a cumplicidade forçada e trágica de Augustin Marienne. Este tentara avisar Viravolta — tarde demais. Augustin, o leão velho, por intermédio de quem o Fabulista previra finalizar sua obra, caso tudo corresse de acordo com os seus planos. Augustin Marienne, a última testemunha a exterminar, a quem fora dedicada a última fábula... A menos que... O Fabulista tentara identificar os principais agentes do *Secret* para eliminar os obstáculos do reino naquela época tumultuada... Por pouco não mudara o curso da história. Enquanto vivesse, o país corria perigo. Mas Pietro compreendia, ao menos em parte, o sofrimento daquela alma torturada. O papel patético que representava era bem mais forte do que ele. E eis que, por uma curiosa manobra do destino, cabia a ele, Pietro Viravolta, tornar-se o instrumento da razão de Estado.

~~O cão que pela sombra larga a presa~~ D'Eon, Safira, Beaumarchais
~~O Amor e a Loucura~~ Anna
~~O Macaco Rei~~ Luís XVI
~~A Cigarra e a Formiga~~ Maria Antonieta
~~A Lebre e a Tartaruga~~ A corte
~~O Leão Velho~~ Augustin Marienne

Salão de Diana. Como à época de Luís XIV, haviam instalado, no centro, uma mesa de bilhar — jogo no qual o Rei Sol era mestre. Normalmente, a mesa era coberta por uma capa de veludo carmim guarnecida de franjas douradas. As damas acompanhavam as partidas, sentadas em banquetas instaladas em estrados, o que lhes permitia admirar o espetáculo e aplaudir o sucesso dos participantes. Pietro reconheceu imediatamente a capa preta abandonada sob o teto de Blanchard e diante do *Sacrifício de Efigênia*, instalado sobre a lareira...

Ficou imóvel.

A poucos passos, um homem com uma flor na lapela. Não mais uma rosa inglesa, mas uma imortal — significando o sacrifício e os arrependimentos eternos.

O Fabulista jogava tranquilamente bilhar.

Desta vez, trazia o rosto descoberto.

Devia estar perto dos 40 anos. Algumas rugas traíam-lhe a maturidade, as provações enfrentadas — e também aquelas por ele próprio impostas. Examinando-o com atenção, era possível encontrar no fundo dos olhos aquele brilho de loucura que testemunhava a luta inglória contra os próprios demônios. Disto resultava também uma prega de cólera nos lábios, que acabava por semear a dúvida sobre a natureza angelical de sua ascendência. Ele vivia entre dois mundos, entre o inferno e o paraíso. Entretanto, Pietro também percebeu, em sua atitude, uma espécie de terrível majestade.

Então é você.

O Fabulista o fitava sorridente.

— Que tal uma partida, Orquídea?

Pietro adiantou-se.

— Por que não, Fabulista? Nunca soube seu verdadeiro nome.

Por um instante ele girou o taco entre as mãos provocando um deslocamento de ar.

O Fabulista ainda sorria.

— E nunca saberá. Pode me chamar de Jean de France, delfim de lugar algum, se isso lhe apraz. Jean foi o nome escolhido por minha mãe. Acrescentei o resto por minha conta.

Pietro aproximou-se da mesa. Foi o Fabulista que deu a primeira tacada, acertando as duas bolas pretas com a sua vermelha.

— Você me impressionou, Viravolta. Sobretudo depois de escapar da jaula do leão. Ainda não entendo como conseguiu.

— Digamos que eu também tenho minhas cartas na manga.

O Fabulista continuou a jogar antes de prosseguir:

— Você foi surpreendente. Não esperávamos vê-lo aparecer no Procope. Ah, mas é verdade, você não tinha conhecimento de nada. Digo "esperávamos" pensando em Safira. Quem diria... Ela estava do nosso lado.

— Safira? O que aconteceu com ela?

— Ah... — disse, concentrado na jogada. — Se eu fosse você não perderia meu tempo a procurá-la...

Pietro mordeu o lábio. O Fabulista fez uma careta. Acabava de perder a vez.

— Entendo — disse Pietro, substituindo-o. — Graças a ela e ao seu corcunda você obteve todas as informações necessárias... Inclusive a maioria de nossas identidades.

Golpe seco e certeiro; a bola deslizou pelo feltro.

— Sim, meu amigo. Safira, ex-agente em Veneza e em Londres. Eu me diverti um bocado.

Com os olhos apertados, Pietro olhou o busto do Rei Sol feito por Bernin, enquanto o Fabulista assumia o posto. Escutava-se o entrechocar das bolas no feltro da mesa.

— Mas por quê? — perguntou Pietro. — Por que insistir? Você sabia que isso era suicídio. Não pode ter acreditado que derrubaria o reino sozinho...

— Com os ingleses, poderia ter sido possível. Tinha eu escolha, Viravolta? Não passo do fruto desse reino podre, uma excrescência dessa gangrena que ainda ocultam por trás do pó de arroz e dos lambris de Versalhes. Você mesmo pertence ao passado, Viravolta. Orquídea Negra... Uma lenda, um aventureiro humanista, um idealista insatisfeito, símbolo de uma época à beira da extinção.

O Fabulista curvou-se, o olho vivo, a mão firme, ajustando o taco.

— Nada disso pode durar. O mundo se modifica, meu amigo, já não nos quer mais. Não passamos de relíquias...

— Por que não procurou Charles de Broglie?

O Fabulista se ergueu, arqueando a sobrancelha.

— Se bem me recordo, quando o abade tentou, não obteve êxito. Mil vezes solicitou ser recebido pelo rei. Não para destroná-lo, Viravolta. Nem mesmo para fazer valer minhas pretensões; apenas buscava justiça, simplesmente justiça! Que ao menos Sua Majestade não abandonasse assim o fruto de suas entranhas! Que me *reconhecesse*! De que me acusa? O que eu podia esperar? Eu, sozinho com minha verdade, diante de um reino inteiro? Um reino que, em outra época, sob outros auspícios, eu poderia assumir. Você teria me matado, como matou meu pai adotivo. A única pessoa que, assim como minha mãe — e meu pai *verdadeiro*, é claro — conhecia toda a verdade. O abade me amava. Ensinou-me tudo. Mostrou-me a luz, Viravolta. A luz da *justiça*. E eu lutei contra os astros. Contra minha estrela que vocês tornaram maldita.

— Justiça? — ironizou Pietro. — Que justiça é essa que condenou Rosette a ser vítima de armadilhas para lobos?

O maxilar do Fabulista se contraiu.

— Não me venha com lições de moral. Você acredita conhecer o mal... Viravolta, sabe o que é passar a infância apertando contra si um livro de poemas e rezando, no fundo de um celeiro, para escapar do inferno? Sabe o que é ser vítima diária da crueldade de crianças imbecis e brutais? Não, *você não sabe*!

Os lábios tremiam.

— Sabe o que pode significar, mal saído da infância, descobrir a verdade *sobre si*, sobre suas origens? Conhece a alegria da libertação, o acalento da compreensão e do amor, o sopro ardente da vingança, Viravolta, e como ele tudo arrasta à sua passagem? *Não, você não sabe!*

— Isso não é justificativa. Você se transformou num monstro.

— Um monstro? Sim, sou um poeta maldito, um monstro, mas não por ter *me transformado*! Sempre o fui. Desde meu nascimento, meu destino foi selado. Desde meu nascimento, nunca passei de urros e de frustração! Vocês todos roubaram a minha vida! Foram *vocês* que me tornaram um monstro, imagem de sua corrupção e de sua vergonha! Uma criatura banida, perseguida por todos... Uma criatura que vocês queriam calar! Mas o monstro sobreviveu, Viravolta, para reclamar seu quinhão! Sim, sou sua vergonha! A vergonha desse regime iníquo!

— Você podia ter escolhido outro destino!

O Fabulista o fitou, ao mesmo tempo abalado e fatalista.

— Não, Viravolta, esse é justamente o problema. *Eu não podia...*

As pupilas cintilavam, o peito se erguia como se sufocasse. Subitamente, acalmou-se. Retomou o controle. Com os traços novamente relaxados, sorriu.

— Desde a morte do abade, tudo ficou claro. Graças a Safira, na ocasião a serviço em Londres, pude conhecer Stevens. Aos agentes do *Secret* que contra mim conspiraram, reservei tratamento especial. Começando por você, é claro, o mestre entre todos... A você dei o meu livro, as *Fábulas*. A *Pietro*

Viravolta de Lansalt. O homem que transpôs os nove círculos do inferno. A chave mestra entregue a um adversário digno de mim... As dez últimas. *Last but not least*... As fábulas lhe agradaram?

Deixou escapar um sorriso.

— Ora, o que é este reino senão um simulacro? Ou uma comédia de animais vaidosos?

— Uma comédia que encerra cem atos diferentes...

— Uma parte de amor e outra de raiva?

— Uma rosa contra uma orquídea?

O Fabulista sorriu. A bola de bilhar produziu um estalido.

— E agora?

Aprumou-se.

Os dois se encararam de cada extremidade da mesa.

— Você sabe que tudo está perdido.

Pietro teve a impressão de que os lábios do Fabulista tremiam ao dizer:

— Há muito tempo tudo está perdido para mim.

— E se nós resolvermos isso de uma vez por todas?

— Com lealdade?

— Com lealdade.

Cruzaram os tacos de bilhar sobre o tapete verde da mesa.

Pietro convidou o Fabulista a sair.

Transpuseram o Salão de Marte e, logo a seguir, o de Mercúrio. Sob o teto de Apolo, surgindo em sua carruagem na espuma do céu, encontrava-se o trono luxuoso instalado por Luís XV, que substituíra o trono de prata de Luís XIV. A boca seca, o Fabulista o fitou um breve instante e, em seguida, entrou no Salão da Guerra. Pietro passou pelos sentinelas e deu-lhes ordem para não interferirem, independentemente do que viesse a acontecer.

Finalmente chegaram à Galeria dos Espelhos.

Pietro caminhou até o centro da galeria. O Fabulista posicionou-se.

Pietro hesitou... Voltou-se.

Fizeram uma reverência.

Ao longe, a festa retomava seu curso normal; tinha início o baile de Versalhes.

Um baile de máscaras.

No centro de proporções perfeitas, eles se encararam. O veneziano se descobriu. Com os lustres todos iluminados, do Salão da Guerra ao da Paz, a galeria inteira cintilava. No local onde as duas forças se encontravam prestes a se enfrentar, as laranjeiras traziam um toque de ilusória doçura. Pietro e o Fabulista se aproximaram parando no meio da galeria, diante das cortinas de tecido adamascado. Um instante único; único como o gesto do veneziano cuja mão hábil inclinava-se na direção do parquê, numa saudação que correspondia a uma declaração de guerra; único como o movimento do adversário posicionando a mão erguida atrás do ombro; único como o início da genuflexão de ambas as partes, cujo silêncio significava: *Estou pronto a acabar com isso.*

— Mas o que está acontecendo?

Nas entradas do salão, pessoas se agrupavam. Um grupo de atônitos cortesãos aglomerava-se atrás dos duelistas. Em pouco tempo, foram cercados pela multidão. Todos naquela noite usavam máscaras de animais. Touros, corvos, raposas, leões, asnos, bois, guepardos e outras criaturas compunham um grupo bizarro. As notas distantes das orquestras chegavam a eles, melopeia fascinante que acentuava a atmosfera irreal da cena. A essa melodia, a multidão parecia responder. Oscilava docemente, como uma diminuta vaga ou os galhos de árvores seculares à passagem da brisa. Parecia uma assembleia de profetas, membros de uma confraria reunidos para algum ritual de sacrifício. Anna Santamaria, máscara de loba, abria caminho. Cosimo, de guepardo, acompanhava-a. Levou a mão à espada, pronto a avançar.

A mãe o deteve.

Encerrados em suas molduras, os espelhos translúcidos formavam um extraordinário caleidoscópio, reproduzindo ao infinito a postura dos dois dançarinos armados. A tanta violência e esplendor já haviam assistido... Quarenta e cinco anos suportando o barulho de carroças passando, andaimes montados, escadas a bater contra as paredes, remoção de escombros a custos altíssimos, assobios de pintores, pedras içadas, poeira de gesso. Tudo para fazer brotar a joia límpida de sua ganga mineral. E os espelhos, com suas íris de cristal, haviam conservado parte dessa lembrança. Haviam capturado a imagem de um Rei Sol ainda jovem e amado, que, mais tarde, sob o peso da auréola de insensatez, escandalizara o mundo com uma glória que superava infinitamente a si mesmo, enquanto a velhice lhe curvava a coluna e os ombros. Haviam vibrado em resposta ao passo cadenciado de Racine dirigindo-se, com o manuscrito de *Ester* debaixo do braço, rumo aos apartamentos de madame de Maintenon. Os espelhos haviam cochichado refletindo a aura frágil e afetada da madame de Pompadour, antes de se cobrirem de lama na noite da apresentação da então hesitante madame du Barry e cantado a lourice e o frescor dos 16 anos de Maria Antonieta que buscava seu caminho — um caminho impossível, já murchas as pétalas dessa juventude que lhe roubavam.

Os esgrimistas dançavam diante dos espelhos e saudavam o carnaval da história.

Versalhes!

Iniciaram o combate.

Prima, Pietro investiu, a mão acima do ombro, polegar baixo e braço estendido, guarda-mão na vertical; *Seconda*, o Fabulista esticou o braço na altura do ombro, a palma da mão voltada para o chão. Um, dois, três, os espíritos de Calvacabo, de Giganti e de Dancie, os grandes tratadistas tanto da esgrima como da dança, pairavam sobre este combate. Lutava-se com habilidade. O veneziano se posicionou em *Terza*, braço flexionado, a mão na altura do quadril à direita do corpo, os nós dos dedos para baixo. *Quarta*, o Fabulista, mão à esquerda, palma para o alto, guarda-mão na horizontal. Pietro atacava antes de recuar e se pôr fora de alcance; o Fabulista revidava, recuava, voltava a pressionar. O ritmo da luta se acelerou. Um movimentava o pé, o outro, a mão; um alongava o braço quando o outro estoqueva com a ponta da espada. Afastavam-se, aparavam golpes, protegiam-se, avançavam e desviavam-se, giravam o corpo acompanhado de uma rotação de punho, brincavam com a espada inimiga, ataque inesperado, *punto reverso*, parada! Mais uma vez Pietro passou ao ataque. A lâmina sibilou contra a do adversário, a parte superior de sua arma dominando a inferior do Fabulista. O tempo pareceu suspenso, e já as espadas desengatavam. Pietro girou para evitar o golpe seguinte; o Fabulista, por sua vez, recuou dois passos; o grupo acompanhava cada movimento em meio a exclamações. O retinir das armas ressoava em cascata, cada gesto a lembrar um arabesco; a vivacidade técnica, a virtuosidade desses dois exímios esgrimistas era uma lição aos espectadores; o farfalhar das camisas pontuava o duelo tanto quanto as breves exclamações dos esgrimistas; alguns lhes imitavam os gestos, a garganta seca, o coração palpitante. *Abaixe! Erga-se!*

Viravolta cometeu então um erro crucial. Deu uma estocada, mas o Fabulista, desviando o ombro, ao estilo scanso italiano, esquivou-se com elegância. Contra-atacou e a arma atingiu o ombro do veneziano, que recuou, soltando um grito de dor.

As respirações se mesclaram. Os animais das fábulas fecharam ainda mais o círculo.

Uma comédia que encerra cem atos diferentes...

Servir-se dos animais para instruir os homens...

Retratar os caprichos e as imperfeições da sociedade humana...

E nós, que animais somos?

O sangue escorria. Pietro simulou o bloqueio do ataque do oponente. O Fabulista, por sua vez, cometeu um erro lançando-se com a ponta da espada em riste, joelho dobrado. Pietro aproveitou a brecha com um contragolpe imediato: o adversário perdia a espada. Pietro entreviu logo a vitória, mas enganara-se. Mal investiu contra o inimigo, este desembainhou dois punhais que trazia ocultos na cintura.

Por um instante, as lâminas giraram em suas mãos. Pietro, num relance, viu o próprio rosto já retalhado e a garganta cortada. Torceu o corpo esquivando-se do golpe e recuando num giro. Desequilibrou-se, caiu e deslizou pelo impecável parquê da Galeria de Espelhos, nele deixando um rastro de sangue.

O Fabulista riu, largou os punhais e recuperou a espada.

— Terminou, Viravolta.

O Fabulista lançava-se sobre ele.

— *Pietro*!

A voz de Anna Santamaria ressoou clara e forte. A despeito do vestido de anquinhas, ajoelhara-se. Puxou a adaga, escondida na coxa.

Com um gesto seco de punho, a fez deslizar no piso.

Tudo transcorreu muito rapidamente.

Pietro agarrou a adaga. No momento em que o Fabulista se atirava sobre ele, girou sobre si mesmo, soltando novo grito de dor. A lâmina do inimigo atingiu o parquê, espalhando farpas de madeira. Pietro reuniu as forças. O braço descreveu um arco e atingiu a perna do Fabulista. Este gemeu e dobrou o joelho; perdeu o equilíbrio. Largou a espada. Com a mão livre, Pietro apossou-se da arma do Fabulista e, antes que este esboçasse qualquer gesto, desferiu o golpe que o atravessou de um lado a outro.

A ponta ensanguentada apareceu-lhe nas costas.

O Fabulista escarrou.

Ao redor, touros, rãs, cegonhas, corvos, raposas, leões, asnos, bois, guepardos e animais fantásticos, toda a multidão mascarada finalmente aplaudiu. Assim terminou o mais belo e secreto dos duelos de Versalhes — e assim foi decidido o destino do reino da França: em um concerto de risos grotescos. Riam por ainda acreditarem numa encenação, até finalmente a guarda do palácio decidir intervir.

— Mas... Mas... Isso é proibido! — berrou um soldado da Guarda Suíça que acabava de chegar.

Pietro se aproximou do Fabulista, a um passo de entregar a alma, como, no passado, se aproximara do abade, seu pai adotivo, nos telhados de Versalhes.

Segurou-lhe a cabeça e murmurou:

— Eis-nos aqui, me parece, ao final de nosso caminho da sabedoria... Que moral nos ensinará essa Fábula? Eu proponho "O peixinho e o pescador". Lembra-se do final? *Mais vale um peixe na mão que dois...*

O Fabulista encontrou forças para sorrir.

— Um já está seguro, o outro não... — concluiu, escarrando sangue.

A mão tremeu na de Viravolta.

Ali mesmo, o Fabulista, numa noite de tempestade, abandonara o corpo de Rosette e seu precioso livro de fábulas. Nas frestas da madeira, seu sangue se misturaria ao de sua vítima.

Pietro se levantou. Anna avançou. Os animais continuavam a aplaudir.

Então, um dos convivas com máscara de gato, num gesto absurdo, lançou-lhe uma moeda:

— Pelo espetáculo.

Por trás da máscara de loba, Anna Santamaria o encarou e abanou o leque.

Pietro recuperou a respiração.

Saíra vitorioso do labirinto.

Last but not least, outubro de 1775

Do esplendor não és mais a morada. Foi-se tudo.
Porém o sono, a solidão,
Deuses antes ignotos, as artes e o estudo,
hoje em dia, tua corte são.

ANDRÉ CHÉNIER, *Versalhes*.

Duas mil pessoas reuniam-se na capela real. Pietro encontrava-se ajoelhado diante de Luís XVI. Sob suas cabeças, Coypel anunciava a vinda do Messias, La Fosse celebrava o Cristo ressuscitado, enquanto o Espírito Santo do afresco de Jouvenet descia sobre a Virgem e os Apóstolos — muito oportunamente, por sinal, tendo em vista o sentido conferido à presente cerimônia.

Criada em 31 de dezembro de 1578 por Henrique III, numa França devastada por guerras religiosas, a Ordem do Espírito Santo era ainda a ordem de cavalaria de maior prestígio da monarquia francesa e uma das mais influentes na Europa. Tinha como finalidade proteger o rei da França como pessoa sagrada. Tal consagração era, de hábito, reservada aos mais altos dignitários do reino. Os cavaleiros, cem no total, eram normalmente escolhidos entre os membros da mais alta aristocracia, desde que estivessem em condições de provar três gerações de nobreza — mesmo que, na prática, as famílias ducais fossem as que contassem com maior número de representantes. Por serem também cavaleiros de Saint-Michel, eram, em geral, chamados de cavaleiros das ordens do Rei.

Pietro se ergueu. O soberano colocou-lhe a insígnia. Presa a uma larga fita de um azul-celeste brilhante, lembrava a cruz de Malta. Dotada de oito pontas e quatro braços que se estreitavam na direção do centro e chanfrados nas extremidades, tendo entre cada um deles, a flor-de-lis; no centro, uma pomba de asas abertas. Luís XVI sorriu. Pietro observou os olhos fundos, o nariz curvo, os lábios grossos. Sua corpulência lhe conferia um carisma paradoxal. Dele emanava uma nova confiança e autoridade; sem dúvida porque, após a coroação em Reims, ele começara a realmente assumir sua posição.

O rei curvou-se e disse a Orquídea Negra:

— O conde de Broglie me contou acerca de suas aventuras. Insistiu para que lhe fosse concedida esta distinção, da qual ele próprio é titular. Sei que nós lhe devemos muito... E quando digo nós, refiro-me a mim mesmo, à minha esposa e à França, é evidente.

Ainda sorrindo, acrescentou com malícia:

— Entretanto, tudo isso é mais ou menos a mesma coisa...

Pietro não ousaria comentar que o rei, na verdade, não sabia tanto quanto imaginava; nem por um segundo sequer Sua Majestade havia suspeitado que pudesse haver, na pessoa do Fabulista, um tio — afinal, o Fabulista era o filho bastardo do seu avô — que reclamava o trono. Na realidade, o soberano condecorava Pietro sem saber exatamente o porquê, além do fato de este ter protegido o reino e prestado valiosos serviços. Broglie guardara para si todas as informações; apenas Maurepas, por intermédio de Vergennes, fora posto a par dos detalhes do caso.

Luís XVI baixou um pouco mais o tom de voz:

— Tem certeza de que não prefere se tornar mosqueteiro?

Foi a vez de Pietro sorrir:

— Tenho sim, Majestade. Os postos mais importantes já estão ocupados.

Luís XVI concordou.

— Por outro lado, é melhor assim. Eles nos custam uma fortuna. Penso em abolir o serviço. Que isso fique entre nós. Bem, o senhor sabe guardar segredos...

Trocaram olhares cúmplices. O rei abriu os braços e disse, o gesto amplo:

— Meus amigos... Contam agora com um novo cavaleiro!

Orquídea Negra se voltou; aplausos ressoaram sob as abóbadas da capela. Anna Santamaria e Cosimo, nas primeiras filas, batiam palmas, exaltados. A poucos passos, rijo como um florete, Charles de Broglie meneou a cabeça.

Pouco depois do encerramento da cerimônia, Anna aproximou-se de Viravolta.

Pietro soprou-lhe em tom irônico:

— Está vendo, meu anjo, ganhei uma medalha...

Ela o beijou. Cosimo ironizou com um sorriso no canto dos lábios:

— Bastaria uma flor, como naquele tempo.

Afastavam-se para dar passagem à rainha.

Deslumbrante em um vestido prateado decorado com aloendros, Maria Antonieta aproximou-se com sua graça habitual.

As antigas promessas da infância vienense pareciam ter se concretizado; no apogeu da beleza, ou ao menos da aparência que ela sabia dar à beleza, a silhueta continuava delgada, mas, como bom conhecedor, Pietro notou que ela ganhara contornos mais femininos. Os olhos azul-acinzentados e muito afastados continuavam extremamente expressivos. Embora usasse muito pó no cabelo, era possível notar que os cabelos haviam perdido a tonalidade da infância e ganhado um tom castanho. Para tentar esconder a testa alta, escolhia penteados sempre e cada vez mais sofisticados — usava uma *aigrette* de diamantes, os cachos misturados às pérolas e fitas. Tampouco lograva disfarçar o nariz aquilino e o lábio Habsburgo. Acabava de desfazer-se do xale e colocava sobre o vestido uma capa de veludo ornada de lírios e de arminho, preso ao colo por um laço cor de pêssego. Ainda mantinha aquela espécie de graça altaneira, o que a fazia ser comparada a todas as Náiades da mitologia antiga. Pietro sorriu pensando na sublime descrição que Horace Walpole encontrara para ela: ela eclipsava até mesmo as estrelas e quando aparecia em um baile dava a impressão de que se, ao dançar, não marcava bem o compasso, *a culpa era do compasso*.

— Nosso cavaleiro de Veneza! — exclamou a soberana. — Hoje o vejo bastante francês... Lembra-se do dia em que me foi apresentado e do que disse na ocasião? Bem, eu tinha razão, Orquídea. Sabia que me protegeria de tudo...

— A senhora está mais majestosa do que nunca — disse Pietro, pensativo.

Ele inclinou-se e beijou-lhe a mão, como da primeira vez.

A rainha deliciou-se com o cumprimento. Rodeada por cavaleiros, voltou-se para Anna:

— Cuide bem de sua Orquídea, marquesa de Lansalt — disse com um sorrisinho, calçando a luva. — Até eu sei que suas pétalas ainda estão... bem viçosas.

Despediram-se. Pietro e Anna observaram-na afastar-se.

— Você só tem uma única rainha. Assim espero... — sussurrou Anna.

Pietro respondeu-lhe com um sorriso e enlaçou-a pela cintura.

Pelo braço do rei, Maria Antonieta deixava a capela, seguida de cavaleiros e cortesãos. Após a coroação, o retorno a Versalhes se dera em clima eufórico. O casal real voltava a alimentar esperanças no futuro. Após a coroação, Luís parecia quase gracioso; a rainha, aturdida após tantas ovações, retomara a organização desenfreada dos bailes, apesar do grande temor suscitado pelo último ataque do Fabulista. Os dois contavam 20 anos e tinham a França a seus pés. Se o herdeiro ainda se fazia esperar, eles pareciam ternos um com o outro. A corte reencontrava o seu fausto. Certamente o sutil ardil da rainha, com o intuito de favorecer o retorno de Choiseul, resultara em fracasso. Pouco importava. Maria Antonieta pensava sinceramente em propiciar ao povo os milagres com que este tanto sonhava.

Na Galeria de Espelhos, Pietro não tardou a encontrar Charles de Broglie. O chefe da diplomacia secreta aproximou-se. A poucos passos, vestido de negro da cabeça aos pés, Gluck, o célebre compositor, elegante em seu sobretudo de veludo com jabô de renda, inclinava-se diante de Maria Antonieta. Mais afastada, madame Vigée-Lebrun prestava igualmente suas homenagens; seria em breve convidada a pintar aqueles que se tornariam os mais famosos retratos da rainha. Pietro apressava-se em entabular conversa com seu velho mentor quando, tal uma estrela cadente ou mesmo uma boneca de corda, Rose Bertin passou diante dele.

Observando-o um instante, parou e piscou para ele.

— Ah, monsieur de Lansalt! Suas aventuras me deram a ideia de fazer um pufe... bem extravagante. Será composto, dentre outras coisas, de uma espada e de uma flor...

Deu um riso e breve e seguiu os saltos da rainha, que estavam bem altos naquele dia.

— Eu o chamarei de... o pufe do Orquídea!

Pietro sorriu e fez uma reverência:

— A senhora não faz ideia do quanto isso me honra.

— Dizem que eu tenho uma imaginação sem limites, monsieur de Lansalt... Preste atenção ao que diz!

Foi-se embora rindo.

Pietro balançou a cabeça e voltou a atenção para Charles Broglie. Broglie repousou a mão em seu ombro.

— Viravolta, tratemos de assuntos importantes por um instante. Graças ao passarinho encontrado no túmulo do abade, seguimos a pista dos animais empalhados do Fabulista. Três de meus homens ainda continuam desaparecidos. Sem contar... uma mulher, a pobre Safira! Teria ela nos traído? Senhor, é preciso que, no futuro, sejamos ainda mais cautelosos!

Charles meneou a cabeça.

— Localizamos a oficina do Fabulista, perto daqui, na estrada de Saint-Cyr. Se soubesse o que descobrimos! Uma profusão de animais empalhados, outros estripados... e livros de química. Mandei investigar tudo. Você não havia dito, meu amigo, que aquela famosa fórmula do fogo grego tinha sido novamente tragada pelo esquecimento?

— Acredito que ela tenha desaparecido de uma vez por todas com o Fabulista. Eu o vi queimar o que, segundo ele próprio, era o último documento que fazia referência à mistura. Aparentemente, ele a conhecia de cor e, pelo que entendi, havia igualmente rompido com lorde Stevens...

— Assim espero. Imagine se uma potência inimiga viesse a se apoderar da fórmula... Quanto ao pobre rapaz... Felizmente ninguém saberá do perigo enfrentado. E as escapadas do rei no Parc-aux-Cerfs ficaram para trás.

— Isso é certo! — exclamou Pietro arqueando a sobrancelha e olhando Luís XVI de longe. — Mas... o que aconteceu com Stevens?

— Stormont atingiu seu objetivo. Os comparsas de Stevens na França e na Inglaterra foram identificados e a rede foi desmantelada. O assunto chegou ao rei George. Agora resta apenas colocar um ponto final nisso tudo. Mas confiemos em nossos ingleses; eles sabem exercer a força. Têm certa prática em termos de serviços secretos.

— Ah, não há dúvida de que os serviços vão se aprimorar no futuro — disse Pietro.

Saudaram as pessoas que passavam. A expressão de Pietro tornou-se grave.

— Charles, você, assim como eu, está a par de tudo o que aconteceu. Poupamos o novo casal real, mas estou cansado de varrer para debaixo do tapete os erros de nossos antepassados, se bem me compreende. Nossas pretensas aventuras não merecem essas condecorações ridículas. Se não fosse sua insistência, eu teria aberto mão delas.

Broglie o fitou intensamente.

— Entendo seu estado de espírito melhor do que ninguém, acredite em mim. Mas elas são necessárias ao poder. Proteger a coroa, Viravolta, esta é minha missão. E a sua. Pseudodelfim ou não e, independentemente dos erros do rei, o Fabulista era um louco perigoso, um maníaco assassino. É preciso que alguém suje as mãos. A *política*, meu amigo. Quanto ao resto... A História seguirá seu curso, quer conte ou não com a nossa participação.

Deu-lhe um tapinha no ombro.

— Você entende perfeitamente o nosso trabalho.

Calaram-se por um tempo até Charles retomar:

— Mas é preciso que cuidemos dos próximos assuntos.

Mais uma vez o chefe do *Secret* buscava solução para uma situação pessoal difícil. Enviado a Metz e de volta à carreira militar, onde começara, havia superado a amargura. O final do *Secret du Roi* certamente era definitivo — pelo menos aparentemente. Entretanto, os agentes e as redes permaneciam. Nada terminara. Mal concluído o caso do Fabulista, um outro, não menos importante, ocupava-lhe o espírito, todos os seus pensamentos. Fez sinal a um jovem que, em meio aos lambris da Galeria, tinha um ar levemente assustado e olhava em todas as direções com ar curioso. Charles curvou-se à aproximação do jovem e cochichou para Viravolta:

— Bom, posso confiar a você: Metz é um tédio. As manobras não têm o menor interesse, nos agitamos por nada, não há guerra já se vão 15 anos. É lamentável! Pelo menos, aproveito o ar livre. E, de quando em quando, tenho encontros interessantes... Como com esse jovem!

Apresentou ao veneziano um adolescente de aproximadamente 17 anos. Entretanto, este não dava a impressão de muito desembaraço. Escondia como podia, sob a peruca, uma abundante cabeleira ruiva. Levando a mão à espada, cumprimentou Viravolta. Sem dúvida fazia parte dos jovens que Charles de Broglie, para matar o tempo, testava, visando um futuro recrutamento. Usava galões de comandante e Pietro não tardou a saber que o jovem, na verdade, era chefe de uma companhia de dragões de Noailles, sob as ordens do príncipe de Poix. Broglie colocou a mão protetora no ombro do candidato a membro do *Secret*.

— Gilbert de La Fayette — apresentou-se, com um sorriso levemente forçado.

Pietro se apresentou e Broglie completou:

— Nosso amigo participou de um jantar que ofereci há pouco. Imagine, Viravolta, que a este jantar compareceram Sua Alteza Real, o duque de Gloucester, e a esposa. Na verdade, o duque encontra-se em exílio mais ou menos voluntário. Seu irmão, o rei George III, não aceita que ele tenha infringido as convenções ao desposar sua bonita princesa, nascida dos amores ilícitos de Edward Walpole e de uma roupeira, que causaram um escândalo ao terem uma filha. Mas a conversa foi bastante instrutiva. Gloucester critica abertamente a política do irmão na América. Não teme expor a verdade, ou seja, que menospreza as liberdades dos colonos! Ele execra o *Stamp Act* e as recentes decisões. Em sua opinião, o rei esquece os princípios que tornaram a monarquia inglesa poderosa. A que se refere? Ao combate dos insurgentes! Ao combate pela liberdade, Viravolta! O duque afirma que a guerra bate às nossas portas. Obrigado, Gilbert.

O menino afastou-se e Broglie voltou a se inclinar dizendo a Pietro:

— Sim, sei o que está pensando. Ele ainda está meio verde. Mas ele amadurecerá, creia-me. Sonha em entrar para o serviço militar e apoiar os insurgentes. Eis, sem dúvida, nossa nova fronteira. Mas e você? O que pretende fazer?

Pietro sorriu.

— Ainda não sei. Sinto-me tentado a voltar a Veneza. Ou continuar meu trabalho aqui em Versalhes, junto à rainha.

— Ou unir-se a nossas fileiras — disse Charles, também sorridente.

Colocou a mão no ombro de Viravolta. Seu gesto, desta vez, nada tinha de paternal.

— Ou deveria dizer... permanecer nelas?

Observaram-se em silêncio. Em seguida, Charles retomou sussurrando:

— Você sabe que sempre precisarei do Orquídea para resolver os assuntos mais complicados. Então, pense na América... A luta pela liberdade!

— Pensarei! — prometeu Pietro rindo. — Mas a propósito, diga-me... Como vão nossos amigos, o cavaleiro d'Eon e M. de Beaumarchais?

— Ah, aqueles dois... Nem me fale. Beaumarchais foi para a Inglaterra impedir a publicação de um libelo injurioso ao rei e à rainha... Finalmente localizou o local da impressão e, depois de mil aventuras, das quais inventou a metade, depôs o infame opúsculo em oferenda aos pés de Maria Teresa. Ela o tomou por louco. Ele não sabe mais o que fazer para obter-lhe o perdão. Mas você viu seu *Barbeiro de Sevilha*? É um estrondoso sucesso. Mais uma vez se safou por pouco! Esse homem tem o talento de sempre escapar com uma pirueta. É preciso mantê-lo sob vigilância... Seu último plano é envolver-se nos negócios americanos. Ele busca um encontro com o chefe secreto dos insurgentes, Arthur Less. Quanto a d'Eon, Senhor...

O conde suspirou e esfregou as pálpebras.

— Bom, ele também partiu para Londres, mas achou ridícula a pensão que lhe foi concedida após a dissolução do nosso serviço... Ele brada, exige uma reabilitação oficial. Detém documentos importantes e ameaça divulgá-los. Já tentamos chamá-lo à razão. Afinal, talvez ainda venha a nos ser útil.

Mandei Beaumarchais... D'Eon o deixou de quatro. Imagine que Beaumarchais continua a tomá-lo por mulher. Em Londres, d'Eon o convidou a verificar com a própria mão! Bastava uma faísca, mas nosso bom amigo, ofuscado pelo próprio incêndio, não poderia vê-la. Você conhece d'Eon. Ele exagerou, fingiu deixar-se seduzir, deixou-se mesmo chamar de "minha pequena"... Beaumarchais, voltou persuadido de ter lhe virado a cabeça! Em Paris, falou-se até em casamento. Ah, que núpcias, imagine! E para que Fígaro! As negociações não terminaram. D'Eon entrincheirou-se na Brewer Street como numa fortaleza. Bem, espero, em breve, encontrar uma solução para o caso. Enquanto isso, Londres continua a fazer apostas sobre seu sexo e Beaumarchais a recolher as apostas. Se você soubesse como eles me cansam... Meu amigo, creia-me, ainda não nos safamos.

Charles tinha razão: novos desafios desenhavam-se. Apesar de ameaçado de extinção, ao *Secret* não faltaria o que fazer. Haveriam de surgir novos inimigos, outros panfletos caluniosos, planos delirantes, manobras governamentais e missões assombrosas envolvendo safados e travestis. A política, as razões de Estado. Pietro inclinou a cabeça, tendo nos lábios um sorriso desiludido; em seguida, afugentou tais pensamentos para usufruir do dia agradável. Alguns instantes depois, deixou a Galeria dos Espelhos e dirigiu-se aos terraços.

Observou os jardins. Os Vasos da Guerra e da Paz. O *parterre* de Latona. A fonte de Apolo, ao final da Via Reta; e à esquerda, próximo à *Orangerie*... o Labirinto. O bosque agora não passava de um fantasma. Sob ordens do rei, procediam à total remodelação do parque. Maria Antonieta transformava o antigo sonho de Perrault e Le Nôtre num jardim mais a seu gosto. Em breve o Labirinto seria convertido em um jardim inglês, povoado de árvores das ilhas inglesas, e passaria a ser conhecido como "Bosque da Rainha". Seus animais mergulhariam no esquecimento. Das fábulas nada restaria. Sonhava-se com outras paisagens a partir de desenhos e enquadramentos inéditos, devolvendo os bosques ao seu traçado original. Plantariam outras plantas, comprariam cercas e treliças para cada caramanchão, todas as estátuas seriam limpas. Hubert Robert preparava esboços de fontes, de lagos e riachos artificiais tendo sido nomeado para cuidar do parque antes e depois dos trabalhos.

Versalhes mudaria em sua eternidade; *tempus fugit.* Entretanto, essa mescla de inconstância e de permanência era profundamente tocante.

Pietro permanecia nos terraços, vendo o sol se pôr; uma emoção inexplicável apertava-lhe o peito. Observou os canteiros, as fontes.

As fontes do rei... O caminho da sabedoria.

Disse a si mesmo que a vida a correr nas veias era a imagem desses repuxos, desses jatos cristalinos. *Desculpe,* disse a si mesmo, *se não consigo me controlar. Sei que muito me esforcei! É mais forte do que eu...* O sopro vital. O fluxo. A fonte. A vida. O caminho da criação. Esse imenso "contra a morte". Pensou novamente em La Fontaine e em seus *Amores de Psiquê e Cupido.*

Minha Musa é impotente para descrever este dilúvio.
Quando com voz de ferro o céu eu alcançar
Não serei capaz de os encantos destes lugares enumerar.

Afinal, dizia, eu também sou um Fabulista. Qual a necessidade de tudo isso? Qual a necessidade de contar todas essas fábulas, esses contos, essas histórias infantis? Por que essa ilusão de potência, de ser Deus, essa ânsia de dar, de amar e, sobretudo, de ser amado? Por que essa urgência vital? Pelo prazer de sentir, de fazer sentir, de sonhar, de fazer sonhar, de acreditar, de fazer acreditar, de trair, de mentir, de amar, de ser eu mesmo, de ser outro, para que este outro se torne você, pelo prazer de ser em resumo! Isso ocorre a todos nós!

Lembrava-se ainda do bilhete do Fabulista que o conduzira ao coração dos jardins.

Sobre ti tenho todo o poder; minha imaginação é sem limite
Eu fantasio e efabulo, eu invento e desfaço.
Nas sombras, urdo minha trama, teço minha teia no espaço.
Sou o autor, Viravolta!
Vou fazer com que te percas, te confundas, te precipites,
Lançar-te-ei num véu de bruma para te assistir,
Para melhor te conduzir.
Sou o Fabulista e o guardião.
Quanto a ti, estás em minhas mãos.

E eu, quem sou eu? perguntou-se Pietro.

Surgindo das sombras do palácio, deslumbrante, Anna Santamaria. Na mão, uma sombrinha que movimentava entre os dedos enluvados. Um pufe escondia parte da cabeleira penteada à moda de Veneza. Sorriu ao aproximar-se do marido. Tinha um estilo delicioso, muito semelhante ao de madame Pompadour; o rosto parecia iluminado por um reflexo de elegância, galanteria, graça, gentileza antiquada que, em si só, constituía toda a sedução do seu século. Estava radiante e triunfante. Falou de futilidades com voz animada. Assim permaneceram, contemplando os jardins. Desfilando como num sonho, grupos de cortesãos à sua frente murmuravam como as fontes; uma sombrinha aqui, um lenço de renda acolá, uma bengala ou uma peruca mais adiante... Em meio a um raio do sol poente, de repente passou a silhueta de Cosimo. Trajando branco e um casaco marrom, ria e despertava o riso em uma senhorita bem-apessoada, de faces frescas e cintura fina. Deslizavam sob o raio dourado.

Pietro arqueou a sobrancelha. Anna ergueu o olhar sob o chapéu e deu-lhe um sorriso cúmplice. Pietro saboreou a estranha emoção de ver seu destino cumprido, a juventude para sempre distante e, ainda assim, resistirem a esperança, a vida, a energia e o amor, é claro, a única coisa que realmente valia a pena. Sempre o amor!

Vamos lá. Eu sei quem sou.

Recolocou o chapéu.

Uma lenda. Uma sombra. Um mito. Uma fábula.

Acariciou o pomo da espada de Veneza e sorriu.

Sou Orquídea Negra.

Atrás do palácio, o astro dourado desaparecia. Em breve, surgiriam as estrelas. Ao longe, do outro lado da fonte de Apolo, o fogo começava a tingir o céu, distante lembrança de Versalhes, à sombra do seu antigo senhor, o rei de outrora, o Rei Sol.

Pietro inclinou-se numa reverência diante das fontes.

*

* *

Inclinado na proa de um navio que cortava as trevas, lorde Stevens ruminava sua derrota, os punhos cerrados, os cabelos dançando ao vento, semelhantes a serpentes de uma antiga Górgone. Passara algumas semanas escondido na Normandia; tempo suficiente para se fazer esquecer. Embarcara, em segredo, no porto de Granville. Partia. Depois do acontecido, era-lhe impossível retornar, pelo menos por enquanto, à Inglaterra. Fugia, portanto, rumo ao único porto ainda viável: a América. O navio seguia no mar agitado. Para evitar as rotas comerciais, acabava de passar as ilhas Chausey e embicava na direção sudoeste para ganhar o Atlântico. A travessia anunciava-se das mais difíceis. Stevens estava mareado. A rosa em seu peito murchara. Nuvens negras não cessavam de se amontoar no céu. Raios cruzavam o firmamento de um lado a outro; pareciam contidos pela cobertura escura e assim, mesmo as nuvens, atravessadas por quimeras elétricas, pareciam implodir. Uma chuva torrencial fustigava o parapeito. Entretanto, na proa, Stevens, descabelado, recusava-se a procurar abrigo. Com um pontapé, expulsara um dos marinheiros da tripulação, um normando que, tomando de um gole uma dose de *calvados*, lhe dissera, zombeteiro, que "na Normandia sempre faz tempo bom".

As velas dançavam; sob o efeito da luz intermitente, assemelhavam-se às de um navio fantasma, de alguma nave habitada por corsários ou piratas cadavéricos, quem sabe os ocupantes do mítico navio do *Holandês Voador*. O navio terrível subia e descia sobre o canal da Mancha, batido por rajadas de chuva; e Stevens, embora acabasse de botar as tripas para fora, mantinha-se firme, as luvas de ferro agarradas à borda do costado.

Então, ele e o Fabulista haviam fracassado.

Quisera desferir um golpe fatal na monarquia francesa no dia da coroação e, em desespero de causa, botar fogo no palácio do Rei Sol, utilizando até o final os serviços daquele louco que se autodenominava Jean de France, delfim de lugar nenhum. Jamais compreendera o *verdadeiro* motivo desse sobrenome, tampouco o de seu ódio. Por quê? Meu Deus, por quê? Stevens tinha vontade de rir ou de chorar rememorando aquele sonho alucinado que o invadira — a ele, chefe renegado da contraespionagem inglesa; derrubar definitivamente o equilíbrio continental, eliminar para sempre o inimigo plurisecular, desafiar a Áustria, a Espanha e a Prússia, unir as duas Coroas, a rosa e a flor-de-lis! E, numa mesma tacada, ganhar a América! Agora, forçado a se exilar, doravante proscrito. Justamente ele banido, ele, que, no entanto, jamais tivera outro objetivo senão servir à pátria, sabia estar ameaçado. Havia sido destituído de suas funções e títulos; lorde Stormont ordenara sua prisão. Agira sem o aval do próprio governo. Sem dúvida, caso tivesse obtido êxito, teria voltado triunfante e entregaria a George III, como planejara, os despojos de França. Teria comunicado ao rei os preparativos do serviço de Charles de Broglie para invadir a Inglaterra; teria debatido a situação americana, a fraqueza do reino, a traição do duque de Gloucester, para assim obter do rei George o direito de organizar um exército e levar adiante o próprio plano: desembarcar na França!

Em vez disso, seu mundo desmoronara! E aquele Fabulista, emblema de uma época que Stevens temia já ter sido superada... Quimera, invenção, excrescência de um tempo distante... Como pudera confiar em tal personagem? *Como?* Talvez o fracasso do Fabulista — e o seu; talvez a revolta americana e o declínio da França e da Inglaterra fossem sinais, presságios anunciando o fim. Um fim mais vasto. Lembrou-se do que dizia o Fabulista sobre a podridão do reino. De súbito, teve uma visão: a de um mundo prestes a ser abolido em uma conflagração sem retorno, um mundo onde os povos não mais respeitassem as Coroas, nem as lembranças, nem a justa ordem das coisas. Não acreditariam mais na nobreza, na raça e no sangue. O Fabulista costumava dizer que aguardava o momento em que o reino da França cairia como uma concha vazia, uma maçã podre, sob o ataque violento do povo e de todos os filósofos. Stevens rugiu, mas a voz foi abafada pela tempestade. Apenas uma nova rajada de chuva respondeu à sua cólera.

Ali permaneceu, os punhos cerrados, o rosto sombrio e ensopado.

Antes que essa época chegue ao fim, se repetia. *Antes que se derrame para sempre o sangue dos reis...*

Continuou no mesmo lugar por uma eternidade, até o mar se acalmar pela manhã. O navio foi abordado por uma fragata da Marinha Real Inglesa para ser fiscalizado. Dois homens subiram a bordo. O sabre ao lado, dragonas douradas, usavam uniformes e tricórnios. Trocaram algumas palavras com o capitão e em seguida dirigiram-se a ele sem hesitação.

— *Lorde Stevens?* — perguntou um deles, exibindo a ordem de prisão.

Stevens empalideceu, enquanto o outro continuava.

— *Ian McPherson, British government. Would you please follow us?*

*

* *

Quando Marie Desarneaux recuperou o corpo do filho, berrou como na época das torturas.

Jamais teria sabido, caso o abade Morois, após a conversa com o conde de Broglie, e tendo sido informado de como o Fabulista morrera, não tivesse decidido lhe contar tudo. Fora difícil tomar a decisão, pois assim ressuscitaria no coração da velha a lembrança daquele filho abandonado. Mas acreditou ser sua obrigação o relato cruel. Marie corria o risco de saber a verdade de qualquer maneira e de forma ainda mais dolorosa. Assim, durante a conversa com o abade, espantada, ela foi posta a par de tudo. De como seu filho permanecera vivo todos esses anos. De seu desejo de se vingar, sem jamais ousar se aproximar da mãe. Sua dor, inconcebível, apenas aumentou com a revelação. No exato momento em que o destino lhe devolvia o filho, o roubava por uma segunda morte, desta vez verdadeira! Era demais para a pobre Marie. Entrou em desvario. Odiou por um tempo o abade, mas sua fúria não tardou a se dirigir contra os verdadeiros culpados de seu sofrimento. Haviam atirado os restos do filho na fossa comum, onde poderia permanecer e se unir aos restos do pai adotivo, Jacques de Marsille, ele também por todos esquecido. O abade Morois a ajudou a recuperar o corpo. Marie cobriu o jovem com uma mortalha; por um tempo pensou em enterrá-lo no cemitério de Saint-Médard, junto dos antigos convulsionários e do falecido diácono François de Pâris. Entretanto, considerando que a alma de seu pobre filho já fora vítima de tantos tormentos ao longo da vida, a cega Marie, devorada pela dor, recusou-se a puni-lo ainda mais.

Decidiu queimá-lo.

Não viu as chamas lamberem a mortalha, mas a fogueira consumiu também, no mesmo instante, seu coração endurecido. Desta vez, não deu um soluço. Rezou para que algo sobrevivesse e que um dia a fênix renascesse das cinzas.

À noite, na sacristia, à sombra de uma vela, em um delírio que lhe decuplicava a ferocidade e a inteligência, ditou uma carta ao abade Morois.

E repetia, com voz aguda, deformada pela raiva:

— E eu quero que ele morra. *Quero que Viravolta morra!*

*

* *

No Salão de 1793, foi exposto um retrato de Maria Antonieta pintado por madame Elisabeth Louise Vigée-Lebrun. A rainha estava linda, embora se tratasse de uma beleza de outra época; no quadro, ela exibia todo seu frescor e juventude. O quadro é conhecido como "Maria Antonieta segurando uma rosa", por trazer, entre os dedos, uma flor que parece combinar com a sua graça e a sua tez. Mas talvez, se fosse possível revelar o oculto arrependimento da pintora sob a película de tinta, talvez pudéssemos ver que essa rosa é, na verdade, uma orquídea.

O cintilar dos espelhos e das tochas douradas, o reflexo luminoso do parquê claro, as altas janelas abertas sobre o jardim, cujas fontes guardavam ainda os estigmas de sua recente e sublime incandescência, reforçavam o espetáculo da magistral fileira da Galeria dos Espelhos, no momento, no meio da noite, mergulhada no escuro. Ali e acolá uma porta do Salão fora deixada aberta e correntes de ar frio circulavam como num sepulcro fantasmagórico. Só Deus conhecia o motivo da insônia da rainha. E só Deus sabia, como agora, que a guarda da noite roncava nas portas de seu aposento, ela se aventurara ali, sozinha, os pés descalços, sobre o parquê daquela Galeria onde oferecera mil recepções. A fileira de mármores e de suas 17 janelas abria-se diante dela, longa boca de escuridão. Nem um gato; nem um ruído. Apenas o silêncio, um silêncio profundo, exceto talvez o tique-taque de um velho pêndulo marcando as horas. Nessa escuridão, como uma ameaça ainda distante, um rugido surdo que se aproximava lentamente.

Naquela manhã, a rainha recebera uma encomenda muito especial, entregue por Rose Bertin. Dentro de uma gaveta, sem explicação, surpreendera-se diante do envelope branco.

Neste, havia um selo no qual constava apenas um F.

No interior, um bilhete.

A Raposa e o Busto
Livro IV — Fábula 14

São, no geral, os grandes
Máscaras de salão:
Com o exterior impõem-se
Do vulgo à adoração.

O burro julga delas
Só pelas aparências;
Estuda-as a raposa
Em suas minudências.

Revira-as, examina-as,
Em todos os sentidos,
E, vendo que os sujeitos
São figurões fingidos,

Aplica-lhes, a pelo,
O dito tão chistoso,
Que ao burro dirigira
De certo herói famoso:

"Que bela esta cabeça!
Mas (ai!) não tem miolo!"
É busto neste ponto
Muito fidalgo tolo.

(Tradução do Barão de Paranapiacaba)

A rainha não compreendera direito o sentido da fábula, embora tenha lhe deixado amarga impressão.

Era violento. Era injusto. Teve vontade de chorar.

A grande fábula, a grande comédia prosseguia.

Maria Antonieta sorriu; o sorriso se fez mais sério, mais grave, até finalmente desaparecer. A preocupação ganhou-lhe o rosto, acompanhada de vaga inquietude. Pestanejou. Os ombros, o pescoço e o peito tremeram. Com as mãos envolveu os braços. As cortinas brancas e a barra da sua camisa se agitavam levemente no frio.

A rainha da França, em sua palidez de lírio, estremeceu.

Sim, disse para si mesma. *Como uma ameaça... Uma sombra...*

E, de repente, teve a visão fugidia de milhares de tochas sob a sacada.

Tinha 20 anos.

O vento ganhava força.

FONTES E AGRADECIMENTOS

Obrigado a todos os citados abaixo. Obrigado aos anônimos movidos tão somente pela vontade de compartilhar sua curiosidade e paixão por intermédio de um artigo, de uma palavra, de um comentário, e aos que tive a oportunidade de encontrar durante minhas pesquisas e viagens pela França e no exterior.

Um muito obrigado especial a Gilles Perrault a quem devo prestar homenagem por seu formidável documento, *Le Secret du Roi* (Fayard, 1992), em particular o início do tomo 3, *La Revanche américaine*. A ele recorri para escrever tudo que se refere às aventuras dos agentes do *Secret*: da criação do serviço à guerra americana, bem como sobre d'Eon, Beaumarchais, Broglie e Vergennes, numa demonstração de que a realidade supera com frequência a ficção! Graças à sua obra, obtive várias informações, indispensáveis às aventuras de Viravolta.

A sequência na perfumaria de Fargeon foi inspirada no brilhante livro de Elisabeth de Feydeau, *Jean-Louis Fargeon, parfumeur de Marie-Antoinette*, Perrin-Château de Versailles, coll. *Les Métiers de Versailles*, 2004, Prêmio Guerlain. Experimentei grande alegria ao ler sua obra.

Também mergulhei em três inquestionáveis biografias de Maria Antonieta: a famosa *Maria Antonieta*, de Antonia Frazer (publicada no Brasil pela editora Record em 2001), que inspirou o filme de Sofia Coppola, e os dois livros de referência de Evelyne Lever, *Maria Antonieta, a última rainha da França*, Objetiva, 2004, e *Les Dernières noces de la monarchie — Louis XVI, Marie-Antoinette*, Fayard, coll. *Les indispensables de l'Histoire*, 2005. Sem esquecer a *Maria Antonieta* de Stefan Zweig.

Não pude me impedir de evocar diversas vezes o livro editado pela Grasset na coleção *Les Cahiers Rouges*: *Versailles au temps des rois*, de Gosselin Lenotre que fornece histórias extraordinárias e serviu de "gatilho" para esse romance. Nesse sentido, não tenho palavras para agradecer o meu amigo e editor Christophe Bataille por ter me apresentado a Lenotre e acompanhado minhas peregrinações no longo caminho que juntos trilhamos há 15 anos.

Consultei também:

A obra bastante completa de Michel Antoine, *Louis XV* (Fayard, 1989), bem como o *Louis XV* de François Bluche (Perrin, reed. 2003, coll. Tempus), em particular a sequência da morte do rei.

Le Découvertes Gallimard de Claire Constans, *Versailles, château de la France et orgueil des rois*, 1989.

No que diz respeito à simbologia das flores e dos jardins de Versalhes, os apaixonantes *Symbolique de Versailles à la lumière des jardins* de Vincent Beurtheret, com fotografias de Alexis Riboud, ed. du Huitième Jour, 2002, e *Les Plantes et leurs symboles*, de Anne Dumas, Le Chêne, 2004.

Sobre o palácio em si e seus passeios:

Manière de montrer les jardins de Versailles, Louis XIV, Mercure de France, 1999.

La Promenade de Versailles, Madeleine de Scudéry, Mercure de France, 1999.

Relation de la fête de Versailles, André Félibien, Mercure de France, 1999.

Le Château de Versailles, obra notável de Pierre Verlet, Fayard, reed. 1985.

Versailles, le Château, Le Figaro, coll. L'esprit des lieux, dentre eles o artigo de Martin Aston, "Les chantiers du couchant", bem como os guias de visita: o guia Gallimard *Versailles*, Encyclopédies du Voyage ; *Versailles* de Béatrix Saule, curadora-chefe, e Daniel Meyer, Art Lys, 2006 ; *Votre visite à Versailles* de Simone Hoog, curadora-geral honorária do Patrimônio, e Béatrix Saule, Art Lys, 2006.

O jogo em CD-ROM *Versaille, Complot à la cour du Roi-Soleil*, Cryo Interactive, Réunion des Musées Nationales e Canal + Multimedia.

Le Tableau de Paris, de Sébastien Mercier.

Site da cidade de Herblay.

Extratos da obra de Gilbert Forget, *Herblay* (1974), edição paga pelo próprio autor. Biblioteca Municipal de Paris.

O site da internet da DGSE (*Diréction Générale de la sécurité exterieure*) / Agência de Inteligência no Exterior), para o histórico de informações francesas.

FONTES E AGRADECIMENTOS

Vários artigos da Wikipédia.

Uma espiadela na magnífica *Conservation de Bolzano*, de Sándor Márai, Albin Michel — Le Livre de Poche Biblio, ed. 1991.

Finalmente, gostaria de um agradecimento especial a Philomène, que sabe exatamente por quê.

Este livro foi composto na tipologia Electra LH Regular, em corpo 11/16, e impresso em papel off-white 80g/m² no Sistema Cameron da Divisão Gráfica da Distribuidora Record.